NTOA 47

Michael Fieger / Konrad Schmid / Peter Schwagmeier

Qumran – Die Schriftrollen vom Toten Meer

NOVUM TESTAMENTUM ET ORBIS ANTIQUUS (NTOA)

Im Auftrag des Departements für Biblische Studien
der Universität Freiburg Schweiz
herausgegeben von Max Küchler
in Zusammenarbeit mit Gerd Theissen

Die Autorin, die Autoren, die Herausgeber

Heinz-Josef Fabry
Jörg Frey
Johann Maier
Annette Steudel
Emanuel Tov
Michael Fieger (Hrsg.)
Konrad Schmid (Hrsg.)
Peter Schwagmeier (Hrsg.)

Nähere Angaben s. SS. 223–226

Novum Testamentum et Orbis Antiquus 47

Michael Fieger / Konrad Schmid /
Peter Schwagmeier (Hrsg.)

Qumran –
Die Schriftrollen vom Toten Meer

Vorträge des St. Galler Qumran-Symposiums
vom 2./3. Juli 1999

Universitätsverlag Freiburg Schweiz
Vandenhoeck & Ruprecht Göttingen
2001

Die Deutsche Bibliothek – CIP-Einheitsaufnahme

Qumran – die Schriftrollen vom Toten Meer: Vorträge des St. Galler Qumran-Symposiums vom 2./3. Juli 1999 / Michael Fieger ... (Hrsg.). – Freiburg, Schweiz: Univ.-Verl.; Göttingen: Vandenhoeck und Ruprecht, 2001
(Novum testamentum et orbis antiquus; 47)
Zugl.: Marburg, Univ., Diss., 1999/2000
ISBN 3-525-53947-9 (Vandenhoeck und Ruprecht)
ISBN 3-7278-1329-6 (Univ.-Verl.)

Veröffentlicht mit Unterstützung des Hochschulrates Freiburg Schweiz,
des Rektorates der Universität Freiburg Schweiz,
der Stiftsbibliothek St. Gallen
und des Bischofs von St. Gallen, Dr. Ivo Fürer

Die Druckvorlagen der Textseiten wurden von den Herausgebern
reprofertig zur Verfügung gestellt.

Herstellung: Paulusdruckerei Freiburg Schweiz
ISBN 3-7278-1329-6 (Universitätsverlag)
ISBN 3-525-53947-9 (Vandenhoeck & Ruprecht)
ISSN 1420-4592 (Novum Testam. orb. antiq.)

Inhalt

Vorwort

Die in diesem Band publizierten Beiträge gehen auf eine Tagung zurück, die die Stiftsbibliothek St. Gallen zusammen mit der Schweizerischen Gesellschaft für orientalische Altertumswissenschaft (SGOA) und der Theologischen Fakultät der Universität Zürich anlässlich der in St. Gallen (und zuvor auch in Glasgow und Köln) gastierenden Qumran-Ausstellung am 2. und 3. Juli 1999 durchgeführt hat.

Als Mitwirkende an dieser Tagung konnten namhafte Exponenten der Qumranforschung gewonnen werden: Prof. Dr. Emanuel Tov (Jerusalem) gab – als Editor-in-Chief of the Dead Sea Scrolls Publication Project – zunächst einen Überblick über Geschichte, Probleme und Stand der Publikation der Qumrantexte; Prof. Dr. Dr. Johann Maier (Köln), einem größeren Kreis von Interessierten bekannt geworden durch die von ihm in drei UTB-Bänden besorgte deutsche Übersetzung der Qumrantexte, profilierte in einem Überblick über die Forschungsgeschichte die unterschiedlichen Dimensionen und Problemfelder der Qumranforschung; Dr. Annette Steudel (Göttingen) führte in die Probleme und Methoden der Rekonstruktion von Schriftrollen ein, die sie aus ihrer eigenen Forschungsarbeit kennt; Prof. Dr. Heinz-Josef Fabry (Bonn) stellte das Problem des hebräischen Bibelkanons und der Textgeschichte der hebräischen Bibel im Lichte der Qumranfunde vor; abschließend behandelte Prof. Dr. Jörg Frey (München) in einem Überblick die Relevanz der Qumranfunde für das Neue Testament.

Wir danken den beteiligten Referenten für ihre Bereitschaft, uns ihre Manuskripte zur Publikation überlassen zu haben, Matthias Bochow und Steffen Weusten (Heidelberg) für ihre Mitarbeit bei der Herstellung der Druckvorlagen, der Stiftsbibliothek St. Gallen und Bischof Dr. Ivo Fürer (St. Gallen) für namhafte Druckkostenzuschüsse sowie Prof. Dr. Max Küchler (Fribourg) und Prof. Dr. Gerd Theißen (Heidelberg) für die Aufnahme des Bandes in die Reihe NTOA.

Michael Fieger
Konrad Schmid
Peter Schwagmeier

Die Veröffentlichung der Schriftrollen vom Toten Meer*

Emanuel Tov

Als die so genannten Schriftrollen vom Toten Meer gefunden wurden, hatte niemand auch nur die leiseste Ahnung, dass diese Rollen Wissenschaft und Öffentlichkeit gleichermaßen in derartigem Ausmaß beschäftigen würden. Seit den Fünfzigerjahren ist das Interesse gewaltig, und hunderte von Büchern und tausende von Artikeln und Aufsätzen sind geschrieben worden. Es war eine echte Sensation, und Journalisten sprachen manchmal von Skandal; manche meinen, dieser Skandal dauere noch immer an. Ungefähr fünfzig Konferenzen sind den Schriftrollen gewidmet worden. Die Forschung an den Rollen geht weiter, und Journalisten schreiben weiterhin eifrig, oft ohne auf Fakten gestützte Grundlage. Oft sind auch Wissenschaftler für die Verbreitung falscher Informationen über die Schriftrollen verantwortlich. Manche verfassen ungeduldig vorschnell geschriebene Aufsätze, die auf Teilinformationen beruhen, und veröffentlichen Texte und Übersetzungen, nicht selten mit dem Ziel, einige der Früchte des Ruhmes zu ernten, der mit dem Schreiben über die Rollen verbunden ist.

Zwischen 1947 und 1956 wurden buchstäblich tausende großer und kleiner Rollenfragmente in elf Höhlen in Qumran gefunden, vor allem in den Höhlen mit den Bezeichnungen 1, 4 und 11. Manche dieser Fragmente sind recht groß, in seltenen Fällen sind sie sogar von beträchtlichem Umfang, manchmal handelt es sich gar

* Aus dem Englischen übersetzt von P. Schwagmeier.

um vollständige Schriftrollen, während andere mittelgroß oder klein sind. Die wohl meisten Fragmente sind von mittlerer Größe und erlauben damit eine sinnvolle Untersuchung ihres Inhalts. Diese Fragmente gehören zu ursprünglich ungefähr 900 vollständigen Schriftstücken in Hebräisch, Aramäisch und Griechisch, die in diesen Sprachen, aber auch in zwei Geheimschriften geschrieben worden sind. Unter diesen Texten waren gegen zweihundert Schriftrollen, die einzelne Bücher der Hebräischen Bibel enthielten. Die Bezeichnung »Schriftrollen vom Toten Meer« bezieht sich auf mehr als nur die Gegend von Qumran, denn Überreste von Schriftrollen und Papyri sind auch an anderen Orten in der Judäischen Wüste südlich von Qumran gefunden worden, so im Naḥal Ḥever, im Naḥal Se'elim, im Wadi Muraba'at, im Wadi Sdeir, im Wadi Mishmar und auf Masada. Funde in Jericho aus der jüngsten Vergangenheit müssten der Liste hinzugefügt werden. Das größte Interesse hat sich aber auf die von Beduinen und Archäologen in Qumran gefundenen Handschriften gerichtet, und deshalb denken wir beim Gebrauch der Bezeichnung »Schriftrollen vom Toten Meer« in erster Linie an Qumran.

Es ist sehr schwer, eine treffende Beschreibung des Inhalts der Fragmente der Schriftrollen vom Toten Meer zu geben, denn die Diskussion darüber ist noch im Gang, und darüber hinaus wird keine umfassende Theorie zu den Ursprüngen von Qumran je von allen Wissenschaftlern akzeptiert werden. Fast alle Fragmente aus Qumran sind Teile literarischer Werke, und dieser Befund ist von Bedeutung für unser Verständnis dieses Ortes. Auf der anderen Seite sind die meisten anderen Fragmente von anderen Orten in der Judäischen Wüste im engeren Sinn »Dokumente«, das heißt, sie umfassen archivarische Dokumente wie Quittungen, Heiratsverträge und Listen verschiedener Art. Was den Hintergrund von Qumran angeht, so lebte einer weithin akzeptierten Theorie gemäß eine spezielle Gruppe Essener von ungefähr 120 vor unserer Zeit (v.u.Z.) bis zum Jahr 70 unserer Zeit (u.Z.) in Qumran, und als sie dorthin gingen, brachten sie Schriftrollen mit sich, die an verschiedenen Orten in Palästina abgeschrieben worden waren. Sie verfassten aber auch in Qumran selbst Schriftrollen und schrieben solche ab. Viele dieser Handschriften enthielten biblische Texte, und diese geben uns einen hervorragenden Einblick in die Geschichte der Überlieferung des biblischen Textes in der Zeit zwischen 300 v.u.Z. und 70 u.Z. Das bedeutet, dass die ältesten Schriftrollen älter sind als die Siedlung und dass sie von den Siedlern dorthin gebracht worden sind. Für unser Verständnis der Rollen ist es von untergeordneter Bedeutung, ob man diese Mehrheitsmeinung der Forschung akzeptiert oder eine andere Ansicht vertritt, denn die meisten Wissenschaftler sind sich darin einig, dass einige oder sogar viele der in Qumran gefundenen Schriftrollen andernorts abgeschrieben worden sind, während andere in Qumran selbst geschrieben wurden. Über diese biblischen Rollen hinaus haben wir nun eine recht klare Vorstellung von der jüdischen Literatur jener Zeit, da die Höhlen hunderte literarischer Werke enthielten. Der Befund an in Qumran gefundenen Texten spiegelt vermutlich den literarischen Geschmack der Gemeinschaft von Qumran, aber selbst das ist nicht sicher. Diese Schriftrollen umfassen Werke verschiedener Gattungen wie Weisheitsliteratur, Psalmen, biblische Interpretationen, apokalyptische Werke, kalendarische Dokumente, Gebete, »rewritten« biblische Bücher und magische Dokumente. Beinahe jeder einzelne in Qumran gefundene Text erweitert unser Verständnis der jeweils umfassenderen Textgruppe, zu der er gehörte. Viele Texte wurden in mehreren Abschriften gefunden, sodass die Beziehungen zwischen diesen Abschriften nun in literarischer Hinsicht untersucht werden können und ihre textliche Überlieferung veranschaulicht werden kann.

Seit Beginn der Entdeckung der Schriftrollen vom Toten Meer ist ein internationales Team mit ihrer Veröffentlichung betraut. Diese Arbeit ist noch im Gang, obwohl wir nun Licht am Ende des Tunnels sehen. Zugleich gibt es eine kleine Gruppe kleiner und mittelgroßer Texte, über die man relativ wenig weiß, die aber jetzt, ohne Kommentierung, in die Studienausgabe von Florentino García Martínez und Eibert J.C. Tigchelaar aufgenommen wurden.[1] Einige dieser Texte könnten Licht auf bislang unbekannte Bereiche werfen. Zum Beispiel haben Magen Broshi und Esther Eshel jüngst ihre noch unveröffentlichte Untersuchung eines Textes namens 4Q248 (4QHistorical Text A) bekannt gegeben, der sich auf einen in den Qumrantexten ansonsten nicht erwähnten griechischen König bezieht, und zwar vermutlich auf Antiochus IV. Epiphanes. Obwohl er nicht namentlich genannt wird, trifft die Beschreibung am besten auf ihn zu. In einem anderen unveröffentlichten Text, 4Q468e (4QHistorical Text F) hat Broshi den Namen Potlais/Ptolaus (פותלאיס) erkannt. Diese neuen Dokumente erweitern somit die kurze Liste historischer Figuren, die man zuvor aus den Schriftrollen kannte. Wir verlassen diesen komplexen Bereich an dieser Stelle und wenden uns der Entzifferung und Veröffentlichung der Schriftrollen zu. Andere Texte, die demnächst veröffentlicht werden sollen, werden andere Aspekte der Qumran-Literatur illustrieren. Die kalendarischen Texte der Qumran-Gemeinschaft sollen in DJD, Band XXI von Shemaryahu Talmon, viele noch unbekannte aramäische Texte in Band XXX von Emile Puech, und die Pseudo-Ezechiel- und Jeremia-Literatur soll in Band XXX von Devorah Dimant veröffentlicht werden.

Die Geschichte der Entdeckung und Veröffentlichung der Schriftrollen wurde begleitet von Pech, Pannen, fehlender Erfahrung und Fehlern verschiedenster Art, ganz abgesehen von diversen Skandalen. Nichtsdestotrotz waren und bleiben die meisten Mitglieder des ersten Teams maßgebliche Wissenschaftler auf ihren Arbeitsgebieten, und ohne ihren Scharfsinn, ihre Brillanz und Hingabe hätte die Publikation nicht die Fortschritte machen können, die sie gemacht hat.

Dennoch, es war einfach Pech, dass die Fragmente den Forschern in völliger Unordnung und häufig nach schlechter Behandlung durch die Beduinen übergeben wurden. Beispielsweise wurde, wie

---

[1] F. García Martínez / E.J.C. Tigchelaar, The Dead Sea Scrolls Study Edition, Bd. 1–2, Leiden / New York / Köln, 1997, 1998.

Père Dominique Barthélemy berichtet, die griechische Schriftrolle mit dem Text der Kleinen Propheten aus dem Naḥal Ḥever unter der Kufija eines der Beduinen aufbewahrt (vgl. das Vorwort in DJD VIII), und gemäß John Strugnell war eine der Abschriften von 4Q416, das sogenannte 4QInstruction^b, »hidden under Kando's shirt and absorbed his perspiration, as he hid it there to prevent its discovery during a police search« (DJD XXXIV, 73). Diese äußeren Umstände haben die Qualität der Schriftrollen nicht gerade verbessert, um es zurückhaltend zu formulieren. Ein ganz ähnlicher Fall ist die Tempelrolle aus Höhle 11, die viele Jahre lang in einem Schuhkarton in Kandos Garten in Bethlehem versteckt wurde, und der heutige Verfallszustand des oberen Teils dieser Rolle hätte vermutlich vermieden werden können, wäre die Rolle unter besseren Bedingungen gelagert worden.

Ein unglücklicher Umstand war auch, dass die Region, in der die Schriftrollen seit 1947 gefunden wurden, in politischer Unruhe waren, sodass man alle möglichen *ad hoc*-Lösungen finden musste. Die Tatsache, dass die Rollen auf Mandats-Territorium bzw. jordanischem Gebiet gefunden wurden, schuf eine schwierige Situation; so verweigerten die für die Schriftrollen verantwortlichen Behörden Israelis und Juden einige Jahrzehnte lang den unmittelbaren Zugang zu den Handschriften.

Unerfahrenheit ließ die aus acht Wissenschaftlern bestehende erste Gruppe glauben, sie könnten alle Fragmente selbst veröffentlichen, ohne Beiziehung weiterer Gelehrter. Wäre ihre Einstellung von Anfang an offener gewesen, hätte mancher Aufschrei vermieden werden können. Fehlende Erfahrung war es auch, die die ersten Schritte der materiellen Behandlung der Rollen begleitete, die mit Klebeband zusammengeklebt wurden. Zwei Jahrzehnte später verursachte dieses Klebeband ernsthafte Beschädigungen an den Stellen, an denen die Fragmente zusammengeklebt worden waren.

Es wurden Fehler gemacht, und manche dieser Fehler schaden der Wissenschaft bis heute. So gingen etliche archäologische Fundstücke, wie Münzen und Glasware, auf geheimnisvolle Weise verloren, und dieser Umstand macht es unmöglich, bestimmte Untersuchungen vollständig abzuschließen. Manche dieser Fundstücke sind wahrscheinlich irgendwo in Europa. Verschiedene Rollenfragmente wurden in den Fünfzigerjahren mit oder ohne Zustimmung der jordanischen Behörden außer Landes gebracht und sind nun in Paris, Heidelberg und an anderen Orten ausgestellt oder werden dort verwahrt. Gleichzeitig waren die Wissenschaftler selbst aber ausgezeichnete Gelehrte, viele ihrer ersten Identifikationen waren brillant, und damit wurden von Anfang an hohe Maßstäbe für die Veröffentlichung gesetzt.

Es war Glück, dass die Rollen überhaupt gefunden wurden, aber die Umstände, unter denen sie gefunden und den Gelehrten übergeben wurden, waren alles andere als glücklich. Es wäre hilfreich gewesen, wären die Rollen von Archäologen *in situ* gefunden worden, dann hätten wir Gewissheit über den Fundort jedes Fundstücks und über seine Lage in Bezug auf andere Fragmente. Was den größten Schatz angeht, die Höhle 4, so wurden nur circa zwanzig Prozent der Texte *in situ* von Archäologen gefunden; der Großteil der Texte wurde von Beduinen aus den Höhlen entfernt. Wir haben nicht einmal Gewissheit, ob einige der Fragmente, die eine Identifizierung wie »Qumran Höhle 4« tragen, wirklich dort gefunden worden sind. So gibt es noch immer Unsicherheiten in Bezug auf die dokumentarischen Texte mit dem Siglum »Qumran Höhle 4«, die aber wahrscheinlich aus dem Naḥal Ḥever und dem Naḥal Se'elim stammen (vgl. A. Yardeni in DJD XXVII); die meisten Texte, die »Seiyal« genannt werden, stammen vermutlich ebenfalls aus dem Naḥal Ḥever, denn die Beduinen hatten nicht zugeben wollen, dass sie die israelische Grenze zum Naḥal Ḥever überschritten hatten, von wo sie diese Texte geholt hatten. Das Schlimmste war aber, dass die Fragmente von den Beduinen in totaler Unordnung ausgehändigt wurden. Den Mitgliedern des ersten Teams gelang es, dieses Chaos zum größten Teil zu entwirren, aber einige der bleibenden Unklarheiten gehen auf eben diese anfängliche Unordnung zurück.

Mit der angesprochenen Unordnung der Fragmente meinen wir, dass Stapel buchstäblich tausender Fragmente an Wissenschaftler

verkauft wurden, die dann fünf Jahre damit verbrachten, diese Stücke zu kategorisieren und erste Identifizierungen vorzunehmen. Wenn auf einem Fragment etwa ein Stück des Buches Jesaja erkannt wurde, lag die Annahme nahe, dass andere Fragmente, die in dessen Nähe gefunden worden waren, zur selben Rolle gehörten. Aber die Wissenschaftler wußten eben nicht, wo man diese Fragmente gefunden hatte, und so musste die Identifikationsarbeit für jedes einzelne winzige Fragment wiederholt werden. Diese Arbeit lud eine riesige Bürde auf die Schultern des ursprünglichen Teams. Die Wissenschaftler legten die Fragmente in einem Raum des Rockefeller-Museums, den sie den »Rollensaal« (»the Scrollery«) nannten, auf mehreren langen Tischen unter Glas. In einem zweiten Schritt stellten sie alle Fragmente zusammen, die mutmaßlich zur selben Rolle gehörten. Dann wurden diese Fragmente auf so genannten »Museum plates«, von denen jede einzeln fotografiert wurde, versuchsweise neu angeordnet.
Die Identifizierungen selbst wurden auf Grundlage des Inhalts, der jeweiligen Handschrift, der Farbe des Leders und der Form der Fragmente vorgenommen. Diese Identifizierungen waren nicht unproblematisch. Zunächst ist das Kriterium der Handschrift subjektiv, besonders wegen des eher formalen Stils der Schrift der meisten Dokumente. So wurden zum Beispiel die von Frank M. Cross einer einzigen Rolle, 4QJer^{b}, zugeschriebenen Fragmente später drei verschiedenen Rollen zugeordnet, und zwar auf der Grundlage mutmaßlich unterschiedlicher Handschrift und der Eigenarten der Schreiber (4QJer$^{b.d.e}$). Aber keine dieser Beurteilungen sollte als ausreichend fundiert gelten, da die Fragmente so klein sind. Die Bedeutung dieser beiden unterschiedlichen Beurteilungen ist, dass wir entweder Fragmente einer einzigen Schriftrolle des Jeremiabuches oder aber von drei verschiedenen Rollen besitzen. Diese Beschreibung impliziert, dass unser Gesamtwissen in Bezug auf die Anzahl der Schriftrollen, die in Qumran gefunden worden sind, sehr unsicher ist. In einem anderen Fall wurden zwei kleine Fragmente des Buches Jesaja, die vom Anfang bzw. vom Ende des Buches stammen, zwei verschiedenen Rollen zugeschrie-

ben. Wenn nun allerdings der Anfang der Rolle von einem Schreiber, der Schluss aber von einem anderen geschrieben worden war, könnten die beiden Fragmente von einer einzigen Rolle stammen und nicht von zwei verschiedenen. Solche Phänomene zeigen die Ungewissheit bezüglich der Gesamtzahl an Rollen.

In den oben erwähnten Fällen ist immerhin die Identifizierung des Inhalts sicher, da der biblische Text bekannt ist. Manchmal ist es jedoch schwierig oder sogar unmöglich zu wissen, ob ein kleines Fragment von einer biblischen Schriftrolle oder einer so genannten »rewritten Bible«-Komposition stammt. Es ist noch erheblich schwieriger, Fragmente von Texten zu identifizieren, die vor der Entdeckung der Qumrantexte unbekannt waren. Die Anordnung von Fragmenten eines unbekannten Textes zu bestimmen, ist als arbeite man mit einem Puzzle ohne Vorlagenbild. Oft wissen wir nicht einmal, ob ein vorliegendes Fragment zu Komposition a oder zu Komposition b gehört, die vom selben Schreiber abgeschrieben wurden. Als Folge davon wurden manche Fragmente nach ihrer ersten Identifizierung im Verlauf der weiteren Forschung von einem Text zum anderen verschoben, in manchen Fällen sogar noch nach ihrer Publikation.

Identifikationsprobleme spiegeln sich auch in den Namen, die den Texten gegeben werden. In unserem Rahmen entscheidet der Herausgeber der einzelnen Texte in der DJD-Reihe über den offiziellen Namen eines Textes. Infolgedessen sind einige der Namen recht ungewöhnlich, wie etwa im Fall von 4Q184, das Allegro als »4QWiles of the Wicked Woman« betitelte. Andere Namen sind problematisch. Der Name »11QPsalms^{a}«, den James A. Sanders der großen Psalmenrolle aus Höhle 11 gegeben hat, misst dieser Rolle kanonischen Rang zu. Das bedeutet, dass dieser Name die Schriftrolle als Abschrift des biblischen Psalmen-Buches charakterisiert, in diesem Fall unter Einschluss nichtkanonischer Psalmen, und diese Annahme hätte erhebliche Konsequenzen für unser Verständnis des biblischen Psalters. Entsprechend ist dies kein wertfreier Name, zumal die meisten Forscher der Ansicht sind, dass diese Rolle keine Sammlung biblischer Psalmen, sondern eher eine sekundäre liturgische Sammlung biblischer und nichtbiblischer Psalmen enthält. Ähnlich soll die Schriftrolle, die Sidnie White und ich unter der Bezeichnung »4QReworked Pentateuch« (4Q364–367 [DJD XIII]) veröffentlicht haben, und die einen nichtkanonischen, d.h. nichtbiblischen Text enthält, der die Bibel neu schreibt, nach Ansicht einiger in »4QPentateuch« umbenannt werden, was in anderen Worten bedeutet, dass es sich um eine biblische Handschrift handeln würde, die einen abweichenden biblischen Text böte. Der Name, den wir diesem Text gegeben haben, »4QReworked Pentateuch«, ist somit subjektiv und spiegelt die Eigenart dieses Textes unserem Wissensstand entsprechend. Das bekannteste Problem im Zusammenhang mit Identifizierung und Namensgebung ist wohl das der griechischen Fragmente aus Höhle 7 (7Q3–18), die als »fragments non identifiés« publiziert worden waren, von Jose O'Callaghan und Carsten Peter Thiede dann aber als Texte identifiziert wurden, die Teile des Neuen Testaments wiedergeben, und von anderen als LXX charakterisiert worden sind.

Der Prozess der Umbenennung geht weiter. Der Forscher, der einen Text in DJD veröffentlicht, hat das Recht, über dessen Namen in Absprache mit dem Hauptherausgeber zu entscheiden. Namen, die auf diese Weise gegeben werden, können sich von denen in einer Vorpublikation vom DJD-Herausgeber oder von anderen, die den Text veröffentlicht oder analysiert haben, gegebenen Namen unterscheiden (in der DJD-Edition wie auch in den veröffentlichten Bestandsverzeichnissen werden solche früheren Namen immer vermerkt, nichtsdestotrotz kann aber Verwirrung auftreten). Studien zu den Qumran-Texten und publizierte Übersetzungen sind nicht immer in Kenntnis des jeweiligen Stands der Namensänderungen. Bei Abschluss der Publikation der Reihe werden sich die Namen von fünfzig weiteren Texten geändert haben. Viele der Veränderungen betreffen Verschiebungen von allgemeineren zu spezifischeren Bezeichnungen. So kann ein Text, der zuvor »4QPrayer^{a}« hieß, nun »4QMorning Prayer« heißen. Der umfassen-

dere Name »4QSapiential Work A« wurde zu »4QInstruction« abgeändert u.s.w.
Die Entzifferungs- und Identifizierungsarbeit dauert noch heute an und wird vermutlich noch die nächste Generation beschäftigen. Die Anfangsidentifizierungen wurden an die jetzige Generation von Herausgebern weitergegeben, und nur wenn der aktuelle Herausgeber oder die Herausgeberin eines Textes diesen im Detail analysiert, wird er oder sie in der Lage sein abzuschätzen, ob alle Fragmente zu einem Text gehören oder nicht. Dann ist auch über die mutmaßliche Abfolge der Fragmente zu entscheiden, obwohl solche Abfolgen oft nicht mit absoluter Sicherheit bestimmt werden können.
Vor vierzig Jahren wurden die Fragmente provisorisch auf Tafeln (»plates«) im Rockefeller-Museum angeordnet und anschließend mit Infrarotfilm fotografiert, wodurch Details sichtbar wurden, die dem bloßen Auge verborgen sind. Dieser Vorgang wurde dem Fortschritt in der Identifizierung entsprechend dreimal wiederholt. Die Ergebnisse dieser fotografischen Arbeit waren dank der Fähigkeiten des Museums-Fotografen Albino großartig. In der Regel sind diese frühen Fotografien noch immer die besten Quellen für Wissenschaftler, und die Tafeln, die den DJD-Bänden beigegeben sind, sind normalerweise eher Teile dieser in den Fünfziger- und Sechzigerjahren aufgenommenen Fotografien, als von neuen Fotos. Es stimmt, dass jüngst von zwei kalifornischen Teams aufgenommene Fotografien, mit Infrarotfilm und Multispectral-imaging unter Einsatz von Computern, oft genauere Details bieten als die älteren Fotos. Die Möglichkeit verbesserter Fotografie besteht, aber aus verschiedenen Gründen wurden diese Fotos nicht systematisch von allen Schriftrollen gemacht. So sind in vielen Fällen etwa die Ecken der Fragmente im Lauf von fünf Jahrzehnten verfallen, sodass neue Fotos nur für die Mittelteile der Fragmente wertvoll sind.
Diese älteren Fotografien, und in einigen Fällen die neueren, haben während der letzten fünzig Jahre meistens als Grundlage für den überwiegenden Teil der Arbeit an den Schriftrollen gedient, ob-

wohl Wissenschaftler für spezielle Details auch die Originalfragmente beigezogen haben.

Das Verfahren, das vom ursprünglichen Team anwendet wurde, stellte sicher, dass alle Fragmente fotografiert wurden. Jede Fragmentengruppe, die auf einer Museum-plate angeordnet war, wurde für eine PAM (Palestine Archaeological Museum)-Fotografie aufgenommen. Es ist wahrscheinlich, wenn auch nicht absolut sicher, dass alle Fragmente Wissenschaftlern zugeteilt wurden, ein Sach verhalt, der nur durch eine gründliche Untersuchung des Musemsbesitzes im Vergleich mit den Editionen verifiziert werden kann. Von dieser Frage abgesehen, wird man mit einem anderen Problem konfrontiert: dem der Nichtübereinstimmung der Museum-plates mit dem fotografischen Bestand. Am Anfang war jede Museumplate (beziffert als 1–1100) identisch mit einem vorliegenden PAM-Foto. Aber Forscher bemerkten, dass die Fragmente nach den Aufnahmen der letzten Serie (43.000) auf den plates verschoben worden waren (ohne dass entsprechende Vermerke gemacht worden wären), auf den PAM-Fotos aber konnten sie nicht mehr verrückt werden. Darüber hinaus sind im Lauf der Jahre manche Missgeschicke passiert; einige Fragmente sind entweder verlegt worden oder verloren gegangen und können deshalb im Moment nicht konsultiert werden. In diesen Fällen bieten die Fotografien die einzigen Belege für die Fragmente. Andererseits können einige Fragmente auf den PAM-Fotos nicht geortet werden. Es ist schwierig, die Einzelheiten korrekt zu beurteilen, denn etliche Fragmente sind auseinander gefallen oder mit anderen kombiniert worden.

Allen Fragmenten aus der Judäischen Wüste wurden Identifizierungsnummern zugewiesen, einerseits entsprechend ihrem Herkunftsort (z.B. 1Q1, das bedeutet Fundstück 1 aus Qumran, Höhle 1), andererseits in Bezug auf ihren Inhalt (z.B. 1QGen^{a}). Jedem Fragment wurden so vier Nummerierungen zugeordnet: eine in Bezug auf Herkunft und Inhalt, wie etwa 1QGen^{a}, eine, die die jewielige Inventar-Nummer benennt (z.B. 1Q1), eine weitere bezieht sich auf die Lage auf einer Museum-plate (1–1100), und die vierte verweist auf das fotografische Verzeichnis (z.B. PAM 40,501). Die auf dem Inhalt basierenden Identifizerungen wie etwa 11QT[a] (11QTemple Scroll, Kopie a) sind die bekanntesten; die anderen Angaben sind nur für Qumran-Spezialisten von Nutzen. Die offiziellen Editionen wie auch einige Handbücher vermerken alle notwendigen Verweisangaben.

Die Schriftrollen sind in Form von Fotografien, Text-Editionen in den Originalsprachen und in Form von Übersetzungen zugänglich.[2] Seit nun schon einigen Jahren können Wissenschaftler die Brill Microfiche-Edition beiziehen[3] und seit kurzem auch die CD ROM von Brill/OUP (herausgegeben von T. Lim), die digitalisierte Bilder aller Originalnegative bietet[4]. Eine fotografische Faksimile-Ausgabe erschien 1991.[5]

---

[2] Mittlerweile gibt es sehr gute Übersetzungen in einer ganzen Reihe von Sprachen, von denen manche »autoritativ« oder »vollständig« genannt werden: vier in Englisch, andere in Französisch, Deutsch, Spanisch, Italienisch, Holländisch, Polnisch, Finnisch und Ungarisch. T.H. Gaster, The Dead Sea Scriptures, Garden City, NY [3]1976; G. Vermes, The Complete Dead Sea Scrolls in English, London 1997; F. García Martínez, The Dead Sea Scrolls Translated. The Qumran Texts in English. The Authorative New Translation of the Dead Sea Scrolls Complete in One Volume, übers. v. W.G.E. Watson, Leiden / New York / Köln 1994; M. Wise / M. Abegg Jr. / E. Cook, The Dead Sea Scrolls. A New Translation, Boston 1996; F. García Martínez, Textos de Qumrán, Madrid 1992; F. García Martínez / A.S. van der Woude, De rollen van de Dode Zee 1–2, Kampen / Tielt 1994, 1995; A.S. van der Woude, Texti de Qumran, Brescia 1996; J. Maier, Die Qumran Essener: Die Texte vom Toten Meer, Bd. 1–3, München / Basel 1995, 1996; P. Muchowski, Rekopisy znad morza martwego Qumran-Wadi Muraba'at-Masada Biblioteka zwojów tlo Nowego Testamentu 5, Kraków 1996.

[3] E. Tov unter Mitarbeit von S.J. Pfann, The Dead Sea Scrolls on Microfiche. A Comprehensive Facsimile Edition of the Texts from the Judean Desert, mit Companion Volume, Leiden 1993, 1995.

[4] T. Lim unter Mitarbeit von P. Alexander, The Dead Sea Scrolls. Electronic Reference Library, Oxford / Leiden 1997.

[5] R.H. Eisenman / J.M. Robinson, A Facsimile Edition of the Dead Sea Scrolls, Washington DC 1991.

Der zunehmend problemlosere Zugang zu den Fotografien seit 1991 (die Microfiche-Edition eingeschlossen) und die elektronischen Hilfsmittel seit 1997 hätten eine neue Ära in der Geschichte der Erforschung der Schriftrollen bedeuten können, aber es kam anders. Obwohl nun jeder und jede in der Lage war, alle entscheidenden Fotos für eigene Studienzwecke einzusehen, haben nur wenige Wissenschaftler Gebrauch davon gemacht. Man darf nicht vergessen, dass es für Nichteingeweihte ohne erhebliche Vorbereitung sehr schwer ist, die meisten dieser Fotos zu lesen oder Verbindungen zwischen zweien dieser Fragmente herzustellen, besonders wenn sie sich auf verschiedenen Negativen finden. Ebenso schwer ist es zu wissen, wo genau auf den Negativen die verschiedenen Fragmente eines Textes zu finden sind. Infolgedessen verlassen sich die meisten Wissenschaftler weiterhin auf Textausgaben, die auf dem Urteil von Forschern beruhen, die diese Fragmente jahrelang studiert haben, und sie verlassen sich auf das Erscheinen der Publikationen in der DJD-Reihe. Entsprechend werden Historiker das Urteil darüber fällen, ob die hitzige Diskussion über den Zugang zu den Fotos Anfang der Neunzigerjahre Kraftverschwendung war oder nicht (diese Diskussion hätte zwanzig Jahre früher stattfinden sollen). Manche haben im letzten Jahr geäußert, der Aufruhr, der die Veröffentlichung der Schriftrollen um mindestens ein halbes Jahr verzögert hat, sei sinnlos gewesen, während andere ihn für ein wichtiges Ereignis im Kampf um die Befreiung der Rollen halten.

Die Kenntnis der Schriftrollen wird weiterhin hauptsächlich durch die Textausgaben vermittelt, die dem Leser Informationen bieten, die zwar auch auf den Fotos zugänglich sind, in den Textausgaben aber auf viel einfacherem Weg und auf der Grundlage jahrelanger Untersuchungen geboten werden. Unter diesen Ausgaben gilt die von der Oxford University Press (OUP) herausgegebene Reihe »Discoveries in the Judean Desert (of Jordan)« als wichtigster Ort für die Veröffentlichung der Schriftrollen vom Toten Meer. Einzelne Text-Bände werden von J. Charlesworth auch andernorts veröffentlicht.[6] Vermutlich erkannte OUP nicht das Ausmaß des Unterfangens, an dem es sich beteiligen wollte, als es zustimmte, die Schriftrollen in der DJD-Reihe zu publizieren. Die Reihe ist in der Tat sehr viel umfangreicher geworden als anfangs geplant. Als man versuchte, einen Verlag zu finden, der bereit war, die Schriftrollen zu publizieren, schrieb G. Lankester Harding dem Verlag, er denke in Größenordnungen von »altogether, perhaps, five volumes«.[7]

Das Tempo der Veröffentlichungen hat sich in diesem Jahrzehnt beschleunigt, wobei das anfängliche Team von acht Wissenschaftlern auf sechzig erweitert wurde. Diese Erweiterung fiel zusammen mit der Neuorgansiation des Teams, der zunehmenden Einbeziehung der Israel Antiquities Authority, und sie verdankte sich der persönlichen Begeisterung und der Energie ihres damaligen Direktors Amir Drori. Zwischen 1951 und 1990 wurden von OUP acht Bände der DJD-Reihe veröffentlicht, während in den letzten acht Jahren sechzehn weitere erschienen sind. Mehr als je zuvor sind die Forscher entschlossen, ihre Texteditionen fertig zu stellen und sie dem Herstellungsteam noch in diesem Jahrtausend vorzulegen, obwohl die Veröffentlichung letztlich vom Zeitplan des Verlags abhängt. Alles in allem soll die DJD-Reihe neununddreißig Bände umfassen, Konkordanzen eingeschlossen, von denen bis jetzt vierundzwanzig erschienen und vier weitere nun im Druck sind.

Das internationale Team, seit 1953 mit der Veröffenlichung der in der Judäischen Wüste gefundenen Schriftrollen betraut, rief die DJD-Reihe ins Leben, in der diese Texte veröffentlicht werden. Der vorsitzende Herausgeber des internationalen Teams war gleichzeitig Hauptherausgeber dieser Reihe, namentlich Roland de Vaux (Band I–V), Pierre Benoit (Bände VI–VII), John Strugnell

---

6 J.H. Charlesworth (Hg.), The Dead Sea Scrolls. Hebrew, Aramaic, and Greek Texts with English Translations, Bd. 1–3, Tübingen / Louisville, Ken. 1994, 1995, 1997.

7 Der entsprechende Brief ist archiviert in Akte 1118 des Palestine Archaeological Museum.

(Band VIII) und Emanuel Tov. Während der ganzen Zeit hieß die Reihe »Discoveries in the Judean Desert«, abgesehen von einem kurzen Zwischenspiel (1962–1968), in dem die Bände III–V den Titel »Discoveries in the Judean Desert of Jordan« trugen.

Die meisten Fragmente und Fundgegenstände, die zwischen 1947 und 1956 von Archäologen gefunden oder den Beduinen abgekauft worden waren, wurden in der DJD-Reihe publiziert. Entsprechend umfassen diese Bände die meisten Texte und Fundgegenstände, die in jenen Jahren in den Grenzen des Haschemitischen Königreichs von Jordanien gefunden worden sind. Im Naḥal Ḥever, dem einzigen Fundort innerhalb der israelischen Grenzen, gefundenes Material wurde nach Jordanien gebracht und unzutreffend als »Seiyal« bezeichnet.

Die Wissenschaftler, die mit der Veröffentlichung der Texte in den ersten Bänden zu tun hatten, waren ausschließlich Mitglieder des internationalen Teams, das, nicht lange nachdem die Texte gefunden worden waren, in Jerusalem, damals Jordanien, zusammenkam und dessen Aktivitäten sich vor allem im Rockefeller-Museum und in der École Biblique abspielten. Die anfängliche Gruppe bestand aus den folgenden acht Gelehrten (in alphabetischer Reihenfolge): John M. Allegro, Frank M. Cross, Claus-Hanno Hunzinger (der dann durch Maurice Baillet ersetzt wurde), Jozef T. Milik, Patrick W. Skehan, Jean Starcky, John Strugnell und Roland de Vaux. In seiner Beschreibung der »Travail d'édition« in Band VI, S.6–8 (1960), erwähnte Roland de Vaux auch Maurice Baillet; er nannte weder P. Benoit, der an Band II mitarbeitete und dann nach ihm Hauptherausgeber werden sollte, noch nannte er Dominique Barthélemy, der die biblischen Texte aus Höhle 1 in Band I veröffentlichte. Im Laufe der Jahre wurde dieses Team erheblich erweitert.

Es war Absicht des ursprünglichen Teams, dass die DJD-Reihe die offizielle Veröffentlichung der Texte in Verbindung mit einer Kommentierung bieten sollte, aber das war nicht in allen Fällen die *editio princeps*. Viele Texte waren zuvor an anderen Orten schon vorläufig veröffentlicht worden, und in anderen Fällen waren ganze Text-Editionen in separaten Bänden publiziert worden.[8] Die großen Texte aus Höhle 1 sind schon vor langer Zeit in Separatausgaben veröffentlicht worden, und es wurde keine Wiederveröffentlichung in der DJD-Reihe geplant, mit Ausnahme der Jesaja-Rollen, die in Band XXXII aufgenommen werden sollen. Die Bände von Ben Zion Wacholder und Martin G. Abegg, die auf Transkriptionen und Lesungen von Mitgliedern des internationalen Teams aus den Fünfziger- und Sechzigerjahren beruhen,[9] wurden nun von den entsprechenden DJD-Bänden überholt.

Wie es bei der Veröffentlichung von Reihen häufig der Fall ist, wurden die Bände nicht ihrer vorgesehenen Reihenfolge entsprechend veröffentlicht, sondern nach ihrer jeweiligen Publikationsfähigkeit. So deckte der erste Band des Materials aus Höhle 4 (Band V) die Texte 4Q158–4Q186 ab, obwohl viele zuerst die Veröffentlichung von 4Q1ff. (biblische Texte) erwartet hatten (vgl. das Vorwort von R. de Vaux zu Band V).

Die wesentliche Form der einzelnen Bände der Reihe, wie sie in Band I beschlossen wurde, hat folgende Elemente:

(1) grundlegende Einleitung;
(2) Transkription der Texte bzw. des Texts;
(3) Übersetzung der nichtbiblischen Texte oder Teile;
(4) kurze Anmerkungen zu den Lesungen;
(5) einen Kommentar;
(6) Konkordanz oder Index aller in den nichtbiblischen Texten vorkommenden Worte;

---

[8] Abgesehen von der DJD-Reihe sind die wichtigsten Ausgaben die folgenden: A. Grohmann, Arabic Papyri from Hirbet el-Mird, Bibliothèque du Muséon 52, Leuven 1963; J.T. Milik, The Books of Enoch, Oxford 1976; D.N. Freedman / K.A. Mathews, The Paleo-Hebrew Leviticus Scroll, Winona Lake, Ind. 1985; Y. Yadin, The Temple Scroll, Bd. 1–3, Jerusalem 1973 (hebräisch); ders., The Temple Scroll, Bd. 1–3, Jerusalem 1983.

[9] B.Z. Wacholder / M.G. Abegg, A Preliminary Edition of the Unpublished Dead Sea Scrolls. The Hebrew and Aramaic Texts from Cave Four, Bd. I–V, Washington DC, 1991–1996.

(7) Tafeln und Statistiken. Die in DJD abgedruckten Infrarotfotografien sind in der Regel von hoher Qualität, und seit 1996 sind diese Tafeln normalerweise von besserer Qualität als die Aufnahmen für OUP.

Die grundlegende Philosophie hinter den DJD-Ausgaben ist, der wissenschaftlichen Öffentlichkeit eine arbeitsgerechte Ausgabe der Texte bereitzustellen, die als bestmögliche Edition vom Stand ihres Herausgebers durch die folgenden Forschergenerationen verbessert werden kann. Diese Idee wird angemessen formuliert von James A. Sanders auf S.viii seines Vorworts zu Band IV: »Search for truth is rooted in a fear of falsehood, and no man alone can find the one, or shun the other. Scholars will note, as I continue to see, further needs for improvement: and that is, as it should be, reason sufficient to go to press without further delay.« In Übereinstimmung mit dieser Philosophie haben viele Forscher einen minimalen Kommentar geliefert, der von anderen oder ihnen selbst verbessert werden kann, während andere eine ausführliche Kommentierung vorlegen.

Der erste DJD-Band stellte ein System der Textpräsentation vor, das versucht, in der Transkription alle Elemente des Texts und des Leders so genau wie möglich wiederzugeben, eingeschlossen die genau Position der Buchstaben in den Kolumnen und auf den Fragmenten und die Abstände zwischen ihnen, Korrekturen, Durchstreichungen, Radierungen, supralineare oder intralineare Zusätze, das Vorhandensein von Rändern auf allen Seiten des Schreibblocks, Lücken in der Zeile (*vacat*), Randnotizen, Punkte zwischen den Wörtern in paläohebräischer Schrift, Buchstaben oder Worte in paläohebräischer Schrift, Zahlen u.s.w. (die detaillierte Beschreibung in Band I, 44–48: »Table des sigles« erwähnt die meisten dieser Einzelheiten). Dieses System wurde seit Band I angewendet, und obwohl die Forscher sich notwendigerweise in der Anlage ihrer Darstellung, je nach Grad der erhaltenen Buchstaben, in einem gewissen Grad unterscheiden, wird das System mehr oder weniger durchgängig angewendet.

Die meisten Bände wurden in englischer Sprache veröffentlicht, ein kleiner Teil (Bände I, II, III, VI, VII, XXV) wurde in Französisch publiziert.
Die mit Abstand meisten Bände befassen sich mit Höhle 4 in Qumran, zu der nicht weniger als sechsundzwanzig Bände erschienen sind bzw. insgesamt erscheinen sollen. In diesen Bänden ist das Material weiter untergliedert entsprechend der Zweiteilung nach biblischen und nichtbiblischen Texten, wobei »biblisch« sich auf die Hebräische Bibel und die Apokryphen bezieht.
Die ersten DJD-Bände waren in literarische Gattungen unterteilt, wobei die nichtbiblischen Texte aus Höhle 4 in den Bänden XIIIff. einzelnen literarischen Gattungen entsprechend aufgeteilt waren. Es war die ursprüngliche Absicht des internationalen Teams, in jedem veröffentlichten Band die den einzelnen Forschern zugeordneten Texte zu vereinen, die oft unterschiedlichen literarischen Gattungen angehörten. Als das Team im Jahr 1990 neu organisiert wurde, wurde für das Material aus Höhle 4 jedoch ein anderes Vorgehen eingeführt, das zur Veröffentlichung der Texte ihrem literarischen Charakter entsprechend führte und sich nicht an der Zuordnung zu den Mitgliedern des internationalen Teams orientierte. In diesem neuen Rahmen sind nun entsprechend Bände von verschiedenen Autoren in Zusammenarbeit verfasst, wie etwa die Bände mit den so genannten »parabiblical texts« (Bände XIII, XIX, XXII, XXX). Ähnliche Bände enthalten weisheitliche Texte (Bände XX, XXXIV), poetische und liturgische Texte (Bände XI, XXIX), halachische Texte (Band XXXV) u.s.w.
Während die meisten Bände Textausgaben enthalten, bieten manche auch archäologische Angaben zu den Höhlen, in denen die Schriftrollen oder Fundstücke gefunden wurden, zu den Fundgegenständen selbst und zu den archäologischen Unternehmungen (Bände I, II, III, VI, VIII, IX, XXXVIII).
Die Bände I–VIII enthalten Wort-Indices zu den hebräischen, aramäischen (Bände I, II), griechischen (Bände II, III, XIII, IX), lateinischen (Band II) und arabischen (Band II) Wörtern der nichtbiblischen Texte oder Teile, und Band VII präsentiert die in

den Texten begegnenden Zeichen. Einem anderen System folgend, enthalten die Bände Xff. vollständige, kontextbezogene Konkordanzen zu allen Wörtern der nichtbiblischen Texte.

Eine Beigabe, die in den letzten Bänden umfassend entwickelt worden ist, ist die Angabe von Paralleltexten. Dieses System wurde erstmals in der Edition von 2QNew Jerusalem angewendet (Band III, S.85), und es kam seither in den Publikationen von 4QMMT (Band X), der Damaskusschrift (Band XVIII) und des *Serekh ha-Yaḥad* aus Höhle 4 (Band XXVI) zur Anwendung, die auch die längeren Paralleltexte enthielten, genauer den mittelalterlichen CD-Text und den *Serekh ha-Yaḥad*-Text aus Höhle 1. Interne parallele Texte in geringerem Umfang wurden auch schon zu anderen Texten vermerkt, so etwa zu den *Hodayot* (Band XXIX).

Die Forscher, die die Schriftrollen publizieren, sind mehr oder weniger gleichmäßig über drei Regionen verteilt: Nordamerika, Israel und Europa.

Während der Arbeiten an der Veröffentlichung wurde umfangreiches Inventarisieren notwendig. Ein vollständiges Inventar aller Qumrantexte, Fotografien und Fragmente wurde erstellt, und die Ergebnisse wurden 1993 und 1995 in einem Begleitband der Microfiche-Edition veröffentlicht.[10] Eine aktualisierte Fassung dieser Liste findet sich im Jubiläumsband,[11] und die definitive Fassung wird im Einführungsband enthalten sein, der angemessenermaßen als letzter Band erscheinen soll.

Die Bände I–VII und IX wurden in Oxford typengesetzt. Die filmfertigen Druckvorlagen der Bände IXff. wurden für die Bände mit nichtbiblischen Texten in Jerusalem angefertigt[12] (außer Band XI,

---

[10] E. Tov in Zusammenarbeit mit S. Pfann, The Dead Sea Scrolls on Microfiche. A Comprehensive Facsimile Edition of the Texts from the Judean Desert, mit Companion Volume, Leiden 1993, ²1995.

[11] E. Tov, A List of the Texts from the Judean Desert, in: P.W. Flint / J.C. VanderKam (Hg.), The Dead Sea Scrolls after Fifty Years. A Comprehensive Assessment. Bd. 2, Leiden / Boston / Köln 1999, 669–717 (Appendix 3).

[12] Die Herstellung wurde von Claire Pfann (1991–1996) und J. Karnis (seit 1996) organisiert. Formale Bearbeitung und Schreibarbeiten wurden ausge-

der in Notre Dame erstellt wurde) und für die Bände mit biblischen Texten in Notre Dame (Bände VIII, XII, XIV, XV, XVI). Die Erstellung dieser filmfertigen Druckvorlagen wurde ermöglicht durch großzügige jährliche Beiträge des Oxford Center for Hebrew and Jewish Studies, der Dead Sea Scrolls Foundation[13] und des National Endowment for the Humanities, wobei Letztere die University of Notre Dame und einige Einzelpersonen in den USA unterstützte.

Vermutlich werden Sie die Antwort auf die überaus wichtige Frage wissen wollen, wann die Veröffentlichung aller Schriftrollen in der DJD-Reihe abgeschlossen sein wird. Bei einem so großen Projekt, an dem sechzig Wissenschaftler beteiligt sind, um neununddreißig Bände zu erarbeiten, ist es schwierig, exakte Voraussagen zu machen, besonders da ich auf Herausgeber angewiesen bin, die noch an ihren Texten arbeiten. Wir sind auch von unseren Herstellungsteams abhängig, vom Verlag und von der finanziellen Unterstützung. Wenn alles so wie in den letzten fünf Jahren weiterläuft, erwarte ich die große Mehrheit der Textausgaben vor Ende des Jahres 1999 in meinen Händen zu halten, sodass wir mit der formalen und inhaltlichen Bearbeitung sowie der Herstellung der filmfertigen Vorlagen für die verbleibenden Bände fortfahren können. Die große Mehrheit der filmfertigen Druckvorlagen und Fototafeln wird sicherlich vor Sommer 2001 an OUP übergeben werden, der Band mit Einleitungen und Indices (Band XXXIX) eingeschlossen. Da dies filmfertige Druckvorlagen für die Bände sind, ist die Aufgabe des Verlags begrenzt. Einige Ausgaben werden 2001 in Druck gehen, andere möglicherweise 2002, aber

---

führt von Eva Ben-David, Shemuel Ben-Or, Miriam Berger, S. Chavel, Janice Karnis, Claire Pfann, Sarah Presant-Collins und Valerie Carr Zakovitch. Verschiedentlich haben S. Chavel, S. Holst, M. Morgenstern und S. Pfann als Forschungsassistenten mitgewirkt.

[13] Die Dead Sea Scrolls Foundation, deren ausführender Direktor W. Fields ist, hat Beiträge von Einzelnen und Stiftungen erhalten, in erster Linie zum Zweck der Veröffentlichung der Texte in der DJD-Reihe.

unsere Hauptarbeit wird im Jahr 2001 beendet sein, *beʿezrat ha-Shem*, so Gott will.

Zum Stand der Qumranforschung

Johann Maier

I. Voraussetzungen und Polemiken

Nach 40 Jahren und 50 Jahren Qumranforschung ist schon des Öfteren aus unterschiedlichen Gesichtswinkeln Bilanz gezogen worden.[1] In derselben Zeit ist aber ein Konsens in den Brennpunkt der Kritik geraten, der bis dahin fast unangefochten den Eindruck vermittelte, alles Wesentliche über Qumran sei bereits erforscht. Nachdem die frühen Funde mit den am besten erhaltenen Texten von 1950 bis 1956 publiziert waren, kam es zwar bis in die frühen Siebzigerjahre zu einer intensiven Forschungsphase, dann aber schien das Honigtöpfchen weitgehend ausgeleckt zu sein und das fachliche wie öffentliche Interesse erlahmte, obwohl man wusste, dass im damals noch jordanischen Ostjerusalem, im sogenannten Rockefeller-Museum bzw. Palestine Archaeological Museum

---

1 E. Schuller, Going on Fifty: Reflections on the Study of the Dead Sea Scrolls, BCSBS 55 (1995–96), 21–45; F. García Martínez, Cincuenta años de polémicas, Reseña Bíblica 19 (1998), 5–14; U. Gleßmer, Die Texte von Qumran. Zum gegenwärtigen Stand ihrer Erforschung, ZNT 1 (1998), 1–17; J. Maier, Cinquenta años de investigaciones qumránicas: Puntos problematicose y hipótesis discutibles, in: J. Trebolle Barrera (Hg.), Paganos, judíos y cristianos en los textos de Qumrán, Biblioteca de ciencias biblicas y orientales 5, Madrid 1999, 81–92; A. Paul, Les révélations de la Mer Morte. Un bilan de cinquantenaire, NRTh 121 (1999), 197–217; A.I. Baumgarten, The Current State of Qumran Studies: Crisis in the Scrollery. A Dying Consensus, in: J. Neusner / A.J. Avery-Peck (Hg.), Judaism in Late Antiquity, Pt. 3, Vol. 1: Where We Stand: Issues and Debates in Ancient Judaism, HO I, 40/3, Leiden 1999, 99–119.

(PAM) eine große Zahl von Fragmenten lag, die ein internationales Herausgeberteam zu sichten begonnen hatte. Dieses Team bestand hauptsächlich aus Hochschullehrern, die hauptberuflich ihren akademischen Tätigkeiten nachgingen und meist nur in den Ferien in der Lage waren, die Edition der ihnen anvertrauten Fragmente vorzubereiten. Nun ist es freilich auch zu Ereignissen und Umständen gekommen, die den Lauf der Publikationsarbeit verzögert haben. Persönliche Probleme, Erkrankungen und der Tod einiger Mitarbeiter haben dazu geführt, dass man die ihnen zugeteilten Fragmente später neu verteilen musste. Aber dazu muss hinzugefügt werden, dass auch niemand ernstlich drängte und kaum einer daran interessiert war, den Gang der Arbeit durch größere finanzielle Zuwendungen voranzutreiben. Man erwartete sich von den Fragmenten nicht mehr sehr viel, zumal die angeblich interessantesten Stücke von den Mitgliedern des Herausgeberteams ohnedies bereits in vorläufigen Publikationen bekannt gemacht wurden. Kaum jemand konnte abschätzen, wie weit diese Auswahltexte eher den fachspezifischen Interessen der jeweiligen Herausgeber entsprachen als ihrem Gewicht im historischen Kontext, also für die Leute, die einst diese Texte geschrieben bzw. kopiert hatten.

Die Herausgeber mussten zunächst den ganzen Wust von Fragmenten inhaltlich und materialmäßig sortieren, um feststellen zu können, welche Fragmente einander zugeordnet werden können. Für diesen Zweck hat man eine Wortkonkordanz in Form eines Zettelkatalogs erstellt, ein Arbeitsinstrument, dessen hohes Maß an Zuverlässigkeit rückblickend mit Respekt anerkannt zu werden verdient, denn schließlich war es mit ihrer Hilfe sogar möglich, eine erstaunlich genaue Rekonstruktion von Texten durchzuführen.[2] Bedenkt man, wie schwierig es ist, solch kleine Stückchen nach inhaltlichen, schreibtechnischen und materialmäßigen Kriterien zu ordnen, um schließlich feststellen zu können, wie viele da-

[2] B.Z. Wacholder / M.G. Abegg, A Preliminary Edition of the Unpublished Dead Sea Scrolls. The Hebrew and Aramaic Texts from Cave Four, Bd. 1–4, Washington 1991, 1992, 1995, 1996.

von jeweils zu einer bestimmten Schriftrolle bzw. zu einem bestimmten, manchmal noch dazu in mehreren Exemplaren vorhandenen Text gehört haben, war die Arbeitsleistung im Ganzen trotz aller Unkenrufe späterer Polemiker imposant. Versäumnisse und Fehler hat es sicher auch gegeben. Die Behandlung des Materials entsprach lange Zeit nicht dem technisch-wissenschaftlichen Standard in der Papyrologie und Handschriftenkonservierung. Man hat es unbegreiflicherweise auch versäumt, jedes Fragment mit einer eigenen Nummer zu versehen, bevor man die Fotografien angefertigt hat. Man nummerierte nur die Fotos, auf denen jeweils eine unterschiedlich große Anzahl von Fragmenten mehr oder minder zufällig zusammengestellt worden war. Die Identifizierung der Einzelfragmente auf diesen Fotos nimmt daher noch heute unverhältnismäßig viel Zeit in Anspruch, zumal sich im Lauf der Zeit die Form vieler Fragmente mehr oder minder leicht verändert hat. Das Material ist ja brüchig, ganz besonders, wenn es sich um Papyrus handelt. In Einzelfällen wurden Fragmente sogar auseinander gebrochen und die Teile danach verlegt, sodass ein Fragment auf einem älteren Foto noch als Ganzes zu finden ist, seine auseinander gebrochenen Teile dann aber auf verschiedenen, später angefertigten Fotos erscheinen. Und dass Besuchergruppen durch den Museumsraum geschleust wurden, in dem die Fragmente auf großen Tischen offen aufgehäuft und ausgebreitet lagen, kann man im Nachhinein nur mit Kopfschütteln quittieren. Kein Wunder, dass Kenner der Materie das eine oder andere Fragment heute vermissen.

Erst mit der Publikation der Tempelrolle durch Yigael Yadin im Jahr 1977 rückte Qumran wieder mehr ins Rampenlicht, und in den Jahren danach belebte sich dadurch die wissenschaftliche Diskussion über die Qumrantexte wieder. Aber bemerkenswert langsam, denn vieles in dieser Schrift passte nicht in das ziemlich fest gefügte Bild von der »Qumrangemeinde«. So kam es, dass selbst nach Vorliegen mehrerer Übersetzungen zunächst eher theologisch interessante Einzelpassagen ins Blickfeld gerieten und das Gesamtwerk in seiner Bedeutung kaum wahrgenommen wurde. Am meisten Beachtung fanden zwei Passagen, denen man eine gewisse Relevanz im Blick auf neutestamentliche Sachverhalte zuschrieb. Einmal im Königsrecht die Vorschrift der Monogamie für den König (11Q19 LVII,17–19), aus der man in Verbindung mit einer Stelle in der Damaskusschrift (CD IV,20–21) ein Scheidungsverbot erschließen wollte, das aber durch keine der beiden Stellen belegt wird, und die andere Passage betrifft die Todesstrafe des »Aufhängens am Holz« für Volksverrat (11Q19 LXIV,8–12; vgl. 4Q169 Frgm. 3–4 i), was für die Behandlung des Prozesses Jesu von Belang zu sein schien.

Erst in der Folge einiger internationaler Veranstaltungen um die Mitte der Achtzigerjahre änderte sich die Interessenlage,[3] und angesichts des vierzigjährigen Jubiläums der ersten Qumranfunde kam es zu einer Serie von Symposien und Sammelpublikationen mit anregenden Forschungsbeiträgen.[4] Es liegt in der Natur wissen-

---

[3] L.H. Schiffman (Hg.), Archaeology and History in the Dead Sea Scrolls, JSPE.S 8, Sheffield 1990; G.J. Brooke (Hg.), Temple Scroll Studies. Papers Presented at the International Symposion on the Temple Scroll, Manchester, December 1987, JSPE.S 7, Sheffield 1989.

[4] H. Shanks u.a. (Hg.), The Dead Sea Scrolls after Forty Years. Symposion Papers Sponsored by the Resident Associate Program by Hershel Shanks, Washington 1991; H. Shanks, Understanding the Dead Sea Scrolls. A Reader from the Biblical Archaeology Review, New York 1993; J. Trebolle Barrera / L. Vegas Montaner (Hg.), The Madrid Qumran Congress. Proceedings of the International Congress on the Dead Sea Scrolls, Madrid, 18–21 March, 1991, StTDJ 11/1–2, Leiden 1992; D. Dimant / U. Rappaport (Hg.), The Dead Sea Scrolls. Forty Years of Research, StTDJ 10, Leiden / New York 1992; J.B. Bauer / J.Fink / H.D. Galter (Hg.), Qumran. Ein Symposion, GrTS 15, Graz 1993; G. J. Brooke u.a. (Hg.), New Qumran Texts and Studies. Proceedings of the First Meeting of the International Organization for Qumran Studies, Paris 1992, StTDJ 15, Leiden 1994; E. Ulrich / J. Vanderkam (Hg.), The Community of the Renewed Covenant. The Notre Dame Symposium on the Dead Sea Scrolls, CJAn 10, Notre Dame 1994; D. Dimant / L.H. Schiffman (Hg.), Time to Prepare the Way in the Wilderness. Papers on the Qumran Scrolls by Fellows of the Institute for Advanced Studies of the Hebrew University, Jerusalem, 1989–1990, StTDJ 16, Leiden 1995; H.-J. Fabry / A. Lange / H. Lichtenberger (Hg.), Qumranstudien. Vorträge und Beiträge der

schaftlicher Forschung, dass sie nur selten das bieten kann, was für moderne Medien als sensationell vermarktbar ist. Daher entstand eine gewisse Diskrepanz zwischen einer medienmarkt-bedingten Nachfrage nach Sensationen und den eher nüchternen Ergebnissen der Forschung. Wie es einer solchen Marktlage entspricht, hat auch dabei die Nachfrage das Angebot nach sich gezogen.

Nicht das Wiederaufleben der wissenschaftlichen Diskussion hat nämlich Qumran seit etwa zehn Jahren ins öffentliche Bewusstsein gerückt, es war vielmehr die Folge von Behauptungen und von Polemiken, die durch Randfiguren der Qumranforschung publik gemacht wurden und den Massenmedien die gewünschten »Sensationen« lieferten. Dazu gehörten Angriffe auf die bisherige Qumranforschung überhaupt, gegen den »Konsens«, vor allem aber, und

---

Teilnehmer des Qumranseminars auf dem internationalen Treffen der Society of Biblical Literature, Münster, 25.–26. Juli 1993, SIJD 4, Göttingen 1996; D.W. Parry / St.D. Ricks (Hg.), Current Research and Technological Developments on the Dead Sea Scrolls. Conference on the Texts from the Judean Desert, Jerusalem, 30 April 1995, StTDJ 20, Leiden 1996; L. Mazor (Hg.), *`Al megillat sefær. Mæchqarîm `al megîllôt midbar Jehûdah. hartsa 'ot 'al Megilot Midbar Yehuda, ha-Universitah ha-'Ivrit bi-Yerushalayim, ha-Makhon le-mada'e ha-Yahadut, Kislev-Tevet 756*, 880–03 Pirsume Har-ha-Tsofim, Jerusalem 1997; St.E. Porter / C.A. Evans (Hg.), The Scrolls and the Scriptures. Qumran Fifty Years After, JSPE.S 26, Sheffield 1997; M.J. Bernstein / F. García Martínez / J. Kampen (Hg.), Legal Texts and Legal Issues. Proceedings of the Second Meeting of the International Organization for Qumran Studies. Published in Honour of Joseph M. Baumgarten, Cambridge 1995, StTDJ 23, Leiden 1997; M.E. Stone / E.G. Chazon (Hg.), Biblical Perspectives: Early Use and Interpretation of the Bible in Light of the Dead Sea Scrolls, StTDJ 28, Leiden 1998; R.A. Kugler / E.M. Schuller (Hg.), The Dead Sea Scrolls at Fifty. Proceedings of the 1997 Society of Biblical Literature Qumran Section Meetings, Early Judaism and its Literature 15, Atlanta 1999; P.W. Flint / J.C. VanderKam (Hg.), The Dead Sea Scrolls after Fifty Years. A Comprehensive Assessment. Bd. 1–2, Leiden 1998, 1999; E.G. Chazon / M.E. Stone / A. Pinnick (Hg.), Pseudepigraphic Perspectives: The Apocrypha and Pseudepigrapha in Light of the Dead Sea Scrolls. Proceedings of the International Symposium of the Orion Center for the Study of the Dead Sea Scrolls and Associated Literature, 12–14 January, 1997, StTDJ 31, Leiden 1999.

für den Publikumserfolg entscheidend, rüde Angriffe gegen die (speziell römisch-katholische) Kirche, ergänzt durch pseudowissenschaftliche Infragestellungen der Grundlagen des Christentums unter Hinweis auf angeblich vorhandene, durch das Herausgeberteam bewusst nicht publizierte Texte. Allein die Art, wie man von »Schriftrollen« sprach und schrieb, musste allgemein den Eindruck erwecken, es handle sich um mehr oder minder vollständige Schriften, die noch immer der Entzifferung harren. Doch im Rockefeller-Museum befanden sich keine vollständig erhaltenen Schriftrollen, sondern nur Fragmente, die meisten davon sogar sehr kleine. Kein einziger Text, von dem behauptet wurde, dass er auf Jesus oder das frühe Christentum Bezug nimmt, hat einer Überprüfung standgehalten. In jedem dieser Fälle haben die Sensationspublizisten den Inhalt des Textes irreführend wiedergegeben und überdies noch ein recht willkürlich zurechtgezimmertes Bild vom Christentum und Judentum jener Zeit propagiert.

Die bald darauf folgende Übersetzung fast aller Texte ins Spanische und Englische, Niederländische und schließlich auch ins Italienische durch Florentino García Martínez hat die abenteuerlichen Behauptungen auf wirksame Weise ad absurdum geführt. Auch in deutscher Sprache lagen 1995 fast alle Texte übersetzt vor. Doch jenes Publikum, das die Sensationspublikationen gekauft hatte, interessierte sich so gut wie kaum für die Texte selbst, im Gegenteil, es reagierte enttäuscht auf den unspektakulären Befund und misstraut den Vertretern des »Konsenses« nach wie vor. Noch immer ist es daher möglich, mit grotesken Behauptungen Aufmerksamkeit zu erregen und ein gutes Geschäft zu machen. Dabei ist eines der auffälligsten Kennzeichen solcher Publikationen der Anspruch, »die Wahrheit über Qumran« zu wissen und »Revolutionäres« bieten zu können. Niemand verfügt in der Wissenschaft, und schon gar nicht auf einem Gebiet mit so lückenhaftem Quellenbestand, über »die Wahrheit«, und Revolutionäres kann nur in seltenen Glücksfällen geboten werden. Die marktschreierische Werbung bestimmter Verlage hat allerdings die öffentliche Meinung zur Annahme verleitet, dass in Bezug auf

Qumran und das frühe Christentum eine nüchterne, selbstkritische Forschung nichts taugt oder gar etwas vertuscht und verheimlicht. Solche Kampagnen untergraben das Urteilsvermögen allgemein und nicht nur auf diesem speziellen Gebiet, denn es wirkt sich weit in die gesellschaftlich-politischen Bereiche hinein aus, und das nicht zum ersten Mal. Extreme Technologieschübe auf der einen und obskure Neigungen sowie Leichtgläubigkeit gegenüber Totalitätsansprüchen auf der anderen Seite sind Komplementärerscheinungen. In unserer hoch technisierten Zeit zeichnet sich eine besondere Anfälligkeit für Absonderliches ab, eine Neigung zur Abwertung des Unspektakulären, eine hochgradige Verführbarkeit zu Obskurantismus und banalstem Aberglauben, und zwar in einer ansteigenden Tendenz, die im Angebot der Buchhandlungen augenfällig wird. Es gibt auch nur mehr selten buchhändlerische Fachkräfte, die Spreu und Weizen zu unterscheiden vermögen, und wenn ja, wird aus geschäftlichen Beweggründen bewusst nicht unterschieden. Der mögliche quantitative Absatz bestimmt die Qualität des Angebots. Im Internet wird die Lage nicht besser, sie ist infolge der enormen Datenmassen und wegen der Fülle puren Unfugs eher noch weniger überschaubar.

Die von den Medien begierig verbreiteten Angriffe haben die Qumranforschung sicher herausgefordert und auch belebt, aber nicht selten auch eine defensive Haltung provoziert, eine Verteidigung von Positionen und anscheinend infrage gestellten »Glaubenswahrheiten«, wobei die Argumente dem Publikations- und Forschungsstand nur mehr bedingt entsprechen. Die besondere Empfindlichkeit, die in solchen Kontroversen da und dort zutage trat, hat ihren Grund in den ständig wiederkehrenden Behauptungen, dass die Qumranfunde entweder die Grundlagen des christlichen Glaubens ernsthaft in Frage stellen, oder dass sie über das frühe Christentum sensationelle neue Aufschlüsse vermitteln können. Beide Positionen profitieren von der Sensationsgier der Medien und einer in den deutschsprachigen Bereichen fast durchwegs miserablen Wissenschaftsberichterstattung. Die Marktmechanismen kommen also beiden Seiten zugute, weil sich nun einmal alles

Gedruckte leichter verkaufen lässt, wenn im Titel der Name Jesus vorkommt, wenn eine Aufsehen erregende Infragestellung des christlichen Glaubens oder der Kirche proklamiert, oder umgekehrt eine Bestätigung angeblich »historisch« verbürgter Glaubenswahrheiten angekündigt wird. Pamphlete aus der Feder von Gegnern des Christentums und fundamentalistische Traktate ergänzen sich somit verkaufsstrategisch recht effektiv.

Zu denken gibt die eigentümliche Ausuferung dieses Phänomens in deutschsprachigen Gebieten. Den entscheidenden Anstoß gab auch hier das von M. Baigent und R. Leigh verfasste Buch »The Qumran Deception«, das 1991 in London erstmals erschienen ist. Im selben Jahr schon avancierte dieses Buch in deutscher Übersetzung unter dem kennzeichnenden Titel »Verschlußsache Jesus. Die Qumranrollen und die Wahrheit über das frühe Christentum« zu einem Bestseller. Das Buch repräsentiert eine Gattung der gehobenen Unterhaltungsliteratur, eine Mischung aus Reportage und Fiktion, mit der die beiden Autoren schon zuvor Erfolge verzeichnen konnten. Im konkreten Fall gingen die Autoren aber insofern viel weiter, als jener Bestandteil des Buches, der als Tatsachenreportage aufgemacht war, grob diffamierende Behauptungen enthielt. Unter anderem, dass Qumrantexte, die für die Frühgeschichte des Christentums grundlegende neue Erkenntnisse vermitteln, auf Veranlassung des Vatikans nicht publiziert worden seien. Als »Beweis« dafür diente auch der Vorwurf Robert Eisenmans, das internationale Herausgeberteam verwehre ihm den Zugang zu bestimmten Originaltexten, sodass er sensationelle neue Erkenntnisse bezüglich der Bedeutung der Qumrantexte für das frühe Christentum nicht angemessen überprüfen und belegen könne.

Das zweite prominente Beispiel für die Seltsamkeit der Situation in unseren Breiten liefert die ebenfalls auffallend unterschiedliche Wirkung einer amerikanischen Publikation, diesmal von Robert Eisenman und Michael O. Wise. Es handelt sich um die 1992 erschienene amerikanische Publikation »The Dead Sea Scrolls Uncovered«. Sie versprach zwar mit dem englischen Titel auch schon mehr, als der Inhalt hielt. Denn was da als erstmals aufgedeckt dargeboten wurde, war zu einem guten Teil aus vorläufigen Publikationen bereits bekannt, was Michael O. Wise danach auch öffentlich auf einem Qumrankongress eingeräumt hat. Im Übrigen konnte schon deshalb kein einziger Text als erstmals entziffert gelten, weil diese Texte alle bereits vor vielen Jahren durch das so rüde gescholtene alte Herausgeberteam entziffert worden waren, als es die oben erwähnte Wortkonkordanz erstellte, die auch dem Autor Wise sehr zustatten gekommen ist. Dieses Buch von Eisenman / Wise war als amerikanische Publikation keine Sensation. Ganz anders die im selben Jahr erschienene deutsche Übersetzung, denn sie erzielte unter dem bemerkenswerten Titel »Jesus und die Urchristen. Die Qumranrollen entschlüsselt« einen ungewöhnlichen Verkaufserfolg, obschon Inhalt und Diktion keineswegs so allgemein verständlich sind. Der Verkaufserfolg beruhte also nicht darauf, dass die Käufer das Buch tatsächlich lesen wollten bzw. lasen, sie fielen auf den Titel und die Werbetexte hinein und begnügten sich in ihrer Lektüre mit gewissen polemischen Passagen. Verblüffend war, dass ausgerechnet dieses Buch gerade auch im »christlichen« Buchhandel angeboten und angepriesen wurde. Es erschien in zwei Publikationswellen, in der zweiten im Kielwasser einer ins Deutsche übertragenen amerikanischen Übersetzung der Qumrantexte durch Michael O. Wise, Martin Abegg und Edward Cook.[5] Auch da zeigte sich ein deutlicher Unterschied in der Werbung und Aufmachung. Das amerikanische Original erschien bei weitem nicht so marktschreierisch aufgemacht wie die deutsche Zweitübersetzung, denn deren Klappentext pries dieses Buch als »Schlüsselwerk, das neues Licht auf die Wurzeln unserer Kultur wirft«, und stellte den Leser vor die eindrucksvolle Frage: »Muß die Urgeschichte des Christentums neu geschrieben werden?« Die amerikanischen Übersetzer haben in ihren Einleitungen

---

[5] The Dead Sea Scrolls. A New Translation, San Francisco 1996; deutsch: Die Schriftrollen von Qumran. Übersetzung und Kommentar. Mit bisher unveröffentlichten Texten, Augsburg 1997.

und Kommentierungen Robert Eisenmans extreme Spätdatierung des Lehrers der Gerechtigkeit und dessen Identifizierung mit Jakobus dem Gerechten nicht übernommen und datieren den »Lehrer der Gerechtigkeit« etwa 100 Jahre früher (zwischen ca. 100 und 50 v.Chr.).[6] Aber die Nachfolger-Gemeinschaft dieses »Lehrers der Gerechtigkeit« bringen sie wie Robert Eisenman mit den Zeloten und Sikariern des 1. Jh. n.Chr. in Verbindung. Robert Eisenman vertritt in seinem akademischen Beruf ein Fachgebiet, das mit Qumrantexten, antikem Judentum und Christentum nichts zu tun hat. Das ist nicht unbedingt nur ein Nachteil, es kann sehr nützlich sein, wenn erstarrte Schultraditionen und Sichtweisen einmal von außen gehörig aufgemischt werden. Seine Behauptung, dass die Texte etwas über Jesus aussagen und dass der »Lehrer der Gerechtigkeit« der Qumrantexte mit dem Herrenbruder Jakobus zu identifizieren sei, konnte Eisenman aber durch keinen einzigen Text untermauern, denn was er dafür angeführt hat, fußte letztlich auf Textresten, die er auf philologisch fragwürdige Weise gedeutet und deren Textlücken er auf phantasievolle Weise ergänzt hat. Daher wurden in der amerikanischen Übersetzung von Wise, Abegg und Cook diese Deutungen und Ergänzungen in Wise / Eisenmans »The Dead Sea Scrolls Uncovered« auch nicht mehr aufrecht erhalten. Eisenman hält allerdings an seinen Positionen eisern fest. Doch nicht dies wirkte so unangenehm, bedenklich waren die Beschuldigungen, die er erhob, und bedenklich war, wie er für sein Anliegen auch noch bestimmte politische Kräfte mobilisiert hat.

Wenn nun dennoch die deutsche Übersetzung von Wise / Eisenman durch so genannte christliche Verlags- und Buchhandelsunternehmen als Gegengewicht zu »Sensationspublikationen« angeboten wurde, braucht man sich nicht zu wundern, dass Eisenmans Behauptung, die Qumrantexte hätten für das Neue Testament und das Urchristentum eine unmittelbare, ja sensationelle Bedeutung,

---

6 Vgl. allerdings die ähnliche Datierung, jedoch andere Auswertung bei E.-M. Laperrousaz (Hg.), Qoumrân et les manuscrits de la Mer Morte: Un cinquantenaire, Paris 1997.

auf unverdächtig erscheinenden Umwegen so kräftig zum Zug kommen konnte. Wer heute diesen Ton nicht aufgreift, sondern eine nüchterne Einschätzung vertritt, stößt daher nicht nur bei Kirchenfeinden, sondern gerade auch in frommen Kreisen auf Misstrauen. Aber das ist, wie eingangs betont, ein Phänomen des deutschsprachigen Marktes, der eine Mentalitätsverfassung signalisiert, die nicht nur den Kirchen ernstlich zu denken geben sollte.[7] Die beunruhigende Bereitschaft zur Leichtgläubigkeit gegenüber demagogischen Verführern ist an sich Besorgnis erregend, und es ist die Aufgabe aller wissenschaftlich Denkenden, darauf warnend hinzuweisen. Denn wenn das nüchterne Urteilsvermögen in einem solchen Maß dahinschwindet, finden jene Gehör, die vorgeben, die »Wahrheit« für sich gepachtet zu haben, einfache Antworten zur Hand haben und durch demagogische Beschuldigungen verschleiern, dass die eigene Position alles andere als fundiert ist. Wohlverstandene Wissenschaft unterscheidet sich davon aber nicht durch versteifte Verteidigung vorhandener Positionen, sondern auch durch angemessene Selbstbescheidung in Bezug auf Wahrheitsansprüche, durch die Bereitschaft zu selbstkritischer Überprüfung, durch phantasievolles Ausloten aller nur denkbaren Möglichkeiten. So wie ein wissenschaftlicher Übersetzer stets bemüht sein wird, jedes Wort für sich und in seinem Kontext immer wieder neu zu überdenken, und andere, zutreffendere Formulierungen zu finden, die sowohl dem Wortlaut des Textes wie der Absicht des Autors noch mehr gerecht werden.

---

[7] Für Überlegungen dazu vgl. E. Garhammer, Von der Fiktionalität zur Faktizität. Analyse momentaner Kirchenkritik am Beispiel des Qumran-Themas, ThGl 84 (1994), 37–46; ders., Qumran und die Vermarktungsmechanismen der Medien oder: Warum eine Medienschelte nur die halbe Wahrheit ist, ThGl 84 (1994), 151–158.

II. Die neue Arbeitsbasis

So unerfreulich diese Vorgänge auch waren, das Interesse an den Qumrantexten wurde jedenfalls neu entfacht. Insbesondere das Publikationstempo wurde gesteigert, nachdem im Zug der Auseinandersetzungen die Fotos der Fragmente publiziert und so allgemein zugänglich gemacht wurden. Das geschah zunächst in einer spektakulären Publikation der in einer amerikanischen Institution deponierten Fotos der Fragmente aus 4Q im Rockefeller-Museum durch Robert H. Eisenman und James M. Robinson.[8] Im Gegenzug kam 1993 eine Microfiche-Edition auf den Markt, mit der alle in Jerusalem vorhandenen Qumrantexte und darüber hinaus auch die sonstigen Textfunde aus der Wüste Judah zugänglich gemacht worden sind.[9] Mit der Möglichkeit der Vergrößerung am Bildschirm und mit dem beträchtlichen Mehrbestand an Material bot diese Microfiche-Edition beachtliche Vorteile, aber dieser Vorteil hielt nur für begrenzte Zeit, und der Verkaufspreis war an sich und insbesondere angesichts dieser kurzen Nutzungsdauer sehr hoch. Ein grobes Missverhältnis zwischen Preis und Produktionsqualität bestand bei der Microfiche-Edition der *Allegro Qumran Collection*,[10] denn die Wiedergabe der Fotos, die begreiflicherweise keine hohe fotografische Qualität aufwiesen, war teilweise technisch derart schlecht, dass die gute Absicht der Herausgeber nur begrenzt zur Wirkung kommen konnte.

Die kurze Nutzungsdauer war vorauszusehen, denn zur selben Zeit zeichnete sich bereits eine weit günstigere Möglichkeit der Textwiedergabe und Textbearbeitung auf EDV-Basis ab.[11] Es war daher

---

8 R.H. Eisenman / J.M. Robinson, A Facsimile Edition of the Dead Sea Scrolls, Washington 1991.

9 E. Tov u.a., The Dead Sea Scrolls on Microfiche, Leiden 1993.

10 G.J. Brooke / H.K. Bond, The Allegro Qumran Photograph Collection. Supplement to the Dead Sea Scrolls on Microfiche, Leiden 1996.

11 A. Lange, Computer-Aided Text-Reconstruction and Transcription. CATT-Manual, Tübingen 1993; ders., Computer Aided Text-Reconstruction and

zu hoffen, dass die vom Verlag E.J. Brill angekündigte *Dead Sea Scrolls Electronic Reference Library CD-ROM*[12] mehr und Besseres bieten würde und vor allem die derzeitigen Möglichkeiten der Computertechnik tatsächlich auszuschöpfen erlaubt. Das wäre der Fall, wenn man das Textmaterial auf der Basis der jeweils vorhandenen besten Fotos digitalisiert hätte.[13] Da aber nur die Fotos der Microfiche-Edition digitalisiert wurden und das Textmaterial aus der Wüste Judah ausgeschlossen wurde, blieb das Ergebnis hinter den Erwartungen zurück, obwohl die technischen Vorteile im Vergleich zur Microfiche-Edition selbstverständlich auf der Hand liegen. Es ist natürlich eine wesentliche Arbeitserleichterung, per Mausklick auf den Bildschirm zaubern zu können, was vorher nur mit einem beträchtlichen Zeitaufwand entweder nachgeschlagen oder durch das Aussuchen, Wechseln und Betrachten von Microfiches erreicht werden konnte. Das Erbübel der Fotos aus dem Rockefeller-Museum blieb allerdings erhalten. Da auf einem Foto unter einer PAM-Nummer nicht jeweils ein Fragment aufgerufen wird, sondern meist eine mehr oder minder größere Gruppe von willkürlich zusammengestellten Fragmenten, ist die Zuordnung eines Einzelfragments zu einem Einzeltext nach wie vor Zeit raubend. Um das zu vermeiden, hätte man auf den PAM-Fotos bei jedem Fragment die Qumrantext-Nummer vermerken müssen. Und bei allen Vorzügen kann nicht übersehen werden, dass dieses Produkt im Vergleich mit dem, was dem Benützer in *Bible Works 4* an Textumfang, Übersetzungen und Möglichkeiten zum halben Preis

---

Transcription (CATT), in: G.J. Brooke u.a. (Hg.), New Qumran Texts and Studies (s. Anm. 4), 223–232.

12 The Dead Sea Scrolls Electronic Reference Library, Bd. 1 (CD ROM), Leiden 1997.

13 Zu Diskussionen über die neuen Mittel vgl. B. Zuckerman, Bringing the Dead Sea Scrolls Back to Life. A New Evaluation of Photographic and Electronic Imaging of the Dead Sea Scrolls, DSD 3 (1996), 178–207; G. Bearman / S. Spiro, Imaging: Clarifying the Issue, DSD 3 (1996), 321–328; G. Bearman / St.J. Pfann / S. Spiro, Imaging the Scrolls: Photographic and Direct Digital Acquisition, in: P.W. Flint / J.C. VanderKam (Hg.), The Dead Sea Scrolls after Fifty Years 1 (s. Anm. 4), 472–495.

geboten wird, schlechter abschneidet, im Preis aber zugleich weit höher liegt. Nun ist 1999 die zweite CD-ROM der *Dead Sea Scrolls Electronic Reference Library* auf den Markt gekommen,[14] die zwar erheblich weniger kostet als die erste CD-ROM, aber immer noch nicht viel weniger als *Bible Works 4*. Sie enthält die englische Übersetzung von García Martínez aus dessen *Study Edition*, auch die Text-Transkriptionen aus dieser, soweit nicht Editionen der Publikationsserie DJD vorliegen. Dabei besteht die Möglichkeit, per Mausklick zu jedem Textstück das relevanteste PAM-Foto aufzurufen. Leider fehlen die biblischen Texte und auch die übrigen Textfunde aus der Wüste Judah, die in der Microfiche-Edition noch enthalten waren. Ein guter Einfall war, die hebräische Bibel in einem unvokalisierten Text beizufügen, den Rahlfs-Text der LXX hingegen hätte man sich sparen können, denn der steht in *Bible Works 4* zur Verfügung. Ausgaben der Schriften des Josephus und eventuell auch Philos von Alexandrien sowie des samaritanischen Pentateuchs wären von größerem Nutzen gewesen. Vielleicht sollte man die künftige, in absehbarer Zeit sowieso nötige Neuauflage dieser *DSS Reference Library Vol. II* in engerer Anlehnung an *Bible Works 4* erstellen und die gesamte frühjüdische Literatur in geeigneten Ausgaben und mit den wichtigsten modernen Übersetzungen einbeziehen. Und selbstverständlich wäre es zu begrüßen, wenn für moderne Fotos von Texten nicht noch weitere Publikationen herangezogen werden müssten; das heißt: auch diesbezüglich wäre eine Zusammenarbeit aller Unternehmen auf diesem Gebiet für die Benützer von großem Vorteil. Trotz solcher Wünsche gilt: Wer heute über *Bible Works 4*, die *DSS Reference Library* und eine der geläufigen rabbinischen Textsammlungen auf CD-ROM verfügt, hat ein effektives Instrumentarium zur Hand, von dem man noch vor einigen Jahren nur träumen konnte. Jemand, der kurz vor diesen Errungenschaften unter großem Zeitdruck eine Übersetzung der Qumrantexte anfer-

[14] The Dead Sea Scrolls Electronic Reference Library, Bd. 2 (CD ROM) Leiden 1999.

tigen musste, und das oft auf der Basis unzulänglicher Textpublikationen, kann bei aller Freude am neuen »Spielzeug« ein Zähneknirschen freilich nicht unterdrücken.
Aber nicht nur die technischen Bedingungen haben sich verändert, es ist ein neuer Elan zu verspüren. Das Herausgeberteam wurde umgestaltet und erweitert, eine striktere Zeitplanung für die Editionsarbeit eingeführt, und in zwei bis drei Jahren dürfte dieses Publikationsunternehmen beendet sein. Zur Zeit laufen gleichzeitig sogar zwei umfangreiche und kostspielige Qumran-Editionsunternehmen mit hohen Produktionskosten und Verkaufspreisen, und das zu einer Zeit, da alle Bibliotheken und universitären Einrichtungen unter akutem Geldmangel leiden. Man hätte erwarten können, dass die Einzeltexte dabei in echten Alternativeditionen dargeboten werden. Leider zeigt sich aber, dass eine Reihe von Texten in beiden Unternehmen von ein und denselben Herausgebern bearbeitet wurden. Gewiss wird dabei nicht einfach zweimal dasselbe geboten, aber es wird auch nicht der kritische Anstoß gegeben, den wissenschaftlich konkurrierende Editionen nun einmal vermitteln. Es handelt sich einerseits um die offizielle Publikationsreihe *Discoveries in the Judaean Desert* (DJD) der Oxford University Press, in der Band I im Jahr 1955 und 1982 Band VII erschienen ist. Seit 1992 erschienen die Bände IX–XV, XVIII–XX, XXII–XXVII, XXIX, XXXIV und XXXV. Etwa acht Bände sind in den nächsten Jahren noch zu erwarten, dann liegen alle Fragmente des PAM in kritischer Erstedition vor, und die Qumranforschung kann auf dieser Basis manches neu überdenken. Das zweite Unternehmen, *The Dead Sea Scrolls. Hebrew, Aramaic, and Greek Texts with Translations* (Princeton Theological Seminary Dead Sea Scrolls Project), verdankt seine Initiierung durch James C. Charlesworth dem wieder erwachten Interesse an Qumran und erscheint im Verlag Mohr in Tübingen und in der Westminster John Knox Press in Louisville. Im Jahr 1994 erschien Band 1 (Rule of the Community etc.), Band 2 (Damascus Document, War Scroll) im Jahr 1995, Band 4a (Pseudepigraphic and Non-Masoretic Psalms) 1997 und Band 4b (Angelic Liturgy: Songs of the Sabbath

Sacrifice) im Jahr 1999. Die Serie ist ästhetisch ansprechend und drucktechnisch gut aufgemacht. Ungünstig ist die vorzugsweise Verwendung der (manchmal mehrfach schon geänderten) Textbezeichnungen anstelle der Textnummern (z.B. 4QH^{a} statt 4Q427), was Zeit raubendes Nachschlagen erfordert. Hinsichtlich der Planung scheint das Unternehmen kaum durchdacht worden zu sein. Publiziert werden sollen sämtliche Qumrantexte, also weit mehr als in der Oxforder Serie DJD. Die Art der Publikation wird aber zu einem Umfang führen, der weit über jenen der DJD-Bände hinausgeht, und das ist im Blick auf die Kostenfrage für die Verbraucherseite beängstigend. Und dazu kommt der schon erwähnte Umstand, dass in zwei Bänden (2; 4B; z.T. auch 4A) keine wirklichen Alternativpublikationen geboten wurden, sodass man de facto für dasselbe zweimal zahlt. Nun können sich nur wenige Institutionen und noch weniger Einzelkäufer diese Serien leisten. Umso erfreulicher ist daher, dass (nach einer Sammelpublikation der aramäischen Texte durch Klaus Beyer)[15] 1999 endlich eine handliche Studienausgabe aller bislang publizierten edierten Qumrantexte erschienen ist. Sie wurde von Florentino García Martínez besorgt und enthält auch seine revidierte englische Übersetzung,[16] und zwar zu einem erschwinglichen Preis. Auch abgesehen von den neuen elektronischen Mitteln ist derzeit also die Basis für eine breit angelegte, solide Beschäftigung mit den Qumrantexten gegeben, vor allem, sobald eine Neuauflage dieser Studienausgabe alle Textfragmente in einer wissenschaftlich edierten Form enthalten wird.

---

15 K. Beyer, Die aramäischen Texte vom Toten Meer samt den Inschriften aus Palästina, dem Testament Levis aus der Kairoer Genisa, der Fastenrolle und den alten talmudischen Zitaten, Göttingen 1984; Ergänzungsband, Göttingen 1994.

16 F. García Martínez / E. Tigchelaar (Hg.), The Dead Sea Scrolls Study Edition, Bd. 1–2, Leiden 1997, 1998.

III. Vorgegebene Interessen und Tendenzen

Infolge der nunmehr fast vollständigen Publikation aller vorhandenen Fragmente hat sich das gängige Bild in mancher Hinsicht verändert, und daher sind auch selbstkritische Überlegungen in der Qumranforschung gewiss am Platz. Wurde auf einem Forschungsgebiet einmal ein gewisser Konsens erreicht, ist es immer schwierig, eine neue Sicht durchzusetzen. Die Angriffe auf den »Konsens« in der Qumranforschung sind nicht in Bausch und Bogen unberechtigt gewesen, denn sowohl Forschungsergebnisse wie Forschungstendenzen hatten sich im Lauf der Jahrzehnte eben verfestigt. Und selbstverständlich spielten auch Gesichtspunkte und Interessen eine Rolle, die je nach dem Metier des einzelnen Forschers unterschiedliche Gewichtungen mit sich bringen: Der Alttestamentler war begreiflicherweise vor allem am Text des AT interessiert, der Neutestamentler natürlich an Themen und Fragestellungen seiner Disziplin, und zwar mit einem deutlichen Akzent auf doktrinären Themen. Jüdische Forscher fragen intensiver nach Kontinuität und Diskontinuität zwischen dem Judentum vor und nach der Tempelzerstörung von 70 n.Chr. Das bedingt jeweils eine Präferenz bestimmter Themen. Lange beherrschten solche Vorgaben die Diskussion recht weitgehend. Erst seit einiger Zeit beginnt man, intensiver nach den eigenen Anliegen jener Leute zu fragen, die hinter den Texten gestanden haben. Dafür musste man allerdings solchen Texten mehr Aufmerksamkeit schenken, die bisher zurückgestellt worden sind, weil sie weder für die Textgeschichte des AT noch für die Thematik des Frühchristentums von Belang zu sein schienen. Und das sind vor allem Texte mit gesetzlichen und rituell-kultischen Inhalten, also Nachrichten über die praktische Religion, die damals wie später den eigentlichen Brennpunkt des jüdischen religiösen Interesses darstellt. Es ist kennzeichnend für die Interessenlage, dass rechtsgeschichtlich relevante Untersuchungen fast nur von jüdischen Experten stammen.[17] Christliche Autoren behandelten gesetzliche Texte so gut wie nur unter bibel-exegetischen Gesichtspunkten, oder Einzelfälle, die auch im NT eine Rolle spielen, ansonsten vor allem »Gesetz« als theologische Größe. Ausnahmen bestätigen nur die Regel.[18]

Sieht man von der Textgeschichte ab, ist die alttestamentliche Wissenschaft im Rahmen der Qumranforschung noch immer zu schwach vertreten. Und das, obwohl das Verhältnis zwischen den paläographisch frühesten Qumrantexten und den spätesten alttestamentlichen Schriften eine Trennung zwischen beiden Quellengruppen geradezu verbietet. Berücksichtigt man noch redaktions- und überlieferungsgeschichtliche Gegebenheiten innerhalb mancher Qumrantexte von komplexer Struktur, so wird die Verzahnung beider Bereiche noch dichter. Die Qumranfunde ergeben jedenfalls für die persisch-frühhellenistische Periode mehr an gewichtigen Hinweisen als für die Zeit zwischen 30–70 n.Chr., doch die Forschungsgeschichte wurde von einem intensiven christlich-theologischen Interesse bestimmt, und man war vor allem bestrebt, Beziehungen, Entsprechungen und Unterschiede zum frühen Christentum bzw. zum Neuen Testament aufzuzeigen, naturgemäß vor allem doktrinärer Art. Untersucht wurden daher vorrangig Themen der Eschatologie und Soteriologie, das Menschenbild und immer wieder die so genannten »messianischen« Vorstellungen. Allein die hartnäckige Verwendung der Begriffe »Messias«, »messianisch« und »Messianismus« hat die Befunde beträchtlich verfremdet, nämlich christologisch verfärbt. Diesbezüglich scheint

---

[17] Siehe vor allem die Monographien von L.H. Schiffman, The Halakhah at Qumran, SJLA 16, Leiden 1975; J.M. Baumgarten, Studies in Qumran Law, SJLA 24, Leiden 1977; L.H. Schiffman, Sectarian Law in the Dead Sea Scrolls, BJSt 33, Chico 1983; ders., *Halakhah, halikhah u-meshihiyut bekhat Midbar Yehuda* (Law, Custom and Messianism in the Dead Sea Sect), Jerusalem 1993; G. Brin, Studies in Biblical Law. From the Hebrew Bible to the Dead Sea Scrolls, JSOT.S 176, Sheffield 1994.

[18] Ch. Hempel, The Laws of the Damascus Document. Sources, Traditions and Redaction, StTDJ 29, Leiden 1998.

eine Änderung nicht erreichbar zu sein, die theologische Vorgabe ist zu dominant. Philologisch gesehen ist der Sachverhalt zwar recht eindeutig,[19] aber das wird aufgewogen durch die Konstruktion eines »Messianismus« und durch die Verwendung des Adjektivs bzw. Adverbs »messianisch« für Sachverhalte, die streng genommen nicht einmal alle mit »eschatologisch« bezeichnet werden können.[20] Kennzeichnend ist für diesen christologisch-doktrinären Trend, dass in der ganzen Literatur über »messianische« Gestalten und Erwartungen die politischen bzw. verfassungsmäßigen Aspekte wie das Königsrecht kaum eine Rolle spielen.

Ein anderes Beispiel bietet die Rezeption des so wichtigen Textes 4QMMT.[21] Er wurde zunächst weniger wegen seines aufschlussreichen Inhalts zur Kenntnis genommen, als wegen einer scheinbaren, formal-literarischen Entsprechung zu einer neutestamentlichen Passage: Man sah in der Auflistung der gegensätzlichen Praktiken und Positionen eine Parallele zu den Antithesen der Bergpredigt. Außerdem fand man im Ausdruck מעשי התורה (*ma ͨᵃsê ha-tôrah*), der sich im Kontext von 4Q398 Frgm. 14 ii,2–3 eindeutig auf die vorher aufgelisteten konkreten rituellen Torah-*Praktiken* bezieht, den paulinischen Ausdruck »Werke des Gesetzes«, und man tut sich offensichtlich sehr schwer, den kontroverstheologisch belasteten Ausdruck »Werke«, der im Kontext von 4QMMT keinen Sinn macht, durch einen sachgemäßeren (wie »Praktiken«) zu ersetzen. So berechtigt die im Blick auf das NT

---

[19] J. Maier, Messias oder Gesalbter? Zu einem Übersetzungs- und Deutungsproblem in den Qumrantexten, RdQ 65–68/17 (1996), 585–612.

[20] Die Zahl einschlägiger Publikationen spricht für sich, vgl. allein aus letzter Zeit: C.W. Evans / P.W. Flint (Hg.), Eschatology, Messianism, and the Dead Sea Scrolls. Studies in the Dead Sea Scrolls and Related Literature, Grand Rapids 1997; J.H. Charlesworth / H. Lichtenberger / G.S. Oegema (Hg.), Qumran-Messianism. Studies on the Messianic Expectations in the Dead Sea Scrolls, Tübingen 1998; J. Zimmermann, Messianische Texte aus Qumran: königliche, priesterliche und prophetische Messiasvorstellungen in den Schriftfunden von Qumran, WUNT II/104, Tübingen 1998.

[21] E. Qimron / J. Strugnell, Qumran Cave 4. V: Miqsat Ma`ase ha–Torah, DJD X, Oxford 1994.

gestellten Fragen selbstverständlich sind,[22] sie ergeben überbetont leicht eine unzutreffende Optik, als wären diese Fragestellungen auch im Blick auf Qumran gleichermaßen dringlich und gewichtig, und das schlägt, wie gezeigt, sogar auf Übersetzungen der Texte durch.

Auch Vergleiche zwischen dem »Lehrer der Gerechtigkeit« und der Person Jesu waren aus denselben Gründen äußerst aktuell.

Nicht zuletzt wurde, wie unten noch dargestellt werden soll, die Vorstellung von der »Qumrangemeinde« durch Modelle bestimmt, die den Forschern nahe lagen: bei den meisten war es die christliche Urgemeinde, bei anderen auch die christlich-klösterliche Lebensgemeinschaft, was die irreführende Rede von einer jüdischen Klostergemeinschaft mit Armuts- und Ehelosigkeitsgelübde verursacht hat. Zum Letzteren passte allerdings schon damals der archäologische Befund vom Friedhof nicht,[23] und dies ist neuerdings durch einschlägige Untersuchungen wieder eindrücklich zur Kenntnis gebracht worden.[24]

IV. »Bibel« und »Kanon«, Torah, Pentateuch und Recht.

Der bibeltextliche Gesamtbefund, den insbesondere Frank M. Cross und Eugene Ulrich in den USA sowie Emanuel Tov in Israel erarbeitet haben, ist weithin recht diffus und zeigt, dass zu jener Zeit zwar bereits Vorformen unseres überlieferten, auf die pharisäisch-rabbinische Tradition zurückgehenden Bibeltextes für man-

---

[22] Vgl. zuletzt M.G. Abegg, 4QMMT C 27,31 and »Works of Righteousness«, DSD 6 (1999), 139–147.

[23] Vgl. z.B. S.H. Steckoll, Preliminary Excavation Report on the Qumran Cemetery, RdQ 23/6 (1968), 323–344.

[24] O. Röhrer-Ertl / F. Rohrhirsch / D. Hahn, Über die Gräberfelder von Khirbet Qumran, insbesondere die Funde der Campagne 1956: I. Anthropologische Datenvorlage und Erstauswertung aufgrund der Collectio Kurth, RdQ 73/19 (1999), 3–46; J. Taylor, The Cemeteries of Khirbet Qumran and Women´s Presence at the Site, DSD 6 (1999), 285–323.

che biblischen Bücher vorhanden waren, dass es daneben aber auch andere Textformen gab, die mit Septuaginta-Vorlagen oder mit der samaritanischen Texttradition nicht so einfach zusammengehen, wie man zunächst angenommen hatte.[25] Manche biblischen Bücher hatten außerdem im Vergleich zu gewissen nichtbiblischen eine offensichtlich geringe Bedeutung.

Wie in jeder historischen Disziplin wurde auch in der Qumranforschung das erschlossene Bild durch das verfügbare Quellenmaterial bestimmt. Daher haben auch die Inhalte der zuerst bekannt gewordenen Texte und die Publikationsgeschichte[26] unvermeidlicherweise ganz bestimmte Interessenschwerpunkte mit sich gebracht und den so genannten Konsens vorbestimmt.

Als 1948–49 die ersten Schriftrollen aus der Höhle 1 in den Handel kamen, erregte dies weltweit Aufsehen und Diskussionen. Da lag nun eine vollständig erhaltene Schriftrolle mit dem Text des Propheten Jesaja vor – ca. ein Jahrtausend älter als die erhaltenen mittelalterlichen Bibelhandschriften und somit von unschätzbarem textgeschichtlichen Wert. Ein stark bibelzentriertes Interesse beherrschte von da an einen guten Teil der Forschung derart, dass man noch heute weithin ziemlich unbesehen die »Bibel« des Alten Testaments samt den Begriffen »Kanon« und »kanonisch« anachronistisch für die Zeit der gefundenen Texte voraussetzt und verwendet. Gerade auch die mehr populären Publikationen erweckten und erwecken den Eindruck, dass »die Bibel« damals bereits vorhanden war, und dass auch ihre theologische Wertung (als »kanonisch«) und das Interesse an ihr damals dasselbe gewesen ist wie späterhin. Kein Wunder also, dass Qumrantexte, zumindest alle mit irgendeinem Bezug zu biblischen Stoffen und Inhalten, vorrangig unter zwei Gesichtspunkten bearbeitet werden: als »Text« im Sinne von Bibel und als Textbehandlung im Sinne von

---

[25] E. Tov, Textual Criticism of the Hebrew Bible, Minneapolis / Assen 1992 = Der Text der Hebräischen Bibel. Handbuch der Textkritik, Stuttgart 1997; E. Ulrich, The Dead Sea Scrolls and the Origins of the Bible, Studies in the Dead Sea Scrolls and Related Literature, Leiden 1999.

[26] Siehe in diesem Band den Beitrag von E. Tov.

Bibelauslegung, »rewritten Bible« oder dergleichen. Der Rest wird bestenfalls als »parabiblical texts«, meistens aber als »apokryph« und »pseudepigraphisch« eingestuft. Abweichungen vom traditionellen Bibeltext erklärt man folglich vorwiegend als Ergebnisse von Überarbeitungen, Erweiterungen oder Auslassungen. Problematisch ist dabei nicht bloß die Frage, wie weit die beiden genannten Kategorien Text/Textbehandlung im Einzelfall zutreffend angewendet werden können und wo sie den Sachverhalt nicht mehr abzudecken vermögen, problematisch ist vor allem die in vielen Publikationen als selbstverständlich vorausgesetzte Annahme, dass die Qumrantexte samt der ganzen außerbiblischen Literatur jener Periode den uns bekannten biblischen Schriften auch zeitlich nachzuordnen sind und dass diese biblischen Schriften als alleinige Quellen für die nichtbiblischen Texte gedient haben und folglich auch versucht werden muss, jeden Qumrantext mit allen nur denkbaren Mitteln von biblischen Passagen aus zu erklären.
Im Blick auf den Pentateuch wird die Problematik besonders deutlich: Man verfährt so, als hätte es nach der Pentateuchredaktion nur mehr eine – nämlich die »biblische« – Fassung mit kleinen Varianten gegeben, und als wären damals sämtliche verarbeiteten älteren Niederschriften und Stoffe samt allen anderen, damals nicht im Pentateuch aufgenommenen Traditionen mit einem Schlag verschwunden. Folglich wird alles, was an neuem Material auftaucht, ganz selbstverständlich nur vom Pentateuch ausgehend bewertet und behandelt. Auf diese Weise wird z.B. das überlieferungsgeschichtliche und rechtsgeschichtliche Eigenprofil von Quellen wie Tempelrolle, Damaskusschrift oder Jubiläenbuch fast völlig aufgehoben und auf »Auslegung« reduziert.[27] Kanontheologische Konzepte sind es also, die in diesen Fragen mehr oder minder explizit

---

[27] So insbesondere bei M.O. Wise, A Critical Study of the Temple Scroll from Qumran Cave 11, SAOC 49, Chicago 1990; D.D. Swanson, The Temple Scroll and the Bible. The Methodology of 11QT, StTDJ 14, Leiden 1995; J.G. Campbell, The Use of Scripture in the Damascus Document 1–8.19–20, BZAW 228, Berlin / New York 1995; J.C. Endres, Biblical Interpretation in the Book of Jubilees, CBQ.MS 18, Washington 1987.

die Forschung bestimmen und neue Ansätze sehr effektiv abblocken. Dabei böte die neuere Pentateuchforschung durchaus gute Chancen, das Qumranmaterial intensiver und sachgemäßer auszuwerten als bisher, und die Pentateuchforschung selbst könnte infolge der Beobachtungen am Qumranmaterial ebenfalls einige Einsichten gewinnen und Vorgänge im Vorfeld der Pentateuchredaktion leichter nachvollziehen.

Überhaupt verbaut sich die Bibelwissenschaft mancherlei Chancen, wenn die Besonderheit und Bedeutung der Texte für die Leute damals nicht ausreichend hinterfragt werden, weil sich das Interesse einseitig darauf konzentriert, was »kanonisch« war. Damals, d.h. zeitlich nahe der Entstehung der Endgestalt vieler Schriften unserer »Bibel«, hat man diese Schriften offenbar anders und auch unterschiedlich gewertet. Erst seit kurzem schärft sich der Blick dafür. Die große Jesaja-Rolle (1QJes[a]) bezeugt z.B. eine Textform, die zwar weitgehend mit der überlieferten biblischen übereinstimmt, aber eben nicht ausschließlich. Tatsächlich weist sie ebenso wie andere biblische Texte aus den Qumranhöhlen sehr viele kleine und auch manche gewichtige Unterschiede auf, von denen seltsamerweise in der neuen *Biblia Hebraica Stuttgartensia* viele einfach nicht mehr vermerkt worden sind. Der besondere Charakter dieser Rolle und deren Bedeutung ist erst unlängst dank ihrer Bearbeitung durch Odil Hannes Steck wieder eindrücklich zu Bewusstsein gebracht worden.[28] Das Buch Jesaja, das auch im NT ein ähnlich hohes Gewicht hat, galt offensichtlich als der gewichtigste nichtgesetzliche Text schlechthin. Konsequenterweise hatten in diesem Fall auch die Textverwendung und Textauslegung einen entsprechenden Stellenwert. Das darf aber offensichtlich nicht verallgemeinert werden, es gilt nicht im gleichen Maß für andere prophetische Schriften, etwa für die weit diffusere Tradition der Ezechieltexte und Ezechielstoffe, und noch weniger für Hagio-

---

[28] O.H. Steck, Die erste Jesajarolle von Qumran (1QIs[a]), Bd. 1–2, SBS 173/1.2, Stuttgart 1998. Zum Text s. nun D.W. Parry / E. Qimron (Hg.), The Great Isaiah Scroll, StTDJ 32, Leiden 1999.

graphen, wenn man von »Psalmen Davids« absieht, die aber nicht nur im biblischen Psalter vorhanden waren, und zu unserer großen Überraschung gilt es schon gar nicht für gesetzliche Traditionen, bei denen eben nicht ein Text, sondern ein konkretes Problem und dessen gesetzliche Lösung die entscheidenden Faktoren waren. Das schließt interpretative Vorgänge nicht aus, aber die meisten Ähnlichkeiten belegen nicht ein Verhältnis von Text und Exegese, sondern nur die Formulierung eines Gesetzes aufgrund von bekannten vergleichbaren Regelungen unter Benützung fest geprägter juristischer Redeformen. Denn gerade in der Geschichte des Rechts hat die Verwendung fester Formulierungen einen so hohen Stellenwert, dass es einer schriftlichen Vorlage gar nicht bedarf; es reichen vorhandene analoge oder in der Sache einigermaßen verwandte Probleme und Regelungen völlig aus, damit sich bei der Formulierung eines neuen Gesetzes eine gewisse – und manchmal sogar wörtliche – Übereinstimmung mit bereits vorhandenen Regelungen ergibt. Es gibt in der ganzen jüdischen Tradition nur sehr wenige Gesetze, die wirklich als Produkt exegetischer Bemühungen gelten können. Umgekehrt gilt, dass unter bestimmten Umständen sehr wohl ein Bedarf vorhanden war, für eine notwendige Regelung in autoritativen Überlieferungen nach einem Beleg zu suchen, der dann auch gefunden wurde, so wie es auf der christlichen Seite in der traditionellen Dogmatik der Fall war.

Eine Überraschung ergab sich auch, weil es für ausgemacht galt, dass der Pentateuch als erster Teil des werdenden »jüdischen Kanons« auch in seiner textlichen Gestalt früh vorhanden gewesen sein muss, wie immer man dabei »früh« in Verbindung mit der Datierung der Pentateuch-Endredaktion definieren mag. Daher wirkten sich bei der Pentateuchbehandlung nicht nur die beiden Kategorien »Text« und »Textauslegung« besonders massiv aus, es erscheint bis heute schier unmöglich, die allzu geläufige Redeweise von der »Torah« im Sinne eines vorgegebenen Pentateuchs und von der »Torahauslegung« im Sinne von Pentateuchexegese auf ein einigermaßen zutreffendes Maß einzudämmen. Mit anderen Worten: man spricht und handelt so, als wäre der Pentateuch die von Mose geschriebene Torah im Sinne der jüdischen Tradition und daher in jedem Fall und alleine zeitlich wie autoritativ vorgegeben.

Die anachronistisch in die Zeit der Qumrantexte zurückprojizierte Vorstellung von der »Heiligen Schrift« erweist sich in mancher Hinsicht als hinderlich. Die Hemmschwelle in der Forschung liegt aber beim Pentateuch offensichtlich höher, ein Umstand, der zwar im Fall einer persönlichen Bindung an jüdische Tradition begreiflich ist, ansonsten aber kritisch hinterfragt werden muss. Von den Pentateuchstoffen heben sich die gesetzlichen Überlieferungen hinsichtlich dieser Problematik nämlich noch auf besondere Weise ab. Gemeinhin setzt man voraus, dass mit der Endredaktion des Pentateuchs die in ihm aufgenommenen gesetzlichen Partien damals wie für alle Zukunft allein und ausschließlich als offenbarte »Torah« gegolten haben. Daher fragt man nach dem Zustandekommen und nach den Vorgängen, durch die etwas als »Torah« autorisiert wurde, höchstens im Blick auf die Vorgeschichte des Pentateuchs, die aber in erster Linie als ein literarischer Prozess behandelt wird. Auf diesem Gebiet ist der Forschungsbedarf immer noch beträchtlich, weil fest geprägte Klischees Neuansätze verhindern, und zu diesen Klischees gehört vor allem die weithin selbstverständliche Gleichsetzung von Gesetz, Pentateuch und Torah. Dabei reicht ein Blick auf die Schriften des Philo und des Josephus, um zu sehen, dass dies auch im frühen und späten 1. Jh. n.Chr. noch keineswegs so einseitig zutrifft. Die Qumrantexte verhelfen uns zu Einsichten darüber, wie »Torah« im Sinne absolut verbindlicher Mose-Offenbarung zustande kam, und sie zeigen, dass gesetzliche (und erzählerische) Kleinsteinheiten im Umlauf waren, die jederzeit an passender Stelle für einen neuen Kontext oder unter einem anderen Gesichtspunkt aufgegriffen und verarbeitet werden konnten.

Die Qumrantexte belegen fundamentale Unterschiede in der Wertung und Behandlung gesetzlicher Überlieferungen und anderer Traditionen. Eine der früh publizierten Schriften enthält eine eigentümlich aktualisierende Erklärung zum Buch Habakuk

(1QpHab). Hier begegnen historische Anspielungen und Hinweise auf einen »Lehrer der Gerechtigkeit« als einer maßgeblichen, aber umstrittenen Autorität, und auf einen bzw. mehrere seiner Gegenspieler. Dieser »Lehrer der Gerechtigkeit« nahm für sich – vermutlich qua Amt – höchste gesetzgeberische Kompetenz als »Prophet wie Mose« und zusätzlich eine allein richtige Deutung der Prophetentexte in Anspruch. Im Blick auf das Letztere sind in der Tat die Kategorien »Text« und »Textdeutung« vorgegeben, und diese Methode der Textdeutung wurde im 1. Jh. v.Chr. in der so genannten Pescher-Literatur weitergeführt, wie nun auch zahlreiche Fragmente weiterer Pescher-Texte aus der Höhle 4 zeigen. Textteile werden angeführt, um deren פשר (*pešær*: Auflösung/Ausdeutung) anzuschließen. Aber die Kategorie »Text« hat hier ihre Eigenbedeutung. Denn der Text dient nur als Vorwand und Mittel, um das zum Ausdruck zu bringen, was im Pescher zum Ausdruck gebracht werden soll. Und zwar unter der Vorgabe, dass der Prophet selber nicht gewusst hat, auf was sich seine Prophetie letztendlich bezieht, die Offenbarung der inhaltlichen Aussage also erst später erfolgt, im Rahmen einer eschatologisch aktualisierenden Deutung aktueller Ereignisse. Diese, nicht der Text, ist eigentliches Objekt der Deutung, der Text dient nur als Mittel. Der Ausdruck Pescher hatte seinen Platz auch in der Traumdeutung und er bezeichnet auch dort nicht Text- und Worterklärung, sondern die Auflösung eines zunächst rätselhaften Sachverhalts durch einen »Sachverständigen«. Die Methode der Pescher-Kommentierung war in der Qumranforschung von früh an Gegenstand vieler Untersuchungen und gilt fast durchwegs als die Qumran-Methode der »Schriftauslegung« schlechthin. Tatsächlich zeichnen sich zwei sowohl methodisch wie gegenstandsbezogen völlig unterschiedliche Verfahrensweisen ab, die Pescher-Methode im Zusammenhang mit nichtgesetzlichen Texten, und eine – gerade nicht vorrangig exegetische – Behandlung gesetzlicher Sachverhalte und Traditionen.

Gesetzliche Überlieferungen unterliegen als solche nie einer Pescher-Deutung,[29] für ihre Entstehung und ihre Anwendung gab es ein völlig anderes Vokabular.[30] Und zwar (a) einmal von der Wortwurzel ירה (*jrh*) abgeleitet ein Verb im Kausativstamm, das in der juristischen Fachsprache den Vorgang einer konkreten, problem- bzw. personbezogenen, absolut verbindlichen Anweisung mit Offenbarungsanspruch bezeichnet. Eine solche Einzelanweisung und die Gesamtheit solcher Anweisungen heißt »Torah«. Wahrscheinlich handelte es sich früher einmal in erster Linie um rituell-kultische Belange, wie selbst noch an kleinen Sammlungen im Pentateuch zu erkennen ist, doch mit dem Anspruch »Levis« auf die Rechtskompetenz überhaupt (vgl. schon Dtn 33,8–11) fiel alles Recht darunter. Abgesehen von programmatischen Rechtssätzen und Sammlungen entstand solche Torah in Fällen, deren Entscheidung aufgrund des geltenden Rechts nicht möglich war und durch eine Oberinstanz mit dem Anspruch auf Offenbarungsautorität entschieden werden mussten.
Zum andern wird (b) das Verb דרש (*drš*) im juristischen Sprachgebrauch außer in der Bedeutung »untersuchen, verhören« vor allem für den Prozess der Rechtsfindung auf der Basis geltenden Rechts verwendet, für eine Anfrage und für die entsprechende Entscheidungs-Verkündigung. Bis in die frühe amoräische Zeit bezeichnet dieses Verbum in rechtlichen Kontexten niemals »auslegen«, wie gewohnheitsgemäß behauptet wird, das Objekt ist vielmehr stets ein gesetzlicher Sachverhalt. Gesetzliche Entscheidungen wurden von den dazu befugten Autoritäten anhand kon-

---

[29] Eine Ausnahme scheint auf den ersten Blick 11Q13 II,1–4 darzustellen, wo das Jobeljahr mit Lev 15,13 mit Dtn 15,2 angeführt und mit Jes 61,1 verknüpft wird. Doch nicht die gesetzliche Bestimmung wird ausgedeutet, sondern die in ihr enthaltene Terminsetzung wird mit der Pescher-Methode auf das »Ende der Tage« bezogen.

[30] J. Maier, Early Jewish Interpretation in the Qumran Literature, in: M. Sæbø (Hg.), Hebrew Bible. Old Testament. The History of its Interpretation, Vol. 1: From the Beginnings to the Middle Ages (Until 1300), Pt. 1: Antiquity, Göttingen 1996, 108–129.

kreter Fälle getroffen und für eine bestimmte Zeit im Gruppenkonsens als geltendes Recht proklamiert. In einer schriftlich fixierten Ordnung (סרך, *særæk*) bzw. einer offiziellen Niederschrift (מדרש, *midraš*) festgelegt, unterlagen sie wie alles schriftlich Fixierte auch eventuellen interpretativen Vorgängen, aber keiner Pescher-Interpretation. Offen bleibt in den meisten Fällen das zeitliche, soziologisch-gruppenmäßige und allgemein-öffentliche Maß der Gesetzesanwendung. Wir wissen sehr wenig darüber, welches konkrete Gesetz wann und wo tatsächlich praktiziert wurde, denn geschriebene Gesetze sind nicht unbedingt auch aktuell geltende. Aber das betrifft nicht nur Qumran. Was jeweils als »Torah« geschrieben vorlag, war im öffentlichen Leben der persischen, ptolemäischen und seleukidischen Provinz, im hasmonäischen Staat, im herodianischen Königreich und in der Zeit der römischen Direktverwaltung nicht einfach identisch mit dem geltenden und angewandten Recht, speziell in der lokalen Rechtsprechung nicht.

Was als »Torah« etikettiert bzw. mit Mose verbunden und somit als offenbartes Recht formuliert und niedergeschrieben vorlag, deckte ja ohnedies nur einen kleinen Teil der Lebensbereiche ab, die in einem Gemeinwesen geregelt werden müssen. Ein Teil solcher Torah-Traditionen wurde wahrscheinlich als bereits allgemein anerkannte Tradition, ein anderer Teil eher als programmatische Fiktion in bestimmte Corpora aufgenommen, dabei auch historisch verortet, wie im Pentateuch in einer Gottesberg-Szenerie oder in einer Situation unmittelbar vor der Landnahme; oder wie im Jubiläenbuch weiter zurückgreifend in den Patriarchengeschichten und darüber hinaus sogar auf himmlischen Tafeln als überzeitliche Ordnung verankert. Doch ein Teil der gesetzlichen Bestimmungen hat, wie oben schon erwähnt, seinen Ursprung wohl auch konkret in Entscheidungen einer tatsächlich existenten Jerusalemer Zentralinstanz, wie sie in Dtn 17,8–13 und 2Chr 19,4–11 durchscheint, und in der ein Torah-Offenbarer (ein »Prophet wie Mose«) eine entscheidende Rolle spielte.[31] Derartige Torah ist aber schwerlich auf gesetzliche Pentateuchinhalte allein zu beschränken, sie wurde auf dem Wege der Torah-Prophetie auch nach der Pentateuchredaktion »fortgeschrieben«, bedingt durch Fälle, bei denen das normale Rechtswesen mangels eindeutiger Rechtsnormen nicht zielführend war. In der lokalen/regionalen Gerichtsbarkeit war für die Anwendung von Torah-Gesetzen ja nicht so häufig Gelegenheit, in den hier anstehenden Fällen entschied man nach herkömmlichem Gewohnheitsrecht, solange die Streitparteien diese Instanz anerkannten. Im Sinne der Privilegien war die Praxis auf dieser Ebene durch die Garantie abgedeckt, nach den »Sitten der Väter« verfahren zu dürfen. Staatliche Gerichtsinstanzen waren, soweit vorhanden, selbstverständlich in erster Linie für Strafsachen zuständig, die sich die Obrigkeit zur Entscheidung vorbehielt. Für Zivilsachen wurden sie und andere Instanzen nur in Anspruch genommen, wenn sich die Streitparteien hinsichtlich des örtlich oder gruppenmäßig zuständigen Gerichts und der anzuwendenden Rechtsnorm nicht einig waren. Die aus der Zeit stammenden Urkunden belegen, dass ein erheblicher Spielraum bestand und ein einigermaßen einheitliches »jüdisches Recht«, wie es sich später im rabbinisch-talmudischen Judentum herausgebildet hat, zumindest im zivilrechtlichen Bereich noch nicht vorhanden war. Die pharisäischen Rechtstraditionen bzw. »Sitten/Bräuche der Väter«, die in der rabbinischen Tradition aufgenommen und verarbeitet worden sind, dürften zu einem guten Teil aus der lokalen Rechtspraxis stammen, im Kernbestand aber über ein pharisäisches Gruppenrecht vermittelt worden sein. Traditions- und redaktionsgeschichtlich betrachtet ergibt sich dabei in den ältesten Traditionsschichten allerdings kein massiver zivil- oder strafrechtlicher Schwerpunkt, denn die ältesten Bestandteile und Traditionen der Mischna betrafen in deutlichem Umfang mehr

---

[31] F. Crüsemann, Die Tora. Theologie und Sozialgeschichte des alttestamentlichen Gesetzes, München 1992. Allerdings beschränkte sich Crüsemann auf Torah im Pentateuch und daher kam der nachexilische Befund nicht im eigentlichen Umfang ins abschließende Bild.

rituell-kultische Bereiche.[32] Man hat also bis ins 2. Jh. n.Chr. immer noch vorrangig jene Regelungen als erste zu Papier gebracht, die man für die Auseinandersetzung mit den konkurrierenden Traditionen (in diesem Fall die Traditionen der Sadduzäer und der nicht rabbinisch orientierten Priesterschaft) zur Hand haben wollte, und zwar als Nachweis der eigenen Kompetenz in rituellen Fragen. Das Verhältnis von Programmatik und tatsächlicher Geltung ist also im Rahmen der sich ausformenden »Mündlichen Torah« nicht minder schwierig zu definieren als in den Perioden davor.

Um solches Gruppenrecht mit dem Anspruch auf Allgemeingültigkeit zu versehen, musste man es entsprechend autorisieren. Die Tradition in den Qumrantexten setzt voraus, dass eine gesetzgebende Aktivität bis zum Tod des »Lehrers der Gerechtigkeit« auch als Torah-Erteilung möglich war. Nach seinem Tod sollte daher die Gesetzeslage bis zum Amtsantritt der Repräsentanten (Hohepriester, Herrscher, Prophet = Torahprophet) verfassungsgemäß höchster Instanzen unverändert bleiben. Die pharisäische Tradition versuchte es mit dem Altersbeweis (Tradition der Väter), die rabbinischen Autoritäten konstruierten das Konzept der doppelten Torah: einer Schriftlichen im Pentateuch, und einer »Mündlichen Torah« außerhalb der biblischen Schriften. Aber in der Realität des 1.–2. Jh. n.Chr. war diese Konzeption noch nicht maßgebend. Die Papyrusurkunden aus der Zeit bezeugen jedenfalls, dass man sich noch bis ins 2. Jh. n.Chr. nicht selten direkt an römische Provinzinstanzen wandte.[33]

Dank der Qumrantexte sind auch zusätzliche Konturen der Vorgänge sichtbar geworden, die zu einer kontinuierlichen Aufwertung des Pentateuchs während des 2.–1. Jh. v.Chr. beigetragen haben. Die wichtigste Voraussetzung war weniger eine interne, als vielmehr eine außenpolitisch bedingte Präsentation des Penta-

---

[32] J. Neusner, The Rabbinic Traditions about the Pharisees before 70 A.D., Bd. 1: The Masters, Bd. 2: The Houses, Bd. 3: Conclusions, Atlanta [2]1999.

[33] H.M. Cotton, The Language of the Legal and Administrative Documents from the Judaean Desert, ZPE 125 (1999), 219–231.

teuchs als der niedergeschriebenen Basis der jüdischen Autonomie. Ob und ab wann es sich bereits in der persischen Zeit um den Pentateuch handelte, mag hier offen bleiben.[34] Nach Alexander d. Großen war der Pentateuch jedenfalls jenes Dokument, das man der fremden Oberherrschaft als schriftliche Basis für die gewünschte Autonomie präsentiert hat. Dabei ging es vielleicht gar nicht so sehr darum, ein Gesetzbuch zu präsentieren, als vielmehr um den Nachweis, dass eine alte, also ehrwürdige schriftliche Tradition vorhanden und zu respektieren ist, von der aus auch der wesentlichere Teil der Privilegierung abgedeckt wurde, nämlich alles, was unter »väterliche Sitten« (oder ähnlich) fiel.[35] Daher ist für hier auch das undurchsichtige Verhältnis zwischen Esra-Gesetz und Pentateuch möglicherweise gar nicht so sehr relevant.

Mit der Übersetzung ins Griechische seit der Mitte des 3. Jh. v.Chr. war das Prestige des Pentateuchs als des geschriebenen »Gesetzes« der Juden nach außen hin fixiert. Die Bestätigung jüdischer Autonomierechte durch Antiochus III. um 198 v.Chr. lieferte zudem das maßgebliche Modell für die späteren Privilegierungen. Eine derartige Qualifizierung des Pentateuchs als Basis jüdischer Existenz in staatlich-politischem Sinne musste früher oder später auch intern eine entsprechende Wertung nach sich ziehen, und zwar in besonderem Maß in der Diaspora. Allein der Aristeasbrief bezeugt es schon auf eindrucksvolle Weise. Vor allem aber wirkte sich die Verzahnung von außenpolitischen Konfrontationen und religiösen Infragestellungen im Lauf eben dieser Zeit aus, also während der letzten zweieinhalb Jahrhunderte des zweiten Tempels. Die makkabäisch/hasmonäische Propaganda hat ja den Konflikt mit dem Seleukidenreich zu einem Kampf um die

---

[34] Zur Diskussion darüber siehe: P. Frei, Die persische Rechtsautorisation, ZAR 1 (1995), 1–35; J. Wiesehöfer, »Reichsgesetz«, ZAR 1 (1995), 36–46; U. Rüterswörden, Die persische Reichsautorisation der Thora: Fact or Fiction?, ZAR 1 (1995), 47–61.

[35] Zur Verwendung dieses Ausdrucks siehe B. Schröder, Die »väterlichen« Gesetze. Flavius Josephus als Vermittler von Halacha an die Griechen und Römer, TStAJ 53, Tübingen 1996.

Torah überhaupt stilisiert. Und da zu der Zeit intern umstritten war, was alles konkret als Torah gelten soll, bot sich die im formal unumstrittenen Pentateuch enthaltene Torah als gemeinjüdische Basis nicht nur nach außen, sondern auch im Parteienkampf im Inneren als Argumentationshilfe von selbst an.
Wie und unter welchen internen Bedingungen die Bedeutung des Pentateuchs und anderer Schriftcorpora anstieg, zeigt die an Qumrantexten aufweisbare Tendenz, sich für kontroverse Punkte auf eine gemeinsame schriftliche Autorität zu berufen. Aber selbst bei Verwendung der Formel »denn es ist geschrieben« wird noch nicht in jedem Fall auch zitiert. Die zunehmende Neigung zu Verweisen auf eine schriftliche Autorität lässt sich außerdem auch anhand verschiedener Fassungen bestimmter Qumrantexte aufzeigen, entspricht also einer nachweisbaren Entwicklung innerhalb dieser Gruppe und wohl auch im Judentum der Zeit überhaupt. Die Bedeutung von Schriften, die uns in der Bibel vorliegen, hat in der Zeit der Qumrantexte also kontinuierlich zugenommen, und zwar aus apologetischen Gründen, da man sich auf eine Basis stützen wollte, die auch beim Gegner akzeptiert war.

V. Die »Gemeinde« von Qumran

Zu den ersten publizierten Texten gehört 1QS, eine Sammelschrift, die neben liturgischen Stücken vor allem Vorschriften und Ordnungen für eine ganz nach rituellen Gesichtspunkten organisierte Gruppe enthält, deren Verhältnis zu dem weiteren Umfeld aber nicht deutlich wird. Nun fanden sich im Material aus der Höhle 4 Fragmente mehrerer Schriftrollen mit mehr oder minder gleichem Textbestand, also Reste von mehreren Fassungen (4Q255–4Q264 = 4QS^{a-j}).[36] Das heißt, es ist mit einer längeren Redaktionsge-

[36] J.C. Charlesworth u.a. (Hg.), The Dead Sea Scrolls: Hebrew, Aramaic, and Greek Texts with English Translations. Bd. 1: Rule of the Community and Related Documents, Princeton Theological Seminary Dead Sea Scrolls Project, Tübingen / Louisville 1994; Ph.S. Alexander / G. Vermes (Hg.),

schichte dieser Sammlungen und auch mit einer entsprechend weit zurückreichenden Überlieferungsgeschichte der Einzelkomponenten zu rechnen, wobei das Datum der paläographisch ältesten Kopie nicht als Ausgangspunkt, sondern als frühest bezeugter Endpunkt eines solchen Prozesses gelten kann. Die älteste Kopie ist 4Q255(4QS[a]) und stammt nach einer etwas vage gehaltenen, aber allgemein akzeptierten und zitierten Datierung durch Frank M. Cross aus der zweiten Hälfte des 2. Jh. v.Chr. Man neigt dazu, diese Kopie eher nahe an 100 v.Chr. zu datieren, was im Verhältnis zu 4Q257 (100–75 v.Chr.) etwas verwundert. Beide heben sich nämlich recht eigentümlich ab und könnten auch 25–50 Jahre älter, also zwischen 200–125 und 150–100 v.Chr. anzusetzen sein. Die Datierung durch Frank M. Cross verrät das Unbehagen, das die Vertreter des »Konsenses« befällt, wenn die Datierungsobergrenzen (150 oder 175 v.Chr.) infrage gestellt werden, die dem vorgegebenen Geschichtsbild zuliebe gezogen worden sind. Alle belegten QS-Fassungen dürften bereits vor 100 v.Chr. vorhanden gewesen sein, also vor der Gründung der Anlage auf der Khirbet Qumran. Die vergleichende Untersuchung der einzelnen Fassungen lässt nicht erkennen, wann und wo die – z.T. divergierenden – Inhalte und Praktiken entstanden sind oder in Geltung waren.[37]

Ähnliches gilt auch für die »Damaskusschrift« (CD), die zum großen Teil bereits aus mittelalterlichen Kopien bekannt war und nun ebenfalls durch Reste mehrerer Fassungen aus der Höhle 4 (4Q266–273 = 4QD[a–h]) umfassender belegt und ergänzt werden kann.[38] Davon wird 4Q266 als älteste Kopie paläographisch –

Qumran Cave 4. XIX: Serekh ha–yaḥad and Two Related Texts, DJD XXVI, Oxford 1998.

[37] S. Metso, The Textual Development of the Qumran Community Rule, StTDJ 21, Leiden 1996; dies., Constitutional Rules at Qumran, in: P.W. Flint / J.C. VanderKam (Hg.), The Dead Sea Scrolls after Fifty Years 1 (s. Anm. 4), 186–210.

[38] J.C. Charlesworth u.a. (Hg.), The Dead Sea Scrolls: Hebrew, Aramaic, and Greek Texts with English Translations, Bd. 2: Damascus Document, War Scroll, and Related Documents, Tübingen / Louisville 1995; J.M. Baum-

ebenfalls etwas vage – auf 100–50 v.Chr. datiert. Auch hier ist eine entsprechend frühere Datierung nicht auszuschließen.
War aufgrund der Kenntnis von 1QS und CD allein die Rede von einer »Qumrangemeinde« eine Selbstverständlichkeit, die nur von wenigen kritisch in Frage gestellt worden ist, so ist nun zweifellos festzustellen, dass es sich um Quellen handelt, die nach 100 v.Chr. noch als sehr wichtig gegolten haben und entsprechend oft kopiert worden sind. Aber sie setzen eben eine organisierte Gemeinschaft dieser Art auch schon für die Zeit vor 100 v.Chr. und wahrscheinlich bereits vor 150 v.Chr. voraus.
Das auf der Basis von 1QS, CD und 1QpHab entstandene Bild wurde nach den unter Pater de Vaux auf der Khirbet Qumran und in den Höhlen der Umgebung durchgeführten Ausgrabungen 1956 durch weitere Textpublikationen ergänzt:

- Die so genannte »Kriegsrolle« (1QM) bot Beschreibungen der endzeitlichen Kriege des wieder hergestellten Israel gegen die Völker und Feinde, den so genannten Krieg der Söhne des Lichts gegen die Söhne der Finsternis. Auch da hat sich durch Fragmente aus 4Q (4Q491–496 = 4QM^{a-f}) das Bild verändert.[39] Nicht nur, dass es im 1. Jh. v.Chr. mehrere Kriegsrollen-Fassungen gegeben hat, es ergab sich insgesamt überhaupt eine recht massive militärisch-liturgische Tradition, die allerdings auch in anderen Schriften aus der Zeit da und dort zutage tritt.
- Die so genannte »Hymnenrolle« (1QH) mit poetisch-liturgischen Stücken, die man z.T. (die so genannten »Lehrerlieder«) dem erwähnten »Lehrer der Gerechtigkeit« zuschreibt. Diese Hymnenrolle bildete neben 1QS die Hauptquelle für die religiöse Anschauungswelt der »Qumrangemeinde« und eventuell auch ihres Gründers. Aber auch in diesem Fall verändert sich das Bild an-

---

garten, Qumran Cave 4. XIII: The Damascus Document (4Q266–273), DJD XVIII, Oxford 1996.

[39] M. Baillet, Qumran Grotte 4. III (4Q482–4Q520), DJD VII, Oxford 1982; J. Duhaime in: J.H. Charlesworth u.a. (Hg.), The Dead Sea Scrolls: Hebrew, Aramaic, and Greek Texts with English Translations 2 (s. Anm. 38), 80–197.

gesichts zahlreicher Reste von Schriftrollen aus dem 1. Jh. v.Chr. mit teils gleichen, teils ähnlichen Inhalten (4Q427–432),[40] davon 4Q428 aus dem frühen 1. Jh. Dies und darüber hinaus auch noch anderes, formal und inhaltlich verwandtes Material deutet auf ältere Traditionen,[41] und zwar sind es eher Traditionen mit bereits festen Konventionen als individuelle, autobiographisch verwertbare religiöse Ergüsse.[42] Andererseits wäre es chronologisch von großer Bedeutung, wenn die Lehrerlieder tatsächlich von dieser Person stammten, denn sie müssten in einer relativ frühen Phase der Entwicklung angesetzt werden,[43] und das würde in die vormakkabäische Zeit führen. Berücksichtigt man dazu noch das sehr umfangreiche Material eindeutig liturgischen Charakters und die paläographischen Datierungen dafür, muss man mit liturgisch-poetischen Überlieferungen rechnen, die ins 3. Jh. zurückreichen und offensichtlich aus der Tempelliturgie stammen.

Das Verhältnis zwischen »qumranischen« und »vorqumranischen« Texten ist also neu zu überdenken, und in entsprechendem Maß auch das Verhältnis zwischen den Leuten, die vor 100 v.Chr. solche Traditionen gepflegt haben und jenen, die im 1. Jh. v. und 1.

---

[40] E. Schuller, Hodayot, in: E. Chazon u.a. (Hg.), Qumran Cave 4. XX: Poetical and Liturgical Texts, Pt. 2, DJD XXIX, Oxford 1999, 69–232.

[41] J. Strugnell / E. Schuller, Further *Hodayot* Manuscripts from Qumran?, in: B. Kollmann / W. Reinbold / A. Steudel (Hg.), Antikes Judentum und Frühes Christentum, FS Hartmut Stegemann, BZNW 97, Berlin / New York 1999, 51–72.

[42] Vgl. für die »autobiographischen« Deutungsbemühungen zuletzt J.H. Charlesworth, An Allegorical and autobiographical Poem by the »Moreh has-Sedek« (1QH 8–4–11), in: M. Fishbane / E. Tov (Hg.), Sha`arei Talmon. Studies in the Bible, Qumran, and the Ancient Near East presented to Shemaryahu Talmon, Winona Lake 1992, 295–307.

[43] Für eine Überprüfung der These vom »Lehrer der Gerechtigkeit« als des Autors der »Lehrerlieder« unter dem Aspekt des Befundes anhand der 4Q-Fragmente s. M.C. Douglas, The Teachers Hymn Hypothesis Revisited: New Data for an Old Crux, DSD 6 (1999), 239–266.

Jh. n.Chr. die Anlage auf der Khirbet Qumran benützt haben. Es scheint auch heute noch berechtigt, von einer Kontinuität auszugehen und anzunehmen, dass die Schriftrollen von diesen Leuten in den Höhlen untergebracht worden sind. Die Einwände, die N. Golb immer wieder dagegen vorgebracht hat,[44] sind aber nicht pauschal beiseite zu schieben. Der bestechende Gedanke Hartmut Stegemanns, dass die Anlage zwar nicht das Zentrum der großen Essenerbewegung war, wohl aber ein Zentrum für die Anfertigung von Schriftrollen, passt – wie er selbst betont – nicht zum Umstand, dass von den ca. 800 Handschriftenresten nur sehr wenige Kopien von ein und demselben Schreiber stammen.[45] Falls in der Anlage kopiert wurde, fand ein recht häufiger Schreiberwechsel statt, vielleicht, weil die Leute überhaupt immer wieder, zwar und möglicherweise turnusmäßig organisiert, ausgewechselt wurden und nur eine kleinere Zahl an Personal ständig dort war. Was bleibt unter diesen Voraussetzungen als Zweckbestimmung der Anlage noch zu bedenken, wenn es sich nicht um das Zentrum einer »Qumrangemeinde« oder einer breiter gestreuten Gruppe gehandelt hat? Drei Gesichtspunkte bieten sich an. a) Zunächst hat der Ort eine gewisse geographisch bedingte Bedeutung im Rahmen strategischer Überlegungen und für die Sicherung der Handelsrouten in diesem Raum. Vielleicht hat ein Hasmonäerherrscher wie Alexander Jannaj während einer bestimmten Phase seiner ja recht wechselhaften Politik diesen Stützpunkt einer bestimmten Gruppierung anvertraut, auf die er sich zumindest außenpolitisch gesehen verlassen konnte, denn »Volksverrat« galt in dieser Tradition nun einmal als ganz schlimmes Kapitalverbrechen (11Q19 LXIV,8–12; vgl. 4Q169 Frgm. 3–4 i). In diesem Rahmen konnte

[44] Siehe zuletzt N. Golb, Who Wrote the Dead Sea Scrolls? The Search for the Secret of Qumran, New York 1995 = Wer schrieb die Schriftrollen vom Toten Meer?, Hamburg 1994.

[45] Und zwar professionelle; s. dazu E. Tov, The Scribes of the Texts Found in the Judaean Desert, in: C.A. Evans / S. Talmon (Hg.), The Quest for Context and Meaning. Studies in Biblical Intertextuality in Honor of James A. Sanders, Biblical Interpretation Series 28, Leiden 1997, 131–152 .

die Station nebenbei auch für die betreffende Gruppe selbst und deren Binnenwirtschaft insgesamt eine gewisse ökonomische Rolle gespielt haben. b) Für die Gruppe selbst könnte die abgeschiedene Anlage als ein (aber nicht unbedingt einziges) Bildungszentrum gedient haben, wo man den »Sitz im Leben« des »Maskîl« (Unterweiser) vermuten kann, für den manche Kopien bzw. Texte ausdrücklich bestimmt waren. Dazu passt das Sammeln und Kopieren von Texten. Und möglicherweise hat man nicht erst zuletzt, sondern schon früher daran gedacht, Texte in den nahe liegenden Höhlen (vor allem in Höhle 1) in Sicherheit zu bringen, wahrscheinlich auch ersatzweise für die ansonsten am Tempel deponierten Exemplare,[46] weil man meinte, dass 98/97 v.Chr. das »Zeitalter des Schwertes« angebrochen war, und man gerade die Erfahrung gemacht hatte, dass in Kriegen Bücher vernichtet worden sind. c) Die Anlage könnte mit dieser ihrer Infrastruktur auch den Rahmen für jene »heiligen Männer« innerhalb des Jachad abgegeben haben, deren Aufgaben in 1QS VIII,1–14 und in 1QS IX,3–6 beschrieben werden. Zu diesen Aufgaben gehörte vor allem die Sühne-Erwirkung für das Land im Sinne eines Ersatzes der nicht mehr effektiven Sühne-Erwirkung des Tempelkults zu Jerusalem. In diesem Fall muss man in Erwägung ziehen, ob dieser Ersatz-Kultdienst nicht durch eine den Priesterdienstklassen und ihren Dienstzyklen entsprechende Gruppe geleistet worden ist, unter denselben rituellen Lebensbedingungen, die für Dienst habende Priester am Tempel gegolten haben. Die Mär vom unverheirateten Zweig der Essener ist vielleicht nur eine auf hellenistische Philosophengruppen getrimmte Umdeutung dieser Lebensweise gewesen, die auch am Jerusalemer Tempel an einer Dienst habenden Priesterabteilung zu beobachten gewesen wäre, wozu während der

[46] Vgl. AssMos 1,16–18, wo Mose zu Josua sagt: »... übernimm diese Schrift, um die Zuverlässigkeit (oder: den Schutz) der Bücher zu bedenken, die ich dir übergeben werde: Du sollst sie ordnen, mit Zedernöl salben und in irdenen Gefäßen an dem Ort hinterlegen, den Er von Anfang an geschaffen hat, dass daselbst Sein Name angerufen wird bis zum Tag der Heimzahlung, bei der sie der Herr mustern wird, wenn das Ende der Tage sich vollendet.«

Dienstzeit eben auch der Verzicht auf Weingenuss und sexuellen Umgang gehört hat.
Auf der Basis der relativ gut erhaltenen Schriftrollen aus der Höhle 1 ist das bis heute maßgebliche Bild von einer »Gemeinde« entstanden, die der »Lehrer der Gerechtigkeit« im 2. Jh. v.Chr. gegründet und die zwischen ca. 130 v.Chr. und 69 n.Chr. in der Anlage auf der Khirbet Qumran beheimatet gewesen sein soll. Kaum jemand machte sich darüber Gedanken, wie viel an Vorverständnis allein mit dem Gebrauch des Ausdrucks »Gemeinde« bereits suggeriert worden ist. Es ist doch so, dass bereits das ganze nachexilische Judentum in der christlichen Forschung sehr gern zu einer »Gemeinde« im Sinn einer Vorstufe der »Kirche« stilisiert worden ist, der man das spätere Judentum als »die Synagoge« gegenüberzustellen pflegte. Die »Gemeinde von Qumran« wurde jedenfalls in erster Linie als eine der frühchristlichen Gemeinde vergleichbare Größe betrachtet und folglich wurden ihr – sicher meist unbewusst – entsprechende Züge zugeschrieben. Dementsprechend dominierten auch jene doktrinären Gesichtspunkte und Akzente, die man für die frühchristliche Gemeinde als kennzeichnend einschätzte, und so wurde auch immer wieder gefragt, welche Parallelen und Unterschiede zwischen den »Gemeinde«-Gründern, dem »Lehrer der Gerechtigkeit« und Jesus von Nazareth, bestehen. Und dies, obwohl von früh an die mehr oder minder weit gehende Gleichsetzung der »Qumrangemeinde« mit den Essenern gang und gäbe war, die mit der urchristlichen Gemeinde nach dem Befund des NT offensichtlich nicht sehr viel gemein haben, es sei denn, man identifiziert die Essener mit einer im NT anders bezeichneten Gruppe. Nur am Rande wurde daher auch der massive priesterliche Hintergrund der Qumrantexte und der Organisationsform des Jachad wirklich ernst genommen.[47] Und so kamen die spezifischen Interessen einer so priesterlich bestimmten Tradition auch lange nicht ins Blickfeld. Dies änderte sich erst nach dem Bekannt-

---

[47] Die ersten Hinweise darauf gab Leonhard Rost in: Qumranprobleme. Eine Überschau, EvTh 18 (1958), 97–112.

werden des Textes 4QMMT, in dem die maßgeblichen damaligen Differenzen aufgelistet werden, und sich herausstellte, dass es sich fast nur um rituell bedingte Unterschiede im Recht und in der Kultpraxis handelte.[48]

VI. Qumranfunde und Essäer/Essener

Am stärksten hat den Konsens die Gleichsetzung der Qumrangemeinde mit den so genannten Essenern bestimmt. Diese war und ist nahe liegend, denn die antiken Nachrichten über Essener oder Essäer weisen in der Tat die meisten Berührungspunkte zu dem auf, was in manchen Qumrantexten hinsichtlich Lebensweise und Organisationsform ausgesagt wird. Man war sich dabei durchaus der Tatsache bewusst, dass es auch Unterschiede gibt. Da diese aber vor allem die religiös-theologischen Grundanschauungen und die politisch-religiösen Verhaltensweisen betreffen, konnte man dafür eine gewisse Verfärbung der Nachrichten durch die antiken Vermittler verantwortlich machen, vor allem bei Flavius Josephus.[49]

Josephus hat in seiner Schrift *De bello Iudaico* II,119–166 im Kontext über die Verhältnisse nach dem Tod des Herodes und unter den ersten römischen Prokuratoren einen Bericht über die dama-

---

[48] Zu Inhalt und Charakter dieses Textes siehe vor allem M.J. Bernstein / J. Kampen (Hg.), Reading 4QMMT: New Perspectives on Qumran Law and History, SBL.Symposium Series 2, Atlanta 1996.

[49] Vgl. zuletzt: A. Paul, Flavius Josèphe et les Esséniens, in: D. Dimant / U. Rappaport (Hg.), The Dead Sea Scrolls. Forty Years of Research (s. Anm. 4), 126–138; G. Baumbach, Schriftstellerische Tendenzen und historische Verwertbarkeit der Essenerdarstellung des Josephus, in: C. Thoma / G. Stemberger / J. Maier (Hg.), Judentum – Ausblicke und Einsichten. Festgabe für Kurt Schubert zum siebzigsten Geburtstag, Frankfurt a.M. 1993, 23–51; T. Rajak, Ciò che Flavio Giuseppe vide: Josephus and the Essenes, in: F. Parente / J. Sievers (Hg.), Josephus and the History of the Greco-Roman Period. Essays in Memory of Morton Smith, StPB 41, Leiden 1994, 141–160.

ligen jüdischen Gruppen eingeflochten.[50] Als erste Richtung und auffallend umfangreich (II,119–161) beschrieb er die Essener, und dabei erwähnte er II,160f. auch eine Gruppe von Unverheirateten. Danach werden erstaunlich knapp Pharisäer (II,162–163) und Sadduzäer (II,164–166) beschrieben, die in der Politik der Zeit eigentlich maßgeblichen Gruppen.

In seinem späteren Werk *Antiquitates Iudaicae* erwähnte er XIII, 172–173 für die Zeit des Jonatan Makkabäus, also um 150 v.Chr., die Existenz dreier Richtungen (*haireseis*) im Judentum, Pharisäer, Sadduzäer und Essener. In XVIII,11–22 beschrieb Josephus ebenfalls die drei Richtungen im Kontext der Unruhen nach dem Tod des Herodes unter Verweis auf *De bello Iudaico* etwas ausführlicher als die übrigen, doch in einer anderen, offenbar traditionellen Reihenfolge: Pharisäer (XVIII,12–15), Sadduzäer (XVIII,16–17), Essener (XVIII,18–22). Und er fügte hier (XVIII,23–25) eine Passage über eine »vierte Philosophenschule« hinzu. In seiner Autobiographie setzte er die Existenz der drei in §10–11 voraus und behauptet persönliche Jugenderfahrungen mit ihnen, doch klingt diese Nachricht wenig überzeugend. Josephus suggeriert mit seiner Darstellung also, dass in der Zeit nach Herodes unter den römischen Prokuratoren neben Pharisäern, Sadduzäern und einer politisch problematischen »vierten Philosophie« die angeblich friedfertigen Essener existierten. Aber gerade der unverhältnismäßig große Umfang der Essener-Passage in Bell. II erregt Verdacht. Diese angeblich so wichtigen Essener/Essäer spielen nämlich bei Josephus sonst als Gruppe im Kriegsgeschehen von 66–70 n.Chr. keine den Pharisäern, Sadduzäern und Zeloten/Sikariern vergleichbare Rolle, aber in Bell. II,152–153 wird ihre große Martyriumsbereitschaft hervorgehoben, was eine Verwicklung in die Auseinandersetzungen mit den Römern voraussetzt und die Frage aufwirft, ob es sich wirklich nur um eine

[50] T.S. Beall, Josephus' Description of the Essenes Illustrated by the Dead Sea Scrolls, MSSNTS 58, Cambridge 1988; D.S. Williams, Josephus and the Authorship of *War* 2,119–161 (On the Essenes), JSJ 25 (1994), 207–221.

passive Rolle gehandelt haben kann. Im Neuen Testament, das vorwiegend ein Judentumsbild aus der Zeit kurz vor und bis einige Zeit nach 66–70 n.Chr. widerspiegelt, tauchen die Bezeichnungen Essener/Essäer überhaupt nicht auf, ein Umstand, der sehr zu denken gibt. Die historische Schwerpunktsetzung in die Zeit des Herodes und der Prokuratoren ist also möglicherweise apologetisch bedingt. Dafür spricht auch die in diesem Kontext umfangmäßig so sehr aus dem Rahmen fallende Einflechtung von Material aus älteren Quellen, die auch Philo von Alexandrien (und zwar wohl in einer bereits hellenisierten Gestalt) benutzt hatte.[51]
Sieht man von der Lokalisierung am Toten Meer durch Plinius ab, tragen die übrigen antiken Essener-Berichte nicht viel über das bei Josephus Referierte hinaus bei.[52] Und bei genauerer Betrachtung ergeben sich zwar zahlreiche Einzelangaben, aber über die Gruppe selbst, ihre Ursprünge und ihr Verhältnis zu den anderen Richtungen ist wenig herauszufinden.[53]
Erstaunlich ist, dass man lange Zeit nicht genauer untersucht hat, auf welche Quellen sich Josephus bei seinen Nachrichten über Essener/Essäer gestützt hat. Erst 1993 erschien eine gründlichere Überprüfung,[54] aber die Rezeption dieser wichtigen Arbeit erfolgt nur zögerlich, weil einige lieb gewordene Annahmen aufgegeben werden müssen. Josephus hat für seine Essener-Passagen demnach bis zu vier Quellen verwertet, was auch die wechselnde Namensform Essener/Essäer erklärt. Entscheidend ist nun, dass Einzelnachrichten über Personen mit dieser Bezeichnung wahrscheinlich nichts mit den Gruppen zu tun hatten, die in den zwei maßgeb-

---

[51] M. Petit, Les Esséens de Philon d'Alexandrie et les Esséniens, in: D. Dimant / U. Rappaport (Hg.), The Dead Sea Scrolls. Forty Years of Research, (s. Anm. 4), 139–155.

[52] Die übersichtlichste Textsammlung ist immer noch: A. Adam (Hg.), Antike Berichte über die Essener, KlT 182, Berlin ^{2}1972.

[53] S. die kritische Skizze von A.I. Baumgarten, He Knew that He Knew that He Knew that He was an Essene, JJS 48 (1997), 53–61.

[54] R. Bergmeier, Die Essenerberichte des Flavius Josephus. Quellenstudien zu den Essenertexten im Werk des jüdischen Historiographen, Kampen 1993.

lichen Quellen beschrieben werden und für den Vergleich mit den Qumrantexten infrage kommen. Und außerdem ist zu bedenken, dass die benützten Quellenschriften bereits eine hellenisierende Deutungsgeschichte hinter sich hatten, als Philo und Josephus sie aufgriffen. Allem Anschein nach hat Josephus diese Gruppen ganz gezielt zu einer großen Friedenspartei stilisiert, als Kontrast zu den radikal antirömischen Zeloten und den immerhin auch in den Krieg gegen Rom verwickelten Sadduzäern und Pharisäern. Wie sich die Angaben in den beiden Hauptquellen des Josephus zu dem verhalten, was aus Qumrantexten an vergleichbaren Einzelheiten herangezogen werden kann, ist somit neu zu überprüfen. Sicher ist eine schlichte Gleichsetzung mit dem von Josephus gebotenen Essener-Bild nicht möglich, andererseits kann aber auch die Bestreitung eines Zusammenhangs nicht überzeugen.[55] Der Gesamtbefund der antiken Nachrichten über die Essener/Essäer ist ziemlich diffus und erlaubt keinerlei exakte historische Einordnung.[56] Es fällt vor allem auf, dass Josephus über den angeblich unverheirateten Zweig wenig konkrete Angaben zu bieten hat. Was er über die Haltung zu Ehe und Nachwuchs anführte, stammt wohl von ihm oder aus einer bereits ebenso hellenisierend deutenden Quelle. Hat Josephus, obwohl er Priester war, nichts mehr über eine innerpriesterliche Differenz der Art gewusst, wie die Qumrantexte sie beschreiben? Vielleicht wollte er – gerade als Priester – gegenüber Außenstehenden solche Interna nicht preisgeben und zog es vor, der Leserschaft eine jüdische Spielart hellenistischer Philosophengruppen vor Augen zu führen.
Roland Bergmeier hat auch versucht, die Gruppenbezeichnung vom Ortsnamen Essa abzuleiten. Das leuchtet in bestimmten Ein-

---

[55] L. Cansdale, Qumran and the Essenes. A Re-Evaluation of the Evidence, TSAJ 60, Tübingen 1997, schüttete das Kind mit dem Bade aus und überging die zahlreichen, doch recht konkreten Gemeinsamkeiten in Details.

[56] Einen konzisen Überblick über die neuere Diskussion des Quellenwertes der antiken Essenernachrichten gibt C. Hutt, Qumran and the Ancient Sources, in: D.W. Parry / E.E. Ulrich (Hg.), The Provo International Conference on the Dead Sea Scrolls, StTDJ 30, Leiden 1999, 274–283.

zelfällen ein, doch nicht im selben Maß im angestrebten Umfang, weil die Begründung im Rahmen eben des Geschichtsbildes erfolgt, das dem »Konsens« zugrunde liegt. Mindestens ebenso einleuchtend ist die Hypothese, dass »Essener« etwas mit Orakelpriestern zu tun habe.[57] Denn es ist, wie in diesem Zusammenhang beobachtet wurde, schon bemerkenswert, dass Josephus hebräisch חשן (Brustschild des Hohepriesters) mit ἐσσην transkribierte,[58] und zwar in der Beschreibung des hohepriesterlichen Brustschilds in Ant. III,163–171, wo er das Wort mit griechisch *lógion* erklärte. Ferner in Ant. III,214–218, in einer Beschreibung des Urim-Orakels, bei dem für die Lichteffekte (vgl. 4Q376) außer dem Hohepriester noch ein anderer Priester vorauszusetzen ist, denn der Hohepriester bietet ja nur den Brustschild dar, auf dem ein bestimmter Stein angestrahlt werden und aufblitzen soll.[59] Josephus stützte sich dabei wohl auf eine Priestertradition, die man ernst nehmen kann. Sollte diese Orakelpriesterfunktion mit jener der obersten Torah-Offenbarerfunktion verbunden gewesen sein, wofür einiges (auch im Sprachgebrauch der LXX zum Urim-Tummim-Orakel) spricht, darf man vielleicht vermuten, dass in einer hellenistisch geprägten Quelle solch ein Orakelpriester »Essener« hieß und dass die Anhänger des letzten Jerusalemer Orakelpriesters daher auch als »Essener« bezeichnet worden sind; also die Anhänger jenes ἐσσην -Priesters, der in Qumrantexten als »Lehrer der Gerechtigkeit« aufscheint, d.h. genauer: als Torah-Anweiser bzw. Torah-Offenbarer im Sinne eines »Propheten wie Mose«.

---

[57] A.H. Jones, Essenes. The Elect of Israel and the Priests of Artemis, Lanham 1985; J. Kampen, A Reconsideration of the Name »Essene« in Greco-Jewish Literature in Light of Recent Perceptions of the Qumran Sect, HUCA 57 (1986), 61–81; ders., The Hasideans and the Origin of Pharisaism, SCSt 24, Atlanta 1988, 152–171.

[58] Der Wechsel der Vokalisation o–æ /e–æ war bei Segolata in alter Zeit gang und gäbe, wie die Qumrantexte belegen.

[59] Josephus, Ant. III,215 führt natürlich Gottes Mitwirkung als Ursache an, doch jemand musste ja wohl an Gottes Stelle tätig gewesen sein – so wie Mose und »ein Prophet wie Mose« an Gottes Stelle Torah anwies.

Es wurde freilich mit Recht darauf verwiesen, dass die Transkription mit ἐσσην bei Josephus nicht mit der Bezeichnung der Gruppe verknüpft wird.[60] Das erklärt sich jedoch recht einfach dadurch, dass Josephus den Passus aus einer Quelle übernahm, ohne dabei an die Essener zu denken. Wichtiger ist der Sachzusammenhang mit dem Urim-Tummim-Orakel und der Funktion des »Propheten wie Mose«, denn der führt über den vergleichbaren Sachzusammenhang im Hinweis auf Orakelpriester der Artemis in Ephesus hinaus. Jedenfalls leuchtet die von J. Kampen erwogene Möglichkeit ein, dass in einer maßgeblichen Quelle (vermittelt durch Nikolaus von Damaskus) eine Funktionsbezeichnung für eine Gruppenbezeichnung verwendet vorlag, weil im Zusammenhang mit dem Urim-Tummim-Orakel die Transkription ἐσσην in einer bestimmten hellenistisch-jüdischen Tradition bereits geläufig war.
Wie immer das sei, die kontinuierlichen Bemühungen, die in den Qumran-Texten bezeugte Richtung in das Schema der 3 bzw. 4 Religionsparteien einzuordnen, sind vielleicht deshalb so unbefriedigend verlaufen, weil die Wirklichkeit eben komplizierter war.[61] Verabsolutiert man dieses Schema, ergibt sich heute das etwas irritierende Bild, dass die Qumrantexte in gesetzlichen Belangen eine gewisse Nähe zu den Sadduzäern aufweisen, die ebenfalls auf zadokidischer Priestertradition fußten,[62] im eschatologisch-politischen Geschichtsdenken aber eher den Zeloten nahe standen. Vor allem lassen sie eine streng priesterlich-kultische Orientierung erkennen, sodass viele umstrittene Punkte bereits wie Gegenpositionen zur laienorientierten pharisäischen (und späteren rabbinischen) Richtung erscheinen. Aber aus der zweifellos vorhandenen traditionsbedingten Nähe lässt sich eine Identifizierung von Ja-

---

60 J. Kampen, The Hasidaeans and the Origin of Pharisaism, SCSt 24, Atlanta 1988, 159–161.

61 Vgl. auch die kritischen Bemerkungen von M. Goodman, A Note on the Qumran Sectarians, the Essenes and Josephus, JJS 46 (1995), 161–166.

62 Vgl. bereits R. North, The Qumran »Sadducees«, CBQ 17 (1955), 34–48.164–188.

chad-Gemeinschaft und den bei Josephus und im NT bezeugten Sadduzäern nicht begründen,[63] aber die hinter den Sadduzäern stehende Tradition ist nun eben deutlicher geworden.[64] Die Gegensätze zwischen Positionen bzw. Praktiken, die in Qumrantexten verfochten werden, und solchen in der pharisäisch-rabbinischen Tradition, zeigen allerdings an, dass von den Vorläufern der Pharisäer an bis in die talmudische Zeit eine laienorientierte Richtung ihre Positionen kontinuierlich ausgebaut hat,[65] die aber nicht nur auf pharisäische Gruppen beschränkt gewesen sein muss.
In jedem Fall ergab sich, dass gesetzliche und kultpraktische Differenzen zu der Zeit eine entscheidende Rolle gespielt haben und dass die Folgen dieser Auseinandersetzungen bis in die talmudische Zeit reichen.[66]

---

63 J.C. VanderKam, The People of the Dead Sea Scrolls: Essenes or Sadducees?, BiRe 7/2 (1991), 42–47 = in: H. Shanks (Hg.), Understanding the Dead Sea Scrolls (s. Anm. 4), 50–62.

64 Vgl. L.H. Schiffman, The Temple Scroll and the Nature of Its Law: The Status of the Question, in: E. Ulrich / J.C. VanderKam (Hg.), The Community of the Renewed Covenant (s. Anm. 4), 37–55; Ph.R. Davies, Sadducees in the Dead Sea Scrolls?, in: Z.J. Kapera (Hg.), Qumran Cave Four and MMT. Special Report, Kraków 1991, 85–94 = in: Ph.R. Davies, Sects and Scrolls. Essays on Qumran and Related Topics, SFSHJ 134, Atlanta 1996, 127–138; J.A. Fitzmyer, The Qumran Community: Essenes or Sadducees?, HeyJ 36 (1995), 467–476; A.I. Baumgarten, Who Were the Sadducees? The Sadducees of Jerusalem and Qumran, in: I. Gafni u.a. (Hg.), The Jews in the Hellenistic-Roman World. Studies in Memory of Menahem Stern, Jerusalem 1996, 393–411; J.M. Baumgarten, Sadducean Elements in Qumran Law, in: E. Ulrich / J.C. VanderKam (Hg.), The Community of the Renewed Covenant (s. Anm. 4), 27–35.

65 J.M. Baumgarten, The Pharisaic-Sadducean Controversies about Purity and the Qumran Sect, JJS 31 (1980), 157–170; L.H. Schiffman, The Qumran Scrolls and Rabbinic Judaism, in: P.W. Flint / J.C. VanderKam (Hg.), The Dead Sea Scrolls after Fifty Years 2 (s. Anm. 4), 552–571.

66 Zur standes- und funktionsbedingten Differenz zwischen priesterlicher und laienorientierter Sicht des Gesetzes siehe auch: D.R. Schwartz, Law and Truth: On Qumran-Sadducean and Rabbinic Views of Law, in: D. Dimant / U. Rappaport (Hg.), The Dead Sea Scrolls. Forty Years of Research (s. Anm. 4), 229–240. Er verwendete dafür die Kategorien Realismus und Nominalis-

Nun enthalten die Essenerberichte Einzelangaben zur Organisation, die für die Gleichsetzung mit der Jachad-Gemeinde entscheidend gewesen sind. Das Gewicht dieser Gemeinsamkeiten wurde allerdings in dem Maß relativiert, als aufgezeigt werden konnte, dass es im hellenistischen Bereich eine Art organisatorisches Grundmuster für Kultassoziationen gab[67] und dass die Qumrantexte und Essenerberichte mancherlei Entsprechungen aufweisen.[68] Diese ergaben sich zwangsläufig aufgrund bestimmter Anliegen und Aufgaben, und daher bedeuten manche Gemeinsamkeiten lediglich, dass analoge Anliegen und Aufgaben vorlagen, nicht aber eine Abhängigkeit. Umso mehr fallen die Besonderheiten in den Qumranquellen ins Gewicht, allen voran solche, die als umstritten aufscheinen, und das sind ganz konkrete ritualgesetzliche Sachverhalte und ein ausgesprochen priesterlicher Gesichts-

---

mus; dazu s. auch J.L. Rubenstein, Nominalism and Realism in Qumranic and Rabbinic Law: A Reassessment, DSD 6 (1999), 157–183.

67 M. San Nicolo, Ägyptisches Vereinswesen zur Zeit der Ptolemäer und Römer, Bd. 1: Die Vereinsarten, MBPF 2, München [2]1972; Bd. 2: Vereinswesen und Vereinsrecht, MBPF 2, München [2]1992; W.M. Brashear, Vereine im griechisch-römischen Ägypten, Konstanz 1993; J. Kloppenborg / S. Willson (Hg.), Voluntary Associations in the Graeco-Roman World, New York 1996.

68 H. Bardtke, Die Rechtsstellung der Qumran-Gemeinde, ThLZ 86 (1961), 93–104; M. Weinfeld, The Organizational Pattern and the Penal Code of the Qumran Sect. A Comparison with Guilds and Religious Associations of the Hellenistic-Roman Period, NTOA 2, Freiburg (Schweiz) / Göttingen 1986; M. Klinghardt, The Manual of Discipline in the Light of Statues of Hellenistic Associations, in: M.O. Wise u.a. (Hg.), Methods of Investigation of the Dead Sea Scrolls and the Khirbet Qumran Site. Present Realities and Future Prospects, New York 1994, 251–270 (Klinghardts Versuch, den Jachad als Synagogengemeinde zu erklären, ist allerdings nicht überzeugend); S. Walker-Ramisch, Graeco-Roman Voluntary Associations and the Damascus Document: A Sociological Analysis, in: J.S. Kloppenborg / S.G. Wilson (Hg.), Voluntary Associations (s. Anm. 67), 128–145; A.I. Baumgarten, Graeco-Roman Voluntary Associations and Ancient Jewish Sects, in: M. Goodman (Hg.), The Jews in the Graeco-Roman World, Oxford 1998, 93–111.

winkel. Nach wie vor sind also für den Jachad die Organisationsformen der Priesterschaft am Tempel zu Jerusalem und von Priestersiedlungen allgemein der am nächsten liegende Hintergrund. Und für die Lager und Gemeinschaften der Damaskusschrift muss der Hintergrund in der Anhängerschaft dieser zadokidischen Richtung gesucht werden, die nach 200 v.Chr. in Judäa in einem innenpolitischen Konflikt mit außenpolitischen Verwicklungen den Kürzeren gezogen hat, und die Jachad-Organisation in ihrer oppositionellen Position zum Rahmen für eine Ersatzveranstaltung für die Sühnefunktion des Tempels umgeformt hat. Diese tempellose Situation hat ein – kennzeichnendes – intensives christlich-theologisches Interesse auf sich gezogen.[69]

VII. Datierung und archäologische Befunde

Der Ausgräber Pater Roland de Vaux hatte den Anfang der Siedlungsanlage auf der Khirbet Qumran auf ca. 130 v.Chr. datiert, das war der aufgrund einiger Münzdaten früheste Termin. Die Folge war, dass man seither in der Regel davon ausging, dass dort von jener Zeit an bis zur Zerstörung der Anlage im Jahr 68 n.Chr. eine religiöse Gemeinschaft gelebt hat, deren Organisation und Vorstellungswelt aus den veröffentlichten Texten erschlossen werden können. Zwei Fragenkomplexe geben nach wie vor Anlass zu Diskussionen: (a) das Alter des handschriftlichen Materials und das Verhältnis zum Alter der darauf erhaltenen Texte und Traditionen, und (b) die anderen archäologischen Befunde.

---

[69] G. Klinzing, Die Umdeutung des Kultes in der Qumrangemeinde und im Neuen Testament, StUNT 7, Göttingen 1971; B. Ego / A. Lange / P. Pilhofer (Hg.), Gemeinde ohne Tempel: Community without Temple. Zur Substituierung und Transformation des Jerusalemer Tempels und seines Kultes im Alten Testament, antiken Judentum und frühen Christentum, WUNT 118, Tübingen 1999.

(a) Für die paläographische Datierung der Texte, die zumeist Kopien älterer Schriften darstellen, ergab sich alsbald ein solide begründeter Konsens: der Großteil stammt aus dem 1. Jh. v.Chr., wobei sich die erste Hälfte des Jahrhunderts als kreativste Periode abzeichnet; ein kleinerer Teil stammt aus dem 1. Jh. n.Chr. Über 30 Texte werden ins 2. Jh. v.Chr. datiert, und einige werden noch früher angesetzt.[70] Für die Zeit zwischen ca. 50 v.Chr. bis 68 n.Chr. bestehen gute Schriftvergleichsmöglichkeiten, vor allem bezüglich der Spätzeit. Für eine Anzahl von Fragmenten wurden auch physikalische Tests zur Bestimmung des Materialalters durchgeführt, leider noch viel zu wenige. Diese Untersuchungsmethoden sind in den letzten Jahrzehnten erheblich verfeinert worden und können nunmehr als gewichtige Ergänzung und als Korrektiv zu den paläographischen Datierungen dienen. Die letzten Befunde bestätigen im Wesentlichen die paläographischen Datierungen.[71] In 4 von 14 Fällen ergaben sich allerdings auffällig ältere Materialdatierungen, die gewiss nicht alle auf technische Ursachen zurückgeführt werden können, und es sind paläographisch frühdatierte Fragmente betroffen. Nun kann im Einzelfall ein Text auf altes Leder kopiert worden sein, der Verdacht einer paläographischen Fehleinschätzung liegt aber dennoch nahe, denn für das 2.–3. Jh. v.Chr. steht es mit den Schriftvergleichsmöglichkeiten erheblich schlechter als für die frühere und die spätere Zeit. Sollten weitere Radiocarbon-Datierungen ebenfalls solche Unterschiede ergeben, muss man die

[70] F.M. Cross, Palaeography and the Dead Sea Scrolls, in: P.W. Flint / J.C. VanderKam (Hg.), The Dead Sea Scrolls after Fifty Years 1 (s. Anm. 4), 379–403.

[71] G.I. Bonani, Report and Discussion Concerning Radiocarbon Dating of Fourteen Dead Sea Scrolls, in: M.O. Wise u.a. (Hg.), Methods of Investigation (s. Anm. 68), 441–453; A.J. Jull / D.J. Donahue / M. Broshi / E. Tov, Radiocarbon Dating of Scrolls and Linen Fragments from the Judean Desert, Radiocarbon 37 (1995), 11–19 (auch in: ʿAtiqot 28 [1996], 85–91); M. Broshi, Radiocarbon Dating the Judaean Desert Scrolls and Its Implications, Qad. 30 (1997), 71–73; G. Doudna, Dating the Scrolls on the Basis of Radiocarbon Analysis, in: P.W. Flint / J.C. VanderKam (Hg.), The Dead Sea Scrolls after Fifty Years 1 (s. Anm. 4), 430–471.

betroffenen paläographischen Datierungen wohl an die Materialdatierungen annähern. Aber auch davon abgesehen besteht Anlass zu kritischen Überlegungen. Vielleicht müssen die paläographisch frühdatierten Texte nämlich sowieso alle auf einen längeren Zeitraum zurück verteilt werden, weil die bisherigen absoluten Datierungen im Rahmen eines vorgefassten Geschichtsbildes erfolgten, mit mehr oder minder bewusst gezogener Obergrenze um 150 (unter Jonatan Makkabäus) oder 175 v.Chr. (Regierungsantritt des Antiochus IV. Epiphanes). Es ist schon von daher nicht ausgeschlossen, dass weit mehr Texte ins 3. Jh. v.Chr. gehören.
Zwei Punkte sind dazu noch von großer Bedeutung: Da der Großteil der Texte aus Kopien besteht, bleibt die Differenz zwischen Abfassungszeit und Kopiedatum im Einzelfall zu prüfen. Und da viele Texte Sammelschriften darstellen oder zumindest klar erkennbar ältere Bestandteile enthalten, sind entsprechende Redaktionsvorgänge und eine angemessen frühere Datierung der Quellen anzusetzen. Die Anfänge solcher Verarbeitungs- und Redaktionsprozesse reichen in Einzelfällen sicher in die persische Zeit, also ins 4./5. Jh. zurück, und manche der zugrunde liegenden Einzeltraditionen sind wahrscheinlich noch älter.
(b) Die Anlage auf der Khirbet Qumran ist nach den neueren archäologischen Einschätzungen schwerlich vor 100 v.Chr. gegründet worden, eher in den ersten Jahrzehnten des 1. Jh. v.Chr,[72] wenn nicht gar erst gegen die Mitte des Jahrhunderts.[73] Der Befund ist allerdings so eindeutig nicht, aber er reicht aus, um die Rede von der »Qumrangemeinde« zu revidieren, denn auch die inzwischen untersuchten Wohnhöhlen der Umgebung wurden erst im Lauf des 1. Jh. v.Chr. und im 1. n.Chr. benützt,[74] und dazu kommt der nu-

---

[72] J. Taylor / T. Higham, Problems of Qumran's Chronology and the Radiocarbon Dating of Palm Log Samples in Locus 86, The Qumran Chronicle 8 (1998), 83–94.

[73] J. Magness, The Archaeology of Qumran. A Review, The Qumran Chronicle 8 (1998), 49–62.

[74] M. Broshi / H. Eshel, How and Where Did the Qumranites Live?, in: D.W. Parry / E.E. Ulrich (Hg.), The Provo International Conference (s. Anm. 56),

mismatische Befund.[75] Als eine Gemeinschaft in dieser Anlage existieren konnte, waren die wichtigsten Texte, die wir bisher für kennzeichnend »qumranisch« hielten, bereits vorhanden.

Unsicherheiten bestehen nach wie vor über die Zweckbestimmung der Anlage auf der Khirbet Qumran. Es ist auch nach wie vor offen, in welchem Verhältnis diese Anlage funktional zu der Gruppe stand, die diese Schriftrollen in den Höhlen deponiert hat. Eine Beziehung zu leugnen, ist angesichts der örtlichen Gegebenheiten nicht überzeugend. Diejenigen, die die Schriftrollen deponiert haben, konnten dies schwerlich unabhängig von jenen, die sich in der Anlage befanden. Aber offen ist auch, wozu die Anlage überhaupt gedient hat. Die Vorstellung, dass hier eine Gruppe, nämlich die »Qumrangemeinde«, ihren eigentlichen Sitz gehabt habe, nachdem sie sich »in die Wüste« zurückgezogen hatte, ist schwerlich haltbar, und die ursprünglich weit verbreitete Annahme, dass der »Lehrer der Gerechtigkeit« mit seinem Anhang nach Qumran ins Exil gezogen und dort die Anlage gegründet hat, ist ohnehin schon aus chronologischen Gründen unwahrscheinlich geworden. Denkbar ist, dass seine Anhängerschaft unter König Alexander Jannaj im frühen 1. Jh. v.Chr. hier ihr Zentrum eingerichtet hat, aber das ist nicht belegbar. Die in Qumrantexten auftauchende Bezugnahme auf die Wegbereitung in der »Wüste« in Anknüpfung an Jes 40,3 hat mit der Gründung dieser Anlage nichts zu tun. Diese Bezugnahme hat einen anderen Hintergrund und wurde auch von anderen Gruppen – entsprechend unterschiedlich akzentuiert – wahrgenommen.[76]

267–273; D.W. Parry / E.E. Ulrich, Residential Caves at Qumran, DSD 6 (1999), 328–348.

75 Siehe zuletzt R.D. Leonard, Numismatic Evidence for the Dating of Qumran, The Qumran Chronicle 7 (1997), 225–234, und dazu auch The Qumran Chronicle 8 (1998), 129–131.

76 Dem Wüsten-Motiv wird in der Forschung aus theologischen Interessen heraus viel Raum gewidmet. Zur neueren Diskussion darüber s. J.E. Taylor, John the Baptist and the Essenes, JJS 47 (1996), 256–285; J.H. Charlesworth, Intertextuality: Isaiah 40:3 and the Serek ha-Yahad, in: C.A. Evans / S. Talmon (Hg.), The Quest for Context and Meaning (s. Anm. 45), 197–224; B.W.

Eine Zäsur in der Geschichte der Anlage verband man in der Regel mit dem Erdbeben von 31 v.Chr., aber neuerdings sind daran Zweifel aufgekommen und, man hat eine Brandkatastrophe im Jahr 8/9 v.Chr. als eine weit entscheidendere Zäsur feststellen wollen.[77] Erst einige Jahre danach ist die Wasserversorgung wieder hergestellt worden, aber von der Anlage wurde nur mehr ein Teil des Ganzen benützt.

Auf der Basis der Ausgrabungsbefunde sind imponierende Rekonstruktionen der Anlage auf der Khirbet Qumran publiziert worden. Einen sehr detaillierten Versuch, die Einzelnachrichten aus den antiken Essenerberichten und aus den Qumrantexten im Rahmen des Befundes unterzubringen und für so gut wie alle Raumeinheiten der Anlage eine Zweckbestimmung festzulegen, enthält eine sehr verbreitete Übersichtsdarstellung zur gesamten Qumranthematik und Essenerfrage von Hartmut Stegemann.[78]

Man kann sich anhand dieser Beschreibung das Leben und Treiben in der Anlage sehr gut vorstellen. Das alles gilt freilich unter der Voraussetzung, dass diese Nachrichten wirklich die Qumrananlage und nichts anderes betreffen, und dass die archäologischen Voraussetzungen im Einzelnen unstrittig sind. Aber es sind beileibe nicht nur die Steine, die in solchen Rekonstruktionen sprechen, es sind weithin nur Deutungsversuche. Vergleiche mit anderen Einzelanlagen aus derselben Zeit und in ähnlicher topographischer Situation wurden erst verhältnismäßig spät durchgeführt.[79] Auch solche haben teilweise zu extremen Schlussfolgerungen verleitet,[80] aber

---

Longenecker, The Wilderness and Revolutionary Ferment in First-Century Palestine: A Response to D.R. Schwartz and J. Marcus, JSJ 29 (1998), 322–336.

77 J. Magness, The Chronology of the Settlement at Qumran in the Herodian Period, DSD 2 (1995), 58–65.

78 H. Stegemann, Die Essener, Qumran, Johannes der Täufer und Jesus. Ein Sachbuch, Herder Spektrum 4128, Freiburg i.Br. 1993.

79 Vgl. zuletzt wieder Y. Hirschfeld, Early Roman Manor Houses in Judea and the Site of Khirbet Qumran, JNES 57 (1998), 161–189.

80 Vgl. dazu J. Magness, A Villa at Khirbet Qumran?, RdQ 63/16 (1994), 397–419.

eines haben sie gezeigt: es gibt gewisse Elemente, die solche Anlagen kennzeichnen, also nicht als Spezifikum der Einzelanlage von Qumran gelten können und somit bei der Feststellung einer besonderen Zweckbestimmung nur entsprechend relativiert ins Kalkül gezogen werden dürfen. Ein Wachtturm ist z.B. an einer solchen geographischen Position auf alle Fälle zu erwarten, also eher selbstverständlicher Teil einer solchen Anlage und sagt für sich nichts über den militanten oder pazifistischen Charakter der Leute aus, die irgendwann für einige Zeit in der Anlage gelebt haben. Dasselbe gilt für eine Reihe von praktischen Einrichtungen, die zum Leben in einer solchen Lage einfach unentbehrlich waren.

Leider haben die Ausgrabungen unter Roland de Vaux unter ungünstigen historischen Bedingungen stattgefunden, und das erschlossene Material wird erst jetzt genauer gesichtet und ausgewertet,[81] soweit es noch erreichbar ist.[82] Solange dieser Prozess im Gang ist, muss man die Vorläufigkeit aller bisherigen Hypothesen unterstreichen. Es gibt Details, die uns lange Zeit als selbstverständlich galten. Die Wasserversorgung mit den Wasserbecken wurde natürlich sogleich mit den täglichen rituellen Tauchbädern in Verbindung gebracht, die in den Essenerberichten erwähnt werden. Doch nicht nur die Art dieser Becken im Vergleich zu den anderen Beispielen ritueller Tauchbadanlagen gibt zu denken, auch die Kapazität der Wasserversorgung wurde in Zweifel gestellt.[83]

---

[81] R. de Vaux / J.-B. Humber / A. Chambon, Khirbet Qumrân et Aïn Feshkha. Les fouilles de l'École Biblique et Archéologique Française de Jérusalem, Bd. 1, NTOA.SA 1/i, Freiburg (Schweiz) / Göttingen 1994; R. de Vaux, Die Ausgrabungen von Qumran und in En Feshcha, IA: Die Grabungstagebücher, hg. v. F. Rohrhirsch / B. Hofmeir, NTOA.SA 1, Freiburg (Schweiz) / Göttingen 1996.

[82] Einen instruktiven Überblick bietet dazu R. u. P. Donceel-Voûte, The Archaeology of Khirbet Qumran, in: M.O. Wise u.a. (Hg.), Methods of Investigation (s. Anm. 68), 1–38.

[83] P. Hidiroglou, Aquädukt, Becken und Zisternen: Die Nutzung des Wassers, Welt und Umwelt der Bibel 3/9 (1998), 28–29.

Nicht eindeutig ist auch der Befund der Keramik. Er weist keine luxuriösen Objekte aus,[84] aber lässt das tatsächlich auf eine strenge Lebensweise der Bewohner schließen? Vielleicht im Vergleich zum Befund einer römischen Villa, aber bei einer militärischen Station oder einer eher vorwiegend ökonomischen Zwecken dienenden Anlage als Vergleichsobjekt überzeugt diese Schlussfolgerung schon nicht mehr.

Ein anderes Beispiel ist das so genannte Scriptorium. Auch wenn sehr viel dafür spricht, dass in der Anlage Schriftrollen geschrieben bzw. kopiert worden sind, zeigt die Diskussion,[85] dass daraus nicht zu weit gehende Schlüsse gezogen werden können. Hartmut Stegemann hat einige Zeit den bestechenden Gedanken vertreten, die Anlage könnte nicht zuletzt überhaupt dem Zweck gedient haben, Schriften zu kopieren. Den Anlaß zur Einschränkung dieser These gab die irritierende Tatsache, dass die Anzahl von Kopien, die man ein und demselben Schreiber zuordnen kann, so gering ist. Zwar lassen paläographische Hinweise und orthographische Merkmale auf eine Schreiberschule schließen, aber diese kann nicht in dem Maß mit der Anlage auf der Khirbet Qumran verknüpft werden, wie wir früher angenommen haben. Auch in anderer Hinsicht ist eine sektenhafte Schreibertradition nicht festzustellen. Der Gebrauch des Gottesnamens, die in manchen Texten auftauchende Schreibung des Tetragramms in althebräischer Schrift oder die An-

---

84 J. Magness, The Community at Qumran in Light of Its Pottery, in: M.O. Wise u.a. (Hg.), Methods of Investigation (s. Anm. 68), 39–50; dies., The Chronology at Qumran, Ein Feshkha and Ein el-Ghuweir, in: Z.J. Kapera (Hg.), Mogilany 1995. Papers on the Dead Sea Scrolls Offered in Memory of Aleksy Klawek, Qumranica Mogilanensia 15, Krakow 1998, 55–76; dies., The Archaeology of Qumran, Qad. 30 (1997), 119–124; dies., Qumran Archaeology: Past Perspectives and Future Prospects, in: P.W. Flint / J.C. VanderKam (Hg.), The Dead Sea Scrolls after Fifty Years 1 (s. Anm. 4), 47–77; dies., The Archaeology of Qumran. A Review (s. Anm. 73).

85 Vgl. zuletzt wieder S. Goranson, Qumran: A Hub of Scribal Activity?, BArR 20/4 (1994), 36–39; A.H. Levy, Not Many Inkwells at Qumran, BArR 20/3 (1994), 76; S. Goranson, Qumran: A Hub of Scribal Activity?, BArR 20/4 (1994), 76–77.

wendung dieser Schrift überhaupt, und sogar die Verwendung einer »kryptischen« Schrift ergeben keine klaren Kriterien für eine Klassifizierung des Geschriebenen im Sinne einer Wertung.
Dementsprechend ambivalent ist auch die Tatsache, dass Textfunde auf Masada Schrift-Merkmale aufweisen, die mit solchen von Qumrantexten übereinstimmen. Dass sie aus Qumran nach Masada gebracht worden sind, ist nicht selbstverständlich. Also spricht manches dafür, dass die »Schreiberschule« nicht lokal begrenzt werden kann und möglicherweise auch nicht einmal gruppenspezifisch eingrenzbar ist, also wohl einer damals in der priesterlich-elitären Bildungsschicht vorherrschenden Schreiberpraxis entsprach. Das schließt das gelegentliche Auftauchen vulgärer Schriftarten für manche Zwecke nicht aus.
In dem Zusammenhang ist auch von Interesse, dass man für alltägliche Belange auf anderem Sprachniveau schrieb als bei der Niederschrift von Torah oder bei der Niederschrift anderer literarischer Dokumente. Die Untersuchungen und Beschreibungen des Aramäischen[86] und des Hebräischen[87] ergeben keinen einheitlichen Befund für ein »Qumran-Aramäisch« oder »Qumran-Hebräisch«, es ergeben sich vor allem literarisch-gattungsspezifische und durch den Verwendungszweck bedingte Unterschiede. Daraus auf ideologische/theologische Frontstellungen zu schließen,[88] ist nicht zwingend, es sind eher Gewohnheiten und normale Sachzwänge entscheidend, wie auch später in der rabbinischen Tradition Sprachanwendung und Sprachniveau sich nach literarischer Gattung und nach Zweckbestimmung richteten: da wird die geltende gesetzliche

86 T. Muraoka (Hg.), Studies in Qumran Aramaic, Abr-N.S 3, Louvain 1992.

87 R. Polzin, Late Biblical Hebrew. Toward an historical typology of biblical Hebrew prose, HSM 12, Missoula 1976; E. Qimron, The Hebrew of the Dead Sea Scrolls, HSS 29, Atlanta 1986; E. Qimron, The Contribution of the Judaean Desert Scrolls to the Study of Ancient Hebrew, Qad. 30 (1997), 82–85; T. Muraoka / J.F. Elwolde (Hg.), The Hebrew of the Dead Sea Scrolls and Ben Sira. Proceedings of a Symposium Held at Leiden University 11–14 December 1995, StTDJ 26, Leiden 1997.

88 W.M. Schniedewind, Qumran Hebrew as an Antilanguage, JBL 118 (1999), 235–252.

Entscheidung in Hebräisch wiedergegeben, und zwar in einem, das nicht mit der Gebrauchssprache der Urkunden und Inschriften schlicht identisch ist.[89] In alten Zeiten waren Autoren durchaus in der Lage, in ein und derselben Sprache gattungsgemäß und zweckangemessen unterschiedlich zu formulieren.

Es ist also nicht mehr wie bisher möglich, aufgrund der nach 1955/56 aufgestellten Kriterien eigentliche Qumrantexte von anderen so abzugrenzen, als stammten die Ersteren aus einer »Gemeinde« in der Anlage auf der Khirbet Qumran. Was lange als kennzeichnend für die sektenhafte Sonderentwicklung innerhalb der »Qumrangemeinde« gegolten hat, markiert zwar tatsächlich eine bestimmte Traditionsausprägung,[90] muss aber zu einem guten Teil im historischen Kontext des 3.–2. Jh. betrachtet werden. Dafür sprechen auch Hinweise im Zusammenhang mit bestimmten Literaturkomplexen.

Mittlerweile liegt auch eine beachtliche Zahl von Überresten poetisch-liturgischer Texte publiziert vor.[91] Diese Texte enthalten ältere Traditionen, die ihren »Sitz im Leben« einmal am ehesten am Tempel zu Jerusalem gehabt haben dürften. Und dazu kommt noch eine ebenso eindrucksvolle Menge an weisheitlich-theologischem Textmaterial,[92] von dem man auch nicht annehmen kann, dass es

---

89 S. darüber J. Neusner, Die Gestaltwerdung des Judentums. Die jüdische Religion als Antwort auf die kritischen Herausforderungen der ersten sechs Jahrhunderte der christlichen Ära, JudUm 51, Frankfurt a.M. 1994, 138–153 (»Klassifizierung durch Sprachwahl«).

90 C.A. Newsom, »Sectually Explicit« Literature from Qumran, in: W. Propp u.a. (Hg.), The Hebrew Bible and Its Interpreters, Biblical and Judaic Studies 1, Winona Lake 1990, 167–187.

91 Zum Überblick s. B. Nitzan, Qumran Prayer and Religious Poetry, StTDJ 12, Leiden 1994.

92 Für den allgemeinen Befund s. M. Küchler, Frühjüdische Weisheitstraditionen. Zum Fortgang weisheitlichen Denkens im Bereich des frühjüdischen Jahweglaubens, OBO 26, Freiburg (Schweiz) / Göttingen 1979. Zu Qumran speziell: D.J. Harrington, Wisdom Texts from Qumran. Literature of the Dead Sea Scrolls, London / New York 1996; A. Lange, Weisheit und Prädestination. Weisheitliche Urordnung und Prädestination in den Textfun-

erst im 2./1. Jh. entstanden ist, sondern sehr alte, ständig aktualisierte Bildungstraditionen repräsentiert.[93] Solche Überlieferungen wurzelten in einem breiter angelegten Kontext und waren nach Ausweis der Qumranzeugnisse vor allem auch integraler Bestandteil priesterlicher Traditionen, wie gerade die neuerdings publizierten Textreste auch zeigen.[94]
Und schließlich lässt insbesondere das gesetzliche Material erkennen, dass es vor allem aus einer priesterlichen Sicht formuliert worden ist, die man nicht als »sektenhaft« abtun kann. Der ältere Ursprung ist in zahlreichen Details deutlich zu machen, die Wurzeln liegen jedenfalls weit vor der Krise unter Antiochus IV. Doch Gewohnheiten haben auch in der Wissenschaft ein zähes Nachleben. Daher erscheinen auch derzeit immer noch Publikationen, die auf herkömmliche Weise »qumranisches« von nichtqumranischem Material unterscheiden und eine entsprechend strukturierte und orientierte »Qumrangemeinde« für das späte 2. und frühe 1. Jh. voraussetzen. Aber warum sollten die »Gemeinderegeln« in 1QS und verwandten Fassungen nicht für ein Jachad-Gemeinwesen an anderen Orten mit unterschiedlich großen Gruppen gegolten haben? Selbst für Jerusalem kann dies nicht ausgeschlossen werden, die für ein Essenerviertel angeführten »Beweise« wirken allerdings etwas krampfhaft bemüht.

VIII. Das Prokrustesbett des herkömmlichen Geschichtsbildes

Eine entscheidende Vorgabe stellt bis heute das gängige Geschichtsbild vom Judentum der hellenistisch-römischen Zeit dar.

---

den von Qumran, StTDJ 18, Leiden 1995; J. Kampen, The Diverse Aspects of Wisdom at Qumran, in: P.W. Flint / J.C. VanderKam (Hg.), The Dead Sea Scrolls after Fifty Years 1 (s. Anm. 4), 211–243

93 M. Albani, Astronomie und Schöpfungsglaube. Untersuchungen zum astronomischen Henochbuch, WMANT 68, Neukirchen-Vluyn 1994.

94 Vgl. J. Strugnell / D. Harrington / T. Elgvin, Qumran Cave 4. XXIV: Sapiential Texts, Part 2, DJD XXXIV, Oxford 1999, 21–36.

Tendenziell folgt es der Darstellung der Makkabäerbücher, vor allem des 2. Makkabäerbuchs und der darin gebotenen Beschreibung einer Religionsverfolgung und Zwangshellenisierung unter Antiochus IV. Epiphanes zwischen 168 und 165 v.Chr. in Judäa. Nach der traditionellen Geschichtsschreibung gab es 175 v.Chr., als der Seleukidenkönig Antiochus IV. Epiphanes den Thron bestieg, in Jerusalem einen Streit, bei dem der amtierende Hohepriester Onias III. abgesetzt wurde, weil sein Bruder Jason das Amt vom König mit dem Versprechen einer höheren Steuersumme erkaufte. Zwei Jahre später fiel Jason derselben Taktik eines Menelaos zum Opfer, und das führte zu bürgerkriegsartigen Auseinandersetzungen zwischen »hellenisierenden« bzw. abtrünnigen Juden und torahtreuen Juden. Und zwar während einer Zeit, da Antiochus sich zur Eroberung Ägyptens anschickte, in Jerusalem also auch die Frage der außenpolitischen Orientierung zur Debatte stand. Der König griff also auch aus diesem Grund in Jerusalem ein, ergriff zugunsten der angeblich »hellenisierenden« Juden Partei und bediente sich bei der Gelegenheit aus dem Tempelschatz. Die Lage spitzte sich zu, nachdem 169/8 ein römisches Ultimatum den König zum Verzicht auf die Eroberung Ägyptens gezwungen hatte. Angeblich verfolgten sowohl Jason als auch Menelaos ungeachtet ihrer Feindschaft eine Hellenisierung Judäas und eine Preisgabe der traditionellen Verfassung und Religionspraxis. Nach dem 2. Makkabäerbuch verordnete der König im Herbst 168 die Ersetzung des traditionellen Tempelkults durch einen Fremdkult, nach dem 1. Makkabäerbuch war es der Kult des hellenisierten syrischen Gottes Baal Shamem, nach dem 2. Makkabäerbuch erfolgte eine Zwangshellenisierung und eine Verfolgung der Anhänger der traditionellen Religion. Obwohl die Forschung dem 1. Makkabäerbuch mehr Vertrauen entgegenbringt, wird das gängige Geschichtsbild bis heute durch die Hellenisierungsbehauptung des 2. Makkabäerbuches und durch die Tradition von den makkabäischen Märtyrern bestimmt. Mattathias Makkabäus und seine Söhne Judas, Jonatan, Simon und Johannes erhoben sich zusammen mit einer Gruppe von Frommen (Hasidäern) gegen den König und die Abtrünnigen.

Judas Makkabäus erreichte den Widerruf der Kultreform und die Einsetzung eines akzeptablen, zadokidischen Hohepriesters namens Alkimos, und im Dezember 165 konnte er die Wiedereinweihung des Tempels feiern. Danach begannen die Makkabäer, die umliegenden Gebiete zu erobern und zu unterwerfen. Judas fiel zwar im Kampf, aber sein Nachfolger Jonatan (160–142 v.Chr.) stellte bereits einen Machtfaktor dar, der in den seleukidischen Thronwirren als Partei auftreten konnte, und so wurde er 152 v.Chr. Hohepriester von seleukidischen Gnaden. Von da an vereinten die Hasmonäer die Herrscher- und die Hohepriesterfunktion in ihrer Hand. In dieser Situation sehen die Vertreter des »Konsenses« den Hintergrund für die Gründung der »Qumrangemeinde« durch den »Lehrer der Gerechtigkeit«, und Jonatan identifizieren sie als seinen Widersacher, den »Frevelpriester«. Weite Zustimmung erfuhr auch die These, dass Jonatans Ernennung zum Hohepriester den bis dahin als Hohepriester amtierenden »Lehrer der Gerechtigkeit« aus dem Amt verdrängt habe.

Jonatan fiel zwar dem Thronprätendenten Tryphon zum Opfer, aber sein Bruder und Nachfolger Simon errang danach derartige Erfolge, dass ihn 141 v.Chr. eine Volksversammlung zum Regenten und Hohepriester mit dynastischem Nachfolgerecht einsetzte. Nach seiner Ermordung folgte auf ihn 135–104 sein Bruder Johannes Hyrkan I., 104/3 kurze Zeit Aristobul I., der den Königstitel annahm, was verfassungsgeschichtlich eine tiefe Zäsur darstellte, und danach 103–76 Alexander Jannaj (hebr. Jonatan), als König und Hohepriester. Und 76–67 v.Chr. regierte seine Witwe Salome Alexandra, unter der die Pharisäer zur Macht gelangten. Nach blutigen Auseinandersetzungen zwischen ihren rivalisierenden Söhnen Aristobul und Hyrkan griffen auf Betreiben der beiden die Römer aus der benachbarten Provinz Syria als Schiedsrichter ein, eroberten 63 v.Chr. Jerusalem und entschieden sich für Hyrkan. Das kam den Pharisäern aber nur bedingt zugute, weil die eigentliche Macht bei der romtreuen Familie des Heerführers Antipater lag, schließlich ab 40 bzw. 37 v.Chr. bei dessen Sohn Herodes als Vasallenkönig Roms. In den Quellen über diese Auseinandersetzungen spielen die Essener/Essäer keine Rolle. Dem König Herodes wird vor allem von Josephus zwar eine gewisse Sympathie für die »Essener« zugeschrieben, doch handelt es sich um legendäre Überlieferungen, wenn auch vielleicht mit einem historischen Kern.

Der Konsens kam nach den ersten Qumranfunden relativ rasch zustande. Nur im Vorfeld und später gelegentlich war der Gesichtswinkel etwas breiter und man zog noch das frühe 2. Jh. v.Chr. mit in Betracht, doch die Zuspitzung auf die Zeit Jonatans (ab 153 v.Chr.) wirkte überzeugender, obwohl eine Reihe von Fragen offen blieb. Eine gewisse Sonderstellung nimmt neuerdings die so genannte Groningen-Hypothese ein, da sie mit mehreren »Frevelpriestern« rechnet und damit das historisch-chronologische Szenarium etwas entzerrt.[95] Sie bewegt sich allerdings wie andere Versuche hinsichtlich der Vorgeschichte von Qumran und dem Verhältnis von Essenern und Hasidim weithin auf der Ebene reiner Vermutungen. Letzteres trifft angesichts der dürftigen Quellenlage auch für andere Rekonstruktionsversuche der Vorgeschichte zu,[96] insbesondere für die Annahme einer babylonischen Vorstufe. Plausibler wäre die Vermutung, dass babylonische Kreise sich auch zu der Zeit in die Vorgänge in Jerusalem/Judäa einmischten, um ihnen genehme Richtungen zu unterstützen, wobei die außenpolitischen Orientierungen sicher auch mehr mit zu bedenken sind. Leider blieben die Nachrichten über die turbulenten innen- und außenpolitischen Vorgänge in Judäa gegen Ende der ptolemäischen Periode und zu Beginn der seleukidischen Herrschaft in der

[95] F. García Martínez / A.S. van der Woude, A »Groningen« Hypothesis of Qumran Origins and Early History, RdQ 56/14 (1990), 521–541; F. García Martínez, The History of the Qumran Community in the Light of Recently Available Texts, in: F.H. Cryer / T.L. Thompson (Hg.), Qumran between the Old and the New Testament, JSOT.S 290, Sheffield 1998, 194–216.

[96] Ph.R. Davies, Behind the Essenes. History and Ideology in the Dead Sea Scrolls, BJSt 94, Atlanta 1987; ders., The Prehistory of the Qumran Community, in: D. Dimant / U. Rappaport (Hg.), The Dead Sea Scrolls. Forty Years of Research (s. Anm. 4), 116–125; ders., Sects and Scrolls. Essays on Qumran and Related Topics, SFSHJ 134, Atlanta 1996.

Qumranforschung weitgehend unberücksichtigt, obschon allein die Rolle der Tobiaden, in der Vergangenheit zu Recht viel beachtet, die Phantasie mehr beflügeln könnte als die spärlichen Hinweise über Konflikte unter Jonatan.

Neuerdings ist insofern wieder etwas Bewegung in die Diskussion gekommen, weil man das Augenmerk erneut auf die letzten Oniaden-Hohepriester richtet. Etwa, wenn man in den Parteigängern des Hohepriesters Onias III. die Essener vermutet, in den Sadduzäern die prohasmonäische Richtung und in den Pharisäern jene, die sich von Oniaden wie Makkabäern »abgesondert« haben.[97] Aber die Existenz dieser Gruppen ist für diese Zeit ja nicht zu belegen. Die »Parteienlandschaft« der frühen Makkabäerzeit ist zwar ein beliebtes Feld für Hypothesen. Diese sind bedenkenswert, aber angesichts der bescheidenen Quellenlage eben nicht mehr als Vermutungen.[98] So war auch die geläufige Einordnung der aus den frühen Qumranpublikationen erhobenen Befunde in das traditionelle Geschichtsbild von vornherein weit mehr hypothetischer Natur als viele Darstellungen zu erkennen gaben, und das tatsächlich Nachweisbare schrumpfte bei kritischer Betrachtung auf ein bescheidenes Maß zusammen.[99] Daran ändert auch die gewohnheitsmäßige Wiederholung alter »Konsens«-Positionen nichts.[100]

[97] D.J. Kaufman, The Dead Sea Scrolls and the Oniad Priesthood, The Qumran Chronicle 7 (1997), 51–63.

[98] Für einen neueren Versuch, alle erreichbaren Informationen auszuwerten, vgl. A.I. Baumgarten, The Flourishing of Jewish Sects in the Maccabean Era: An Interpretation, JSJ.S 55, Leiden 1997.

[99] Ph.R. Callaway, The History of the Qumran Community: An Investigation, JSPE.S 3, Sheffield 1988.

[100] Etwa in J.G. Campbell, Deciphering the Dead Sea Scrolls, London 1996.

IX. Die umstrittene Funktion: Hohepriester oder »Prophet wie Mose«?

Jonatans Ernennung zum Hohepriester war sicher eine wichtige historische Zäsur, aber entgegen einer weit verbreiteten Annahme kein fundamentaler Streitanlass. Nur die pharisäische Position zielte punktuell polemisch in diese Richtung, aber das nur, solange die Gegenpartei an der Macht war. Gegen die Vereinigung der hohepriesterlichen und der herrscherlichen Funktion in der Hand Hyrkans II. hatten sie offenbar nichts einzuwenden, und erst die rabbinische Tradition legte sich wirklich auf die Trennung beider Ämter fest. Man hat zwar versucht, das Königsrecht der Tempelrolle als Beleg für eine antihasmonäische Verbindung von Königsherrschaft und Hohepriesteramt zu deuten, aber dieses Königsrecht ist wie die Tempelrolle insgesamt nicht nur vor Jonatans Zeit anzusetzen, sie dürfte in ihren Bestandteilen noch weit älter sein.[101]

Die Hasmonäer gehörten als Mitglieder der Priesterdienstgruppe Jojarib zu den vornehmsten Priesterkreisen, ein Umstand, der durch Josephus bezeugt und anhand der Fragmente über Priesterdienstzyklen aus 4Q bestätigt worden ist. Es gab daher prinzipiell keinen Grund, einen Hohepriester aus dieser Familie als illegitim zu betrachten. Die Oniadenfamilie verlor allerdings eine erblich gewordene Position. Die Verbindung von Herrscher- und Hohepriesterfunktion ist jedoch kein Gegenstand der Kritik in den Qumrantexten. Im Gegenteil, die priesterliche Tradition nahm für »Levi«[102] grundsätzlich beide Funktionen in Anspruch und sah in der Einsetzung eines nichtpriesterlichen Herrschers wie im Falle Josuas in Num 27,12ff. nur eine Delegation der militärisch-politischen Führung an einen Laien und beanspruchte in jedem Fall den prinzipiellen Vorrang und eine Kontrollfunktion. Das einzig

---

[101] J. Maier, Die Tempelrolle vom Toten Meer und das »Neue Jerusalem«, UTB 829, München ^{3}1997.

[102] R.A. Kugler, From Patriarch to Priest. The Levi-Priestly-Tradition from Aramaic Levi to Testament of Levi, Early Judaism and Its Literature 9, Atlanta 1996.

Anstößige an Jonatans Hohepriesterfunktion war seine Ernennung durch die Seleukiden, die in keinem Fall zu 1QpHab VIII,8ff. passt, wo es heißt: »Seine Deutung (geht) auf den Frevelpriester, der (9) auf den Namen der Wahrheit berufen wurde zu Beginn seines Amtsantritts. Doch als er zur Herrschaft gekommen war (10) in Israel, wurde sein Herz hochfahrend, er verließ Gott und [f]iel ab und verriet die Vorschriften ... «
Wer immer der hier attackierte »Frevelpriester« war, die Ernennung Jonatans und die danach kontinuierliche Amtsführung der Hasmonäer als Hohepriester bot auch dann ausreichend Anlass für Spannungen, wenn der Streit nicht um den Posten des Hohepriesters ging. Und in der Tat gibt es keinen Qumrantext, der als stichhaltiger Beleg dafür gelten kann, dass das Hohepriesteramt jemals für den »Lehrer der Gerechtigkeit« in Anspruch genommen wurde. Seine Funktion als Torahprophet »wie Mose« war politisch-religiös von höherer Brisanz als die vorwiegend rituell regulierte Funktion des Hohepriesters. Dem Frevelpriester wird nicht vorgeworfen, dass er den Lehrer der Gerechtigkeit aus dem Hohepriesteramt verdrängt hat, es wird ihm vorgeworfen, dass er auf den »Lehrer der Gerechtigkeit« trotz dessen Offenbarerautorität nicht hören wollte. Damit hatte sich der Hohepriester selber des Vergehens schuldig gemacht, das Dtn 17,12–13 und 18,19 definiert, und dieser Sachverhalt schloss selbstverständlich jede Möglichkeit eines Kompromisses aus. Den hauptsächlichen Konfliktstoff bot also am ehesten der Umstand, dass der Erfolg der Makkabäer schon unter Judas Makkabäus nicht zu jener religionspolitischen Linie zurückgeführt hat, die der »Lehrer der Gerechtigkeit« bereits zuvor repräsentiert hatte. Sowohl zur Zeit der Tempelweihe unter Judas Makkabäus Ende 165 v.Chr. (1Makk 4,46) als auch noch 141 v.Chr. unter Simon (1Makk 14,41) war die Stelle eines Torahpropheten offiziell nicht besetzt; wahrscheinlich doch, weil die Hasmonäer den letzten, von früher her schon umstrittenen Amtsinhaber nicht akzeptiert hatten und seine Position im Interesse der eigenen Machtfülle wahrscheinlich überhaupt nicht mehr besetzen wollten. Eine Neubesetzung wäre erst nach

dem Tod des kaltgestellten Amtsinhabers wirklich ernsthaft zu erörtern gewesen, und so galt es offiziell abzuwarten, bis ein solcher Prophet wieder sein Amt antritt.

X. Weitere neue Aspekte

Es ist zwar nicht unmöglich, dass irgendwann noch weitere Qumrantexte – etwa aus Privatbesitz – auftauchen, aber eine entscheidende Veränderung der Quellenlage wird wohl nicht eintreten. Auch von der möglichen Zuordnung mancher der zahlreichen winzigen Fragmente, die als Restbestand noch im Museum vorhanden sind, darf man sich keine umstürzenden Ergebnisse erwarten, auch nicht von den durchaus noch möglichen Verbesserungen und genaueren Lesungen. Beachtliche Aufschlüsse erbringt hingegen die nach der von Hartmut Stegemann entwickelten Methode vorgelegte Rekonstruktion einzelner Schriftrollen aus ihrem Fragmentenbestand.[103]

Die eigentlichen Anliegen der Gruppe hinter den Texten sind zweifellos längere Zeit kaum wahrgenommen und in ihrem Gewicht unzutreffend eingeschätzt worden. Erst mit der Publikation der Texte aus den Höhlen 4 und 11 ergab sich zwangsläufig eine Verschiebung der Akzente auf die gesetzlichen und rituellen Themenkomplexe, die in den Quellen teils als Ursache, teils als Folge der damaligen innerjüdischen und insbesondere innerpriesterlichen Machtkämpfe erscheinen. Nun zeigt sich, dass man mit der An-

---

[103] H. Stegemann hat dafür entsprechende Methoden entwickelt. Für Beispiele vgl. A. Steudel, Der Midrasch zur Eschatologie aus der Qumrangemeinde (4QMidrEschat$^{a.b}$). Materielle Rekonstruktion, Textbestand, Gattung und traditionsgeschichtliche Entwicklung des durch 4Q174 (»Florilegium«) und 4Q177 (»Catena A«) repräsentierten Werkes, StTDJ 13, Leiden 1994; E.D. Herbert, Reconstructing Biblical Dead Sea Scrolls. A New Method Applied to the Reconstruction of 4QSam^{a}, StTDJ 22, Leiden 1997. Auch einige der letzten Texteditionen in der Serie DJD fußen auf Rekonstruktionen dieser Art.

nahme einer sektenhaften Entwicklung in Qumran nicht mehr auskommt, selbst wenn zutreffen sollte, dass diese Richtung im Judentum zuletzt an Boden verloren und schließlich im 1. Jh. n.Chr. sektenhaften Charakter angenommen hat.
In der Forschung war man sich dessen bewusst, dass vor allem im 2. Makkabäerbuch eine propagandistische Tendenz vorliegt und die innerjüdischen Gegenpositionen entstellt wiedergegeben werden. Aber erst durch Qumrantexte, die einzigen Originalquellen aus dieser Zeit selbst, wird deutlich, dass der Streit im Wesentlichen um andere Dinge ging als um eine Hellenisierung und dass die Konfliktursachen in frühere Zeit hinaufreichen.
Dafür spricht auch eine grundlegende Revision der üblichen Datierungen bestimmter Bücher. Man ging vom Buch Daniel aus, das man bald nach 164 v.Chr. ansetzte, datierte als nächstes die Apokalypsen im Henochbuch und gegen 100 v.Chr. oder gar später das Jubiläenbuch. Nun ist paläographisch aber klar, dass einige Teile des äthiopischen Henochbuches als selbständige Schriften weit älter sind, als man bislang angenommen hat, und Teil einer alten, insbesondere priesterlich gepflegten Bildungstradition bildeten, die nicht auf eine »Qumransekte« beschränkt war.[104] Dieser Sachverhalt zwingt zu neuen Überlegungen,[105] verleitet aber auch zu allzu sehr auf doktrinären Elementen aufbauenden Spekulationen.[106] Jedenfalls muss angesichts der neuen Einschätzung der Henoch-Traditionen auch das Jubiläenbuch entsprechend früher angesetzt werden, eine Konsequenz, die vereinzelt zwar wahrgenommen wur-

---

[104] M. Albani, Astronomie und Schöpfungsglaube (s. Anm. 93).

[105] Vgl. G.W.E. Nickelsburg, 1 Henoch and Qumran Origins. The State of the Question and some Prospects for Answers, SBL.SP 25, 1986, 341–360; G.W.E. Nickelsburg, The Books of Henoch at Qumran. What We Know and What We Need to Think about, in: B. Kollmann / W. Reinbold / A. Steudel (Hg.), Antikes Judentum und Frühes Christentum (s. Anm. 41), 99–113.

[106] Ein »henochisches Judentum« konstruierte G. Boccaccini, Beyond the Essene Hypothesis: The Parting of the Ways between Qumran and Enochic Judaism, Grand Rapids 1998.

de,[107] aber selbst in maßgeblichen Publikationen zum Jubiläenbuch immer noch nicht recht wahrgenommen wird.[108] Auch die ganz selbstverständliche Voraussetzung, dass der Autor des Jubiläenbuchs unbedingt aus den uns bekannten Henochbüchern geschöpft haben muss und deshalb später zu datieren ist,[109] kann nicht als zwingend anerkannt werden. Sie entspricht nur einer Gewohnheit, die durch das oben genannte bibelwissenschaftlich verabsolutierte Kategorienschema Text und Textauslegung mitbedingt ist, weil sie davon ausgeht, dass die uns erhalten gebliebenen frühdatierten Schriften in jedem Fall als »Text«-Basis für das Verständnis der später datierten anzusehen sind, wobei sich die Datierung im Sinne des Zirkelschlusses auf das angenommene Abhängigkeitsverhältnis stützt. Nach dem Fund einer so überraschenden Fülle von Textmaterial in den Höhlen bei Qumran sollte man eigentlich gelernt haben, dass damals nicht nur das schriftlich vorlag, was derzeit bekannt ist. Die Qumranfunde haben eine elitäre Priestertradition zutage gefördert, deren Existenz zuvor kaum jemand geahnt hat. Von den Pharisäern und ihren Vorläufergruppen ist uns aus der Zeit vor 70 n.Chr. nichts unmittelbar erhalten, obwohl eine gruppenmäßige Kontinuität bestand. Auch von den Sadduzäern ist kein schriftliches Zeugnis erhalten geblieben. Über das Verhältnis von Qumrantexten und Essenern rätseln wir noch. Was die Hasidim waren, die es zur Zeit des Makkabäeraufstandes gegeben haben soll, wissen wir so gut wie nicht, auch wenn allerlei Vermutungen angestellt werden. Und wenn aus den Qumranhöhlen ein Teil der Jerusalemer Priestertradition als Erbe einer bestimmten Gruppe zutage gekommen ist, dürfte das Schrifttum der Priesterschaft und der Bil-

---

[107] Für das 3. Jh. v.Chr.: J. Maier, Die Qumrangemeinde im Rahmen des frühen Judentums, in: S. Talmon (Hg.), Die Schriftrollen von Qumran. Zur aufregenden Geschichte ihrer Erforschung und Deutung, Regensburg 1998, 51–69, 60f.; S. Talmon, Bilanz und Ausblick nach 50 Jahren Qumranforschung, in: S. Talmon (Hg.), Die Schriftrollen von Qumran, 137–158, 151.

[108] M. Albani / J. Frey / A. Lange (Hg.), Studies in the Book of Jubilees, TSAJ 65, Tübingen 1997.

[109] G.W.E. Nickelsburg, The Books of Enoch at Qumran (s. Anm. 105).

dungselite überhaupt noch um einiges umfangreicher gewesen sein, ganz zu schweigen von Gruppen, über die uns die erhaltenen Quellen nichts berichten. Unter solchen Umständen ist zwar der Versuch zu rechtfertigen, vom Erhaltenen aus etwas neu Entdecktes zu erklären und die erhaltenen Dokumente im Blick auf ihr gegenseitiges Verhältnis zu untersuchen, aber nicht unter der Voraussetzung, dass diese erhaltenen Dokumente die Gesamtheit der damals vorhandenen Literatur darstellen. Und es ist methodologisch natürlich auch äußerst fraglich, wenn die erhaltenen Dokumente in ihrer hypothetischen chronologischen Folge als Zeugnisse eines vorwiegend geistesgeschichtlichen Prozesses ausgewertet werden, um so für eine ganze Epoche ein einheitliches, vorrangig doktrinär geprägtes Judentum zu konstruieren.[110]
Die unumgängliche chronologische Korrektur in Bezug auf Henochbücher und Jubiläenbuch hat schwer wiegende Folgen für das traditionelle Geschichtsbild, das hinter dem »Konsens« der herkömmlichen Qumranforschung steht und für die ganze »neutestamentliche Zeitgeschichte« maßgebend war. Die Datierungsfolge Danielbuch – Henochapokalypsen – Jubiläenbuch mit dem Ausgangspunkt der Danielredaktion um 164 v.Chr. war der chronologisch-religionsgeschichtliche Grundraster für eine theologische Konstruktion, die fast die ganze religiöse Szenerie der neutestamentlichen Zeit aus der Krise unter Antiochus IV. Epiphanes abgeleitet hat: für die so genannte »Apokalyptik«. Die zögerliche Korrektur der Datierung des Jubiläenbuchs hängt also nicht zuletzt mit der zumindest unterschwelligen Voraussetzung zusammen, dass der Regierungsantritt Antiochus IV. (175 v.Chr.) die chronologische Obergrenze und den Ausgangspunkt dieser »Apokalyptik« bleiben muss, um die Konstruktion »Apokalyptik« am Leben zu erhalten, die im Rahmen der »neutestamentlichen Zeitgeschichte« eine immer noch beherrschende Funktion erfüllt.

---

[110] G. Boccaccini, Middle Judaism. Jewish Thought, 300 B.C.E. to 200 C.E., Minneapolis 1991.

Die Anlage auf der Khirbet Qumran ist erst gegen 100 v.Chr. oder gar erst danach entstanden, also während der Regierungszeit des Königs Alexander Jannaj (104–76 v.Chr.). Und dies konnte schwerlich ohne seine Duldung geschehen sein, was zumindest für einige Zeit ein Verhältnis voraussetzt, das nicht in das geläufige Bild von einem ununterbrochenen und tief reichenden Gegensatz zwischen Qumrangemeinde und Hasmonäerherrschern passt. Dieser Befund wird durch andere Qumrantexte gestützt, die eindeutig Alexander Jannaj betreffen, den einzigen Hasmonäerherrscher, der in den Texten als historische Person klar in Erscheinung tritt, aber nicht als »Frevelpriester« bezeichnet wurde. Die Zeit zwischen 90–31 v. (oder 8 v.Chr.) war nach den Textfunden und den Ausgrabungsergebnissen die Blütezeit der Anlage. Die Pescher-Kommentare sind so gut wie alle innerhalb dieses Zeitraums abgefasst worden. Sie enthalten historische Anspielungen, von denen einige identifizierbar sind: eine Bezugnahme auf den Seleukidenkönig Demetrius III. (96–88 v.Chr.) und auf König Alexander Jannaj und dessen auch bei Josephus bezeugte Grausamkeit gegen pharisäische Aufrührer. Ferner wird in solchen Pescher-Schriften das Auftreten der Römer im nahöstlichen Raum vorausgesetzt. Die Eroberung Jerusalems durch Pompeius 63 v.Chr. und dessen Betreten des Tempels taucht in den erhaltenen Fragmenten nicht auf. Hingegen erwähnt ein kalendarisch-chronographisches Fragment 4Q324 das Gemetzel eines Aemilius, offenbar Aemilius Scaurus, der unter Pompeius 65–62 für die Provinz Syria verantwortlich war, und dasselbe Fragment erwähnt einen Zeitraum zwischen Antiochus und dem Auftreten der Kittijim, der Römer.[111] Zwischen ca. 100 v.Chr. und 63 v.Chr. scheint also ein akutes Interesse an einer Standortbestimmung bestanden zu haben, am Beginn der ersten Endzeitperiode, die gemäß der Zeitrechnung dieser Tradition 98/7 v.Chr. beginnen sollte, als achte 490-Jahrperiode in der Geschichte seit der Schöpfung, 490 Jahre nach Zerstö-

---

[111] H. Lichtenberger, Das Rombild in den Texten von Qumran, in: H.-J. Fabry / A. Lange / H. Lichtenberger, Qumranstudien (s. Anm. 4), 221–231.

rung des 1. Tempels, eine Chronologie, die auch das Danielbuch und die Henochapokalypsen voraussetzen.[112] In diesem Zusammenhang ist klar geworden, dass die alte Annahme, die »Qumrangemeinde« habe exklusiv und eben sektiererisch eine Art Sonnenkalender verfochten, unzutreffend ist. Umstritten war, in welchem Zusammenhang ein sonnenlauf-orientierter und in welchem Zusammenhang ein mondlauf-orientierter Jahreskalender anzuwenden ist. Der Erstere hatte eindeutige Vorteile als Basis für die Zeitrechnung, der mondlauf-orientierte Kalender entsprach dank der mit ihm praktizierten Interkalationsmethode dem natürlichen Jahreslauf besser, weil die Jahreszeiten im Sonnenkalender innerhalb eines Zyklus von 294 Jahren rotieren. Dieser Nachteil war nicht zu beheben, weil der sonnenlauf-orientierte Kalender so eng mit dem System der Priesterdienstzyklen verquickt war, dass eine Interkalation nicht erfolgen konnte, ohne diese Priesterdienstzyklen zu stören. Eine solche Störung war undenkbar, denn man glaubte ja, dass diese auf der Siebener-Basis erstellte Kultdienstordnung (»Sabbatstruktur« der Zeiteinteilung) nicht nur der Schöpfungsordnung entspricht, sondern auch im Himmel gilt. Die Berechnung der Weltchronologie im Sinne von Jahrwochen, Jobelperioden und Perioden zu 490 Jahren in Verbindung mit den Zyklen zu 294 Jahren, in denen sich die jahreszeitliche Verschiebung im sonnenlauf-orientierten Kalendersystem wieder aufhebt, hat – zugleich verblüffend effektiv mit den Priesterdienstzyklen verquickt und mit dem mondlauf-orientierten (und interkalierten) Jahreskalender harmonisiert – die Tendenz verstärkt, den sonnenlauf-orientierten Kalender zu verabsolutieren und auch für solche Bereiche anzuwenden, die dafür ungeeignet waren. So etwa auf die jahreszeitlich gebundenen kultischen Abgabentermine, die so genannten Erstlingsfeste, auch wenn ein gewisser Spielraum darin bestand, die Abgaben von der neuen Ernte abzusondern und erst zu dem kalendarisch fixierten,

---

[112] J. Maier, Die Qumran-Essener: Die Texte vom Toten Meer, Bd. 3: Einführung, Zeitrechnung, Register und Bibliographie, UTB 1916, München 1996, 52–160.

aber im Zyklus von 294 (6x49) Jahren (Hexajubiläum) rotierenden Termin abzuliefern. Ein solches Verfahren ist denkbar, wenn damit gerechnet wurde, dass in absehbarer Zeit die Wende zu den Endzeitperioden eintritt und damit die korrekte Ordnung auf alle Fälle wieder hergestellt wird. Nach der zadokidischen Zeitrechnung wäre das Ende des 10. Hexajubiläums (seit der Schöpfung) mit dem Ende der 6. Periode zu 490 Jahren mit dem Tempelbau Salomos zusammengefallen, das Ende der 7. Periode mit der Zerstörung des Tempels, das Ende der 8. Periode zu 490 Jahren und der Beginn der Endzeitperioden auf das Jahr 98/97 v.Chr. anzusetzen. Die letzte Hexajubiläenperiode zu 296 Jahren vor dieser Epochengrenze fällt etwa auf 196 v.Chr., und es wäre begreiflich, wenn man damals auf der Basis der inzwischen konsequent durchgerechneten Weltchronologie[113] zur Ansicht gelangte, es sei Zeit zu einer konsequenten Anwendung der göttlichen Ordnung, gestützt auf die Autorität des etwa seit 178 v.Chr. amtierenden letzten »Propheten wie Mose«, des so genannten »Lehrers der Gerechtigkeit«. Jedenfalls zeichnet sich ab, dass es weniger um die Frage eines Kalenderwechsels ging als um Maß und Art der Anwendung zweier schon lange vorhandener Kalendersysteme, im Zusammenhang mit einer innerpriesterlichen Auseinandersetzung über ältere Divergenzen. Und zwar in einem Machtkampf, in dem der »Lehrer der Gerechtigkeit« seine persönlichen Machtansprüche durchzusetzen versucht hat, damit gescheitert ist und diese innerpriesterliche Richtung auf längere Sicht ins Abseits geführt hat. Nachdem auch die paläographische Datierung für viele Traditionen auf das 2. Jh. v.Chr. verweist, und in zunehmendem Maß auch in die Zeit vor Jonatan Makkabäus, wird im Zusammenhang mit dem »Lehrer der Gerechtigkeit« auch eine längere Wirksamkeit, und zwar zum Teil bereits vor 175 v.Chr., erneut aktuell. In diesem Zusammenhang sind einige chronologische Angaben ernster zu nehmen als es bisher üblich war. In CD I,6ff. wird angegeben, dass 390 Jahre nach

[113] Konkret bezeugt im Jubiläenbuch und in den Apokalypsen des äth. Henochbuches.

der Eroberung Jerusalems durch Nebukadnezar, um 198 v.Chr., in Jerusalem/Judäa eine Umkehrbewegung zum Zug kam, also im Zusammenhang mit dem Übergang von der ptolemäischen zur seleukidischen Herrschaft über Palästina. Damals kam es auch innerhalb Jerusalems/Judäas selbst zu Auseinandersetzungen, wobei die proptolemäischen und proseleukidischen Kräfte offenbar auch differierende religiöse bzw. ritualrechtliche Positionen verfochten. Dieser Umstand weist mit anderen Indizien darauf hin, dass es bereits vor 175 v.Chr. eine schwere Krise in Jerusalem gegeben hat, ausgelöst durch rigorose Maßnahmen und absolutistische Ansprüche eines[114] »Gerechtigkeits-Anweisers« (»Lehrers der Gerechtigkeit«), eines obersten Rechts-Offenbarers im Sinne eines »Propheten wie Mose«.

Der Amtstitel מורה (ה)צדק sollte nicht nach allgemeinem Sprachgebrauch (Lehrer, Gerechtigkeit) übersetzt werden, sondern im Sinne juristischer Terminologie: מורה als »Anweiser von Torah« im Sinne der Mose-Offenbarungen, und צדק im Sinne von absolutem, höchstem Recht und unanfechtbarer Entscheidung. Laut CD I,9–10 hat Gott diesen Amtsträger 20 Jahre nach den genannten 390 Jahren sein Amt antreten lassen, also 178 v.Chr. Als Antiochus IV. den Thron bestieg, waren in Jerusalem also bereits tief reichende Auseinandersetzungen im Gang, in die der König hineingezogen wurde, und auf die dann die Makkabäeraufstände und die Hasmonäerherrschaft folgten.

Es ist nirgends klar belegt, wie sich die Makkabäer zum »Lehrer der Gerechtigkeit« verhalten haben. Geläufig ist die Annahme, dieser sei nach dem Tod des Alkimos Hohepriester gewesen und dann durch Jonatan Makkabäus verdrängt worden, doch gibt es dafür keinen Beleg.[115] Anscheinend blieb der »Lehrer der Gerechtig-

---

114 So – ohne bestimmten Artikel! – in CD I,11, was eine Amtsbezeichnung voraussetzt.

115 Zum neuesten Versuch, den »Lehrer der Gerechtigkeit« als einen Hohepriester zu identifizieren, siehe É. Puech, Le grand prêtre Simon (III) fils d'Onias III, le Maître de Justice?, in: B. Kollmann / W. Reinbold / A.

keit« bis zu seinem Tod kaltgestellt, der nach CD XX,13–16 etwa 40 Jahre vor der errechneten Endzeitwende von 98/7 v.Chr. anzusetzen ist, also kurz vor 137/8 v.Chr. Von da an haben seine Anhänger keine legislative Tätigkeit mehr für möglich gehalten, weil sie auf den Amtsantritt der beiden Gesalbten aus Aaron (Hohepriester) und Israel (König) und eines Propheten warteten. Damit dürfte eben nicht ein normaler Weissagungsprophet oder ein Endzeitprophet gemeint sein, sondern ein Torah-Prophet in der Teil Nachfolge des Mose neben Herrscher und Hohepriester.[116]

Immer deutlicher hervorgetreten ist mit den neu publizierten Fragmenten der priesterliche Hintergrund der Qumranliteratur. Vor allem in 4QMMT wird immer wieder auf die Pflicht der Priester verwiesen, sich in rituellen Belangen in Acht zu nehmen. Viele gesetzliche Texte sind speziell unter priesterlichen Gesichtspunkten formuliert worden, möglicherweise für innerpriesterliche Verwendung. Von den Qumrantexten her gesehen ist das weitere soziale und politische Umfeld dieser elitären priesterlichen Richtung nicht klar, nur die Damaskusschrift legt mit ihren Ordnungen für Gemeinschaften in Städten bzw. im Lager eine Verbindung mit einer Gruppe der Essenerberichte nahe.[117] Die Priester der Richtung, die hinter den Qumrantexten stand, haben mit ihren Familien das Anrecht auf die normalen Priesterbezüge schwerlich aufgegeben, auch wenn sie sich vom Tempelkult in Jerusalem abgesondert hatten. Wir wissen zu wenig über Organisation und Verteilungsmodus der kultischen Abgaben, um präzis feststellen zu können, wie diese Priester zu ihren Anteilen kamen, ob sie die Abgaben nur von den Anhängern der Gruppe geliefert bekamen oder ob sie trotz des

---

Steudel (Hg.), Antikes Judentum und Frühes Christentum (s. Anm. 41), 137–158.

[116] J. Maier, Der Lehrer der Gerechtigkeit. Franz-Delitzsch-Vorlesung 1995, FDV 5, Münster 1996.

[117] Zu diesem wichtigen Text siehe nun die Beiträge in J.M. Baumgarten / E.G. Chazon / A. Pinnick (Hg.), The Damascus Document. A Centennial of Discovery, StTDJ 34, Leiden 2000.

Konflikts nach wie vor im Rahmen der traditionellen Abgabenordnung ihre Bezüge erhielten.
Wir sind also bei weitem noch nicht in der Lage, ein einigermaßen gesichertes Bild von Qumran zu erstellen und dieses in den historischen Hintergrund einzubauen, den wir ja weit gehend nur aus der Optik der hasmonäischen Geschichtsschreibung kennen, deren wesentliche Tendenzen auch Josephus weitergeführt hat. Die Qumrantexte erwähnen wahrscheinlich zwar den anmaßenden Herrscher Antiochus IV. in 4Q246, aber nichts deutet darauf hin, dass die Leute hinter den Qumrantexten das jüdische Hauptproblem jener Zeit in einer Hellenisierungstendenz gesehen haben, wie sie in den Makkabäerbüchern und vor allem im 2. Makkabäerbuch in den Vordergrund gerückt wurde und unser gängiges Geschichtsbild so nachhaltig bestimmt hat. Zur Debatte standen offensichtlich andere Punkte, eben jene, die in 4QMMT aufgelistet sind: gesetzliche, speziell rituelle Praktiken und Kalender- und Zeitrechnungsfragen, letztere verbunden mit einer eschatologischen Geschichtsspekulation. Und nicht zuletzt ging es um Machtansprüche, Machtansprüche von Gruppen selbst innerhalb der Priesterschaft, aber auch persönlich zugespitzte wie im Fall des »Lehrers der Gerechtigkeit«, und das alles nicht bloß im Rahmen innenpolitischer Vorgänge, sondern wie fast immer auch verbunden mit konkurrierenden außenpolitischen Orientierungen.
Neue Anregungen könnten auch von einer Interessenverlagerung der Forschung ausgehen, nämlich von einer intensiveren Berücksichtigung und Einbeziehung der alttestamentlichen Wissenschaft. Dabei sollten die Schriften des AT nicht nur als Quelle für die Behandlung der »nichtbiblischen« Texte herangezogen werden, sondern mehr als bisher mit diesen zusammen als Zeugnisse für Auseinandersetzungen und damit verbundene Traditionsprozesse ausgewertet werden, die im innerjüdischen, und da wieder speziell innerpriesterlichen Kontext abgelaufen sind.[118] Und zwar sowohl

---

[118] Mehr Beachtung verdienen z.B. die Differenzen innerhalb priesterlicher Überlieferungen, vgl. dazu die Hinweise bei I. Knohl, The Priestly Torah ver-

als Niederschlag der innen- und außenpolitischen Vorgänge in der Zeit des zweiten Tempels insgesamt als auch in der Richtung selbst, die durch die Qumrantexte direkt bezeugt wird.[119] Und dies zum Nutzen auch der neutestamentlichen Wissenschaft, weil sich dann effektiver als bisher jene Texte und Inhalte abgrenzen lassen, die für die Kenntnis des Hintergrundes des entstehenden Christentums tatsächlich als relevant gelten können.

---

sus the Holiness School: Sabbath and the Festivals, HUCA 58 (1987), 65–117; I. Knohl, *Miqdaš ha-d^emamah*, Jerusalem 1992 = ders., The Sanctuary of Silence. The Priestly Torah and the Holiness School, Minneapolis 1995.

119 A.I. Baumgarten, The Zadokite Priests at Qumran: A Reconsideration, DSD 4 (1997), 137–156.

Probleme und Methoden der Rekonstruktion von Schriftrollen

Annette Steudel

»Der Qumran-Kommissar« lautet der Titel eines Artikels im St. Galler Tagblatt vom 29. April 1999 – darüber ein Foto des Göttinger Neutestamentlers und berühmten Qumranforschers Professor Dr. Dr. Hartmut Stegemann, Pfeife rauchend in der klassischen Pose eines Detektivs.
Qumranforschung als Detektivarbeit? In der Tat ist für die Arbeit an den Handschriftenfunden vom Toten Meer auch 50 Jahre nach deren Entdeckung noch immer kriminalistischer Spürsinn gefragt. Dies gilt insbesondere für den Bereich der Qumranforschung, der an der von Prof. Stegemann geleiteten Göttinger Qumranforschungsstelle betrieben wird. »Materielle Rekonstruktion von Schriftrollen« lautet das Stichwort, das sich mit dieser Institution verbindet, Grundlagenforschung an den Handschriften vom Toten Meer. Worum es dabei eigentlich geht, soll im Folgenden dargestellt werden.

Zunächst zur Sachlage. Auch im wissenschaftlichen Sprachgebrauch ist es üblich, in Bezug auf die Handschriftenfunde vom Toten Meer von »Schriftrollen« zu sprechen. Vorsicht ist dabei allerdings geboten, denn es wird nur allzu leicht übersehen, dass sich unter den rund 850 Qumran-Manuskripten gerade noch neun – mehr oder weniger gut erhaltene – Schrift*rollen* finden.[1] All die

[1] 1QJes^{a}, 1QJes^{b}, 1QGenAp, 1QS+1QSa+1QSb, 1QM, 1QH^{a}, 1QpHab, 11QPs^{a}, 11QT^{a}. Hinzu kommt die vollständig erhaltene »Kupferrolle« (3Q15)

übrigen Handschriften sind in einem sehr fragmentarischen Zustand erhalten. Viele der Handschriften umfassen kaum mehr als eine Hand voll Fragmente. So bestehen zum Beispiel sämtliche Handschriften der Höhle 7 aus jeweils nur einem einzigen Fragment. Hunderte von Fragmenten sind so klein, dass sie nicht mehr beinhalten als ein paar einzelne Buchstaben, ohne ein einziges vollständiges Wort erkennen zu lassen.
Diese Zerstörungen der Handschriften sind zu einem gewissen Teil beim neuzeitlichen Auffinden, Transport und Aufbewahren vor dem Verkauf der Rollen entstanden.[2] Zum Teil handelt es sich bei den Beschädigungen auch um solche, die bei früheren Entdeckungen der Rollenverstecke entstanden sind.[3] Der mit Abstand größte Schaden an den Manuskripten und zugleich das Durcheinander der Fragmente entstand aber im Laufe der jahrhundertelangen Lagerung in den Höhlen durch natürliche Witterungseinflüsse wie Feuchtigkeit und Wind sowie durch Nagetiere, die in den zerfallenden Schriftrollen willkommenes Nestbaumaterial vorfanden.[4] Während die Handschriften aus Höhle 1 in Tonkrügen aufbewahrt worden waren, somit verhältnismäßig gut geschützt lagerten und dementsprechend relativ gut erhalten sind, ist das umfangreichste Qumran-Material, das der Höhle 4 – hier waren die Handschriften

---

sowie ein einzelnes Lederblatt 4QTest und wahrscheinlich eine kleine quadratische »Karte« 4QList of False Prophets. Vgl. H. Stegemann, Die Essener, Qumran, Johannes der Täufer und Jesus. Ein Sachbuch, Herder Spektrum 4128, Freiburg i.Br. [9]1999, 17, und für die letztgenannte Handschrift A. Steudel, Assembling and Reconstructing Manuscripts, in: P.W. Flint / J.C. VanderKam, The Dead Sea Scrolls After Fifty Years. A Comprehensive Assessment 1, Leiden / Boston / Köln 1998, 516–534, 516.

2 Vgl. den Beitrag von E. Tov in diesem Band.

3 S. z.B. die Spuren eines Messerstichs in der Hodajot-Rolle (1QH[a], als immer wiederkehrendes Loch erkennbar) oder die Fetzspuren vom Zerreißen der Handschrift 4QMidrEschat[a] (= 4QFlorilegium, deutlich sichtbar auf Frgm. 1).

4 S. das Foto des in Murabba[c]at gefundenen Rattennests mit Handschriften-Fragmenten in P. Benoit u.a., Les Grottes de Murabba[c]at, DJD 2, Oxford 1961, Tafel XI.

ungeschützt versteckt –, in einem sehr schlechten Erhaltungszustand. So fanden sich in Höhle 4 mehr als 15000 Fragmente.
Die eigentliche Arbeit an den Schriftrollen von Qumran begann mit dem Ordnen der unzähligen Fragmente. Kaum zu überschätzen ist daher die Sortierarbeit, die das erste, nur acht Forscher umfassende Team von Qumranforschern geleistet hat. Zu Beginn der Sechzigerjahre waren alle Qumran-Fragmente, die von Beduinen sowie die von Archäologen zwischen 1947 und 1956 gefundenen Fragmente, einzelnen Handschriften zugeordnet. Die Kriterien für eine solche Zuordnung sind vielfältig und häufig erst in ihrer Kombination sinnvoll. Schwierigkeiten ergeben sich nämlich notwendigerweise, da etwa die Lederfarbe innerhalb einer Rolle, ja innerhalb eines Lederbogens deutlich variieren kann, Gleiches gilt für die Lederstärke. Auch die Schreiberhand kann im Verlauf einer Rolle wechseln, ebenso wie das Schreibgerät, die Sorgfalt oder Nachlässigkeit beim Schreiben, die Buchstabengröße, der Zeilenabstand und die Anzahl der Zeilen pro Kolumne. Eine Rolle muss nicht notwendigerweise nur einen Text beinhalten, Sammelhandschriften können vorkommen, sodass auch das Kriterium des Inhalts, der Gattung und der Sprache für sich genommen wenig Aussagekraft besitzt. Orthographische Varianten können in ein und demselben Text auftreten. Die Gruppierung der Fragmente zu einzelnen Handschriften ist der ersten Forschergruppe so gut gelungen, dass bis heute nur sehr wenige Fragmente nachträglich einer anderen Handschrift zugeordnet werden mussten, diese Arbeit also grundlegenden Bestand hat.

Bei der Edition der Handschriften wurde – abgesehen von Bibelhandschriften und anderen bekannten Werken – in der Regel so verfahren, dass man die Fragmente vom größten bis zum kleinsten fortlaufend nummerierte und entsprechend in der Textausgabe darbot. Dies ist zwar eine zunächst einleuchtende Vorgehensweise, die sachliche Arbeit an einem so präsentierten Text ist aber nur sehr begrenzt möglich.

Das Verhältnis der einzelnen Fragmente zueinander bleibt unklar, und wesentliche Informationen über den Charakter des Werkes bleiben im Dunkeln. Viele an sich hoch spannende Werke fristen daher ein Mauerblümchendasein oder werden zum Gegenstand unterschiedlichster Spekulationen.

Inzwischen werden zerstörte Schriftrollen zunehmend in rekonstruierter Form dargeboten.[5] Eine materielle Rekonstruktion hat zum Ziel, fragmentarisch erhaltene Handschriften so aufzubereiten und darzustellen, dass Einsicht in die ursprüngliche Textabfolge, in Inhalt und Gattung des Werkes vermittelt wird. Gearbeitet wird dabei mit rein außertextlichen, »physikalischen« Kriterien.

Angewendet wird eine solche materielle Rekonstruktion von nur bruchstückhaft erhaltenen Handschriften vor allem in folgenden Fällen:

- Bei Texten, die durch keinen Paralleltext – sei es innerhalb oder außerhalb Qumrans – als Ganze bekannt sind. Dies trifft etwa zu auf einen Text wie 11QMelchisedek (11Q13),[6] die so genannten »Beatitudes« aus Höhle 4Q (4Q525)[7] oder die Damaskusschrift

---

[5] S. z.B. die von E. Puech vorgeschlagene Rekonstruktion der so genannten »Messianischen Apokalypse« 4Q521 (E. Puech, Qumrân Grotte 4. XVIII, DJD XXV, Oxford 1998, 1–38, Tafeln I–III, bes. 2–3 mit Tafel I und die Rekonstruktion der 4QHodajot-Handschriften durch H. Stegemann in Zusammenarbeit mit E. Schuller (E. Schuller, 4Q427–432 [4QH^{a-f}], in: E. Chazon u.a., Qumran Cave 4. XX, Poetical and Liturgical Texts, Part 2, DJD XXIX, Oxford 1999, 69–232, Tafeln IV–XIV und Falttafeln I–III).

[6] Rekonstruiert durch E. Puech, Notes sur le manuscrit 11QMelkîsédeq, RdQ 48/12 (1987), 483–513.

[7] Ediert durch E. Puech, DJD XXV (s. Anm. 5), 115–178, Tafeln IX–XIII. Die Handschrift wurde bisher noch nicht materiell rekonstruiert. Interessant wäre eine Rekonstruktion von 4Q252 besonders für die formgeschichtliche Frage nach Seligpreisungen.

(QD), zu der wir nur in Teilen mittelalterlichen Paralleltext besitzen (CD)[8].

- Bei Texten, die zwar durch weitere Kopien bekannt sind, bei denen aber aufgrund des erhaltenen Textbestandes Anlass zu der Annahme besteht, dass es sich um unterschiedliche Rezensionen ein und desselben Werkes handelt, wie etwa die Gemeinderegel (QS)[9] und die Kriegsregel (QM)[10].
- Selbst bei biblischen Texten kann eine materielle Rekonstruktion sinnvoll sein, wie z.B. 4QKings zeigt.[11] Die Frage nach Textumfang oder -umstellungen im biblischen Text, auch die, ob überhaupt eine Bibelhandschrift oder vielleicht ein Exzerpttext vorliegt, kann in den meisten Fällen nur nach einer materiellen Rekonstruktion beantwortet werden. Für die Entstehung des Psalters stellt eine materielle Rekonstruktion der 4QPsalm-Handschriften eine reiche Quelle neuer Erkenntnisse dar.[12]

---

8 Zu den 4QDamaskusschrift-Handschriften s. die Edition von J.M. Baumgarten, Qumran Cave 4. XIII. The Damascus Document (4Q266–4Q273), DJD XVIII, Oxford 1996. Eine Rekonstruktion dieser für das Gesamtverständnis der Damaskusschrift wichtigen Rollen wird von H. Stegemann und Mitarbeitern der Qumranforschungsstelle Göttingen vorbereitet.

9 Zu einer Rekonstruktion der 4QS-Handschriften s. die Arbeit von S. Metso, The Textual Development of the Community Rule, StTDJ 21, Leiden / New York / Köln 1997.

10 Daß 1QM nicht das älteste Stadium der Kriegsregel darstellt, ist seit der Untersuchung von C.-H. Hunzinger, Fragmente einer älteren Fassung des Buches Milḥama aus Höhle 4 von Qumran, ZAW 69 (1957), 131–151, bekannt. Eine für die Klärung der Textgeschichte der Kriegsregel unabdingbare materielle Rekonstruktion der 4QM-Handschriften (ediert durch M. Baillet, Qumrân Grotte 4. III, DJD VII, Oxford 1982, 12–68, Tafeln V–VIII.X.XII.XIV.XVI.XVIII.XXIV) ist bislang nicht erfolgt.

11 Vgl. J. Trebolle Barrera, 4QKings (4Q54), in: J. Trebolle Barrera / L. Vegas Montaner (Hg.), The Madrid Qumran Congress: Proceedings of the International Congress on the Dead Sea Scrolls, Madrid 18–21 March, 1991, StTDJ 11,1, Leiden / New York / Köln 1992, 229–246.

12 S. zu den Psalmen-Handschriften in Qumran P.W. Flint, The Dead Sea Psalms Scrolls and the Book of Psalms, StTDJ 17, Leiden / New York / Köln

Wie rekonstruiert man eine Handschrift? Die ersten beiden Arbeitsschritte sind bei jeder Edition selbstverständlich. Der Text muss zunächst gründlich gelesen werden, und es muß untersucht werden, ob möglicherweise bislang unentdeckte direkte materielle Verbindungen (»direct joins«) einzelner Fragmente zueinander bestehen.
Gelesen wird der Text zunächst anhand der Fotos der Fragmente. Diese wurden zu unterschiedlichen Zeiten, teils mit unterschiedlicher Technik aufgenommen. Dabei werden auch die alten Fotos zurate gezogen, denn – auch wenn bei diesen Aufnahmen noch keine Infrarot-Technik oder wie bei neuen Farbfotos Computertechnik angewendet wurde – so sind darauf manche Fragmente in einem besseren Erhaltungszustand zu sehen; dies betrifft vor allem Buchstabenreste an den Fragmenträndern.[13] Zugänglich sind die Fotos als Papierabzüge des Rockefeller- bzw. Israel-Museums in Form der 1993 erschienenen Microfiche-Edition[14] und zu einem großen Teil inzwischen auch auf CD-ROM[15]. Neben der Arbeit mit diesen Fotos ist es aber unerlässlich, auch die Originalfragmente im Museum zu studieren, die häufig überhaupt erst zu unterscheiden erlauben, ob es sich bei einem »schwarzen Punkt« auf dem Leder/Papyrus um absichtlich gesetzte Tinte, d.h. um einen Buchstabenrest, oder um eine Verunreinigung des Leders/Papyrus handelt. Nicht nur Wörter und Buchstaben werden gelesen und abgeschrieben, transkribiert, sondern auch Buchstabenreste, seien sie

1996. Die offizielle Edition der 4QPsalmen-Handschriften in DJD steht noch aus, ebenso wie die materielle Rekonstruktion der Rollen.

13 Zu den fotografischen Aufnahmen der Qumran-Handschriften s. G. Bearman / S.J. Pfann / S.I. Spiro, Imaging the Scrolls: Photographic and Digital Aquisation, in: P.W. Flint / J.C. VanderKam (Hg.), The Dead Sea Scrolls After Fifty Years. A Comprehensive Assessment 1, Leiden / Boston / Köln 1998, 472–495.

14 E. Tov / S. Pfann, The Dead Sea Scrolls on Microfiche. A Comprehensive Facsimile Edition of the Texts from the Desert of Judah, Leiden 1993.

15 The Dead Sea Scrolls on CD: The Farms Electronic Database, Provo 1997, und T.H. Lim (Hg.), The Dead Sea Scrolls Electronic Reference Library, Oxford / Leiden 1997.

identifizierbar oder nicht, werden als solche notiert. Beim Identifizieren der Schriftreste kommt es vor allem auf das Erkennen der Schreibrichtung eines Buchstabens an. Mit traditionellen Hilfsmitteln wie Lupe und Stereomikroskop, aber auch mit Hilfe von Computersoftware, die eine Arbeit ähnlich der eines Fotolabors am Bildschirm leistet, sind in schwierigen Fällen Lesungen möglich.[16] Zum Lesen der Fragmente gehört auch, daß nur teilweise erhaltene Wörter bzw. Formeln oder Phrasen, wenn sie mit Sicherheit ergänzt werden können, komplettiert werden.

Die Suche nach bislang unentdeckten direkten materiellen Verbindungen einer Handschrift ist zwar notwendig, aber relativ selten von Erfolg gekrönt, denn auch hier haben die Forscher des ersten Teams exzellente Arbeit geleistet. Überprüft werden muß auch noch einmal, ob alle der Handschrift zugeordneten Fragmente tatsächlich dazu gehören. Wünschenswert wäre es, die noch unidentifizierten Qumran-Fragmente danach durchzusehen, ob eines zu der zu rekonstruierenden Handschrift gehört.

Danach beginnt die eigentliche Arbeit materieller Rekonstruktion. J.T. Milik hat als Erster die materielle Rekonstruktion von Qumran-Handschriften, nämlich von 1Q22 und von 1QSb, unternommen.[17] Im Zusammenhang seiner Arbeit an den Lobliedern, den Hodajot, aus Höhle 1, hat H. Stegemann 1963 die Methode der materiellen Rekonstruktion dann eigentlich entwickelt,[18] später weiter angewendet[19] und beschrieben[20]. Daher ist sie als die »Stege-

---

[16] S. z.B. A. Lange, Computer Aided Text-Reconstruction and Transcription. CATT-Manual, with an Introduction by H. Lichtenberger and an Appendix by T. Doherty, Tübingen 1993.

[17] J.T. Milik in: D. Barthélemy / J.T. Milik, Qumrân Cave 1, DJD I, Oxford 1955, 91–97.118.

[18] H. Stegemann, Die Rekonstruktion der Hodajot, Diss. Heidelberg 1963.

[19] S. z.B. die Rekonstruktion der Sabbatlieder (ShirShabb) in: C. Newsom, Songs of the Sabbath Sacrifice: A Critical Edition, Atlanta 1985, und jüngst die Rekonstruktion der 4QHodajot-Handschriften, s. oben Anm. 5.

[20] H. Stegemann, Methods for the Reconstruction of Scrolls from Scattered Fragments, in: L.H. Schiffman (Hg.), Archaeology and History in the Dead Sea Scrolls, JSPE.S 8, Sheffield 1990, 189–221, und H. Stegemann, How to

mann-Methode« in Forscherkreisen bekannt.[21] Das Prinzip der materiellen Rekonstruktion nur noch fragmentarisch erhaltener Qumran-Werke beruht auf der Tatsache, dass diese auf *Rollen* geschrieben wurden.

Bei der Herstellung einer Lederrolle – diese sind weitaus häufiger als Papyrusrollen in Qumran – wurden zunächst linierte und nach Kolumnen aufgeteilte Lederbögen aneinander genäht. Danach wurden der obere und der untere Rand gerade geschnitten. Die Beschriftung einer Rolle geschah entsprechend der Schreibrichtung von rechts nach links. Am Anfang und am Ende einer Rolle wurde häufig Leder unbeschriftet gelassen (man spricht dann von »handle-sheets«), um zu gewährleisten, dass beim Lesen und Wickeln der Rolle nicht auf den Text gefasst werden musste. Die Rolle wurde so gewickelt, dass ihre beschriftete Seite geschützt innen lag. Ein kleines Lederband, das um die Rolle gewickelt wurde, diente oft als Verschluss. Nur in sehr seltenen Fällen ist der Titel eines Werkes außen auf der Rolle vermerkt erhalten. War eine Rolle richtig herum, d.h. lesebereit, gewickelt, so lag ihr Textanfang außen, das Textende im Inneren der Rolle.

Der Zerfallsprozess einer Rolle bewirkt, dass Zerstörungen, die z.B. durch das Eindringen von Feuchtigkeit verursacht wurden, in den einzelnen Wicklungen gleichförmig wiederkehren. Solche einander entsprechenden Schadstellen und Bruchformen liegen am Anfang der Rolle relativ weit auseinander – ihr Abstand entspricht dem Wicklungsumfang an der jeweiligen Stelle. Je weiter sich die Rolle nach innen hin entwickelt, desto geringer wird der Abstand einander korrespondierender Schadstellen und Bruchformen, entsprechend den zum Rolleninneren hin abnehmenden Wicklungsumfängen. Beobachten lässt sich dieses Phänomen gleichmäßig

---

Connect Dead Sea Scrolls Fragments, in: H. Shanks (Hg.), Understanding the Dead Sea Scrolls. A Reader from the Biblical Archaeology Review, New York 1992, 245–255.

[21] Zur Beschreibung der materiellen Rekonstruktion nach der »Stegemann-Methode« vgl. auch A. Steudel, Assembling and Reconstructing Manuscripts (s. oben Anm. 1).

wiederkehrender Schadstellen beispielsweise an der Rolle der Loblieder 1QH[a], besonders eindrücklich ebenso an der zickzackförmig erhaltenen Rolle apokrypher Psalmen aus Höhle 11 (11Q11)[22]. Auf sehr anschauliche Weise demonstrierte es auch ein kleiner Wurm, der sich von Kol. XIV bis zum Ende der großen Psalmenrolle 11QPs[a] gefressen und so seine Spuren hinterlassen hat – im Falle dieses Wurmlochs lassen sich exakt die jeweiligen Wicklungsumfänge nachmessen.[23] Ein ähnliches Beispiel stellen die Nahtrandab drücke in der Tempelrolle dar.[24] Ist eine Rolle ganz zerfallen, so bleiben idealerweise gleichförmige Fragmente übrig – ein Beispiel dafür ist das »Neue Jerusalem« aus Höhle 11 (11Q18).[25] Für die materielle Rekonstruktion zerstörter Schriftrollen gilt das im Grunde einfache Prinzip, dass Fragmente mit einander entsprechenden Bruchformen, Abdrücken etc. auf ein und derselben horizontalen Ebene anzuordnen sind und zwar so, dass einander besonders ähnliche Fragmente in nächster Nachbarschaft (d.h. im Abstand eines Wicklungsumfangs) platziert werden.

Das technische Vorgehen bei einer materiellen Rekonstruktion ist dabei etwa folgendes: Von den Fragmenten einer zu rekonstruierenden Handschrift werden zwei Sätze von Fotokopien hergestellt (von möglichst kontrastreichen Fotos). Auf den Kopien werden Nahtränder, Kolumnentrenner, obere und untere Ränder, unbeschriftetes Leder (»vacat«) gekennzeichnet. Dann werden die Papierkopien vor einer starken Lichtquelle, z.B. bei Sonnenlicht an einem Fenster oder auf einem Leuchttisch, gegeneinander verschoben, und zwar so, dass jedes Fragment mit jedem – bei etwas größeren unbedingt auch das Fragment mit sich selbst – auf einander

---

22 Vgl. F. García Martínez u.a., Qumran Cave 11. II, DJD XXIII, Oxford 1998, Tafeln XXII–XXV.

23 S. J.A. Sanders, The Psalms Scroll of Qumrân Cave 11 (11QPs[a]), DJD IV, Oxford 1965.

24 S. z.B. Kol. XXV, XLVIII und LXVI in: Y. Yadin, The Temple Scroll. Three Volumes, Jerusalem 1983.

25 Vgl. F. García Martínez u.a., DJD XXIII, Oxford 1998, Tafeln XXXV–XL.LIII.

entsprechende Zerstörungsformen hin verglichen wird. Ein solcher Vergleich der Fragmente miteinander kann ersatzweise auch mit Hilfe der Fotos und einem Satz Kopien auf Transparentfolie (Overhead-Folie) unternommen werden; der Einsatz einer starken Lichtquelle wird dadurch überflüssig. Sind einander korrespondierende Fragmente gefunden, so werden sie (möglichst aus einem weiteren Satz Papierkopien) ausgeschnitten und auf horizontaler Ebene zu platzieren versucht. Ob ein bestimmtes Fragment etwa auf der rechten oder der linken Seite seines korrespondierenden Stücks anzuordnen ist und wie weit beide auseinandergesessen haben, d.h. wie groß der Wicklungsumfang an der entsprechenden Stelle der Schriftrolle gewesen ist, lässt sich zunächst meist nicht eindeutig sagen. Erst eine Anordnung aller größeren Fragmente nach immer wieder neuem Ausprobieren verschiedener Sequenzen führt hier zu einem Ergebnis. Orientierungspunkte bei diesem Austesten der unterschiedlichen Möglichkeiten sind z.B. Kolumnentrenner und Nahtränder auf einzelnen Fragmenten. So sind bestimmte Fragmentabfolgen und -distanzen von vornherein ausgeschlossen, da sich keine sinnvollen Kolumnenbreiten, z.B. extrem geringe, ergeben würden. Die nach dem Schema von »trial and error« gefundene Fragment- und Kolumnenabfolge wird dann provisorisch in ein gezeichnetes Kolumnenraster geklebt. In der Zukunft werden sicher Computer einen großen Teil dieser Arbeit erledigen können. Notwendig wäre dafür ein EDV-Programm, das nicht nur die äußeren Umrisse der Fragmente miteinander vergleicht, sondern auch ähnliche charakteristische Falten und Brüche auf den Fragmenten sucht, d.h. verhältnismäßig große Datenmengen müssen verarbeitet werden. In jedem Fall gilt: Eine materielle Rekonstruktion muss anhand der Originalfragmente im Museum überprüft werden. Oft ergeben sich bei der Sichtung der Originale Hinweise, die eine Rekonstruktion verifizieren oder falsifizieren können, etwa die Abdrücke eines benachbarten Fragments auf der Vorder- oder Rückseite, die unterschiedliche Lederqualität zweier Bögen oder hilfreiche Wurmlöcher, die als solche auf den Fotografien nicht zu identifizieren waren. Abschließender und entscheidender Test einer materiellen Rekonstruktion ist der Text, der sich daraus ergibt. Ist etwa der Textübergang von einer zur nächsten Kolumne schlüssig, und lässt sich sinnvoll Text zwischen zwei in einer Kolumne dicht nebeneinander angeordneten Fragmenten ergänzen?

Nicht nur ein vollständigerer Text wird durch die materielle Rekonstruktion gewonnen, sondern nach dem beschriebenen technischen Vorgehen ist in der Regel auch die Höhe der einstigen Kolumnen, d.h. die Zeilenzahl pro Kolumne bestimmbar, ebenso wie deren Breiten. Häufig lässt sich sogar berechnen, wie lang die Schriftrolle ursprünglich gewesen ist. Das ist vor allem dann möglich, wenn eine Rolle richtig herum, d.h. mit ihrem Textanfang außen, gewickelt war und die erhaltenen Fragmente vom Anfang der Rolle stammen. Empirische Werte über übliche innerste Wicklungsumfänge anderer Qumranrollen (meist zwischen 3 und 5 cm) erlauben ein Herunterrechnen der sich regelmäßig entwickelnden Abstände bis ins Innere der Rolle, die dann aufaddiert die Gesamtlänge der Rolle ergeben.

Als Beispiel für den Ertrag der Anwendung dieser Methode kann die Rekonstruktion der Handschriften 4Q174 (MidrEschat[a] = »Florilegium«) und 4Q177 (MidrEschat[b] = »Catena A«) gelten. Beide Handschriften waren von J.M. Allegro 1968 abschließend ediert worden.[26] Über Gattung und Aufbau von 4Q174 sind daraufhin verschiedene Überlegungen angestellt worden,[27] 4Q177 ist kaum je zur Kenntnis genommen worden. Eine materielle Rekonstruktion der beiden Manuskripte ergab, dass sie Abschriften ein und desselben Werkes sind, von dem 4Q174 das erste Drittel, 4Q177 das zweite Drittel repräsentiert. Zutage trat ein deutlich gegliederter Aufbau, der im unrekonstruierten Zustand den Handschriften nicht zu entnehmen war: Bei dem Werk (»Midrasch zur Eschatologie«)

---

[26] J.M. Allegro, Qumrân Cave 4. I (4Q158–4Q186), DJD V, Oxford 1968, 53–57.67–74, Tafeln XIX–XX.XXIV–XXV.

[27] S. vor allem G.J. Brooke, Exegesis at Qumran: 4QFlorilegium in its Jewish Context, JSOT.S 29, Sheffield 1985.

handelt es sich um einen am (davidischen) Psalter orientierten thematischen Midrasch zu Endzeitfragen.[28] Einzelne Psalmen werden ihrer biblischen Reihenfolge entsprechend in Auswahl zitiert und kommentiert, Zitate aus den anderen Bereichen der Schrift werden in formal untergeordneter Funktion zur Erörterung des Themas hinzugezogen. Vorangestellt sind diesem Hauptteil des Werkes zwei einleitende Passagen: eine Auslegung der Stammes-Segnungen aus Dtn 33 (offenbar unter Auslassung Josephs) und ein Midrasch zu 2Sam 7.

Als Anwendungsbeispiel anderer Art kann Folgendes gelten: Das Problem einer von Elisha Qimron postulierten zusätzlichen Kol. XXVIIIa der Tempelrolle (11QT[a]) zwischen den Kol. XXVIII und XXIX[29] wurde erst durch Überlegungen der materiellen Rekonstruktion als solches bewusst.[30] Eine Betrachtung der Wicklungsumfänge in diesem Bereich der Tempelrolle machte die Existenz einer zusätzlichen Kol. XXVIIIa sehr unwahrscheinlich, es gab schlicht zu wenig Platz für sie. Eine daraufhin durchgeführte Untersuchung des Inhalts ließ Kol. XXVIIIa als überflüssig, sogar störend erscheinen. Tatsächlich erklärten sich die auf dem Foto sichtbaren Schriftreste der »neuen« Kol. XXVIIIa bei näherer Betrachtung als solche, die – teilweise in irrtümlicher Weise transkribiert – eigentlich den Nachbarkolumnen (XXVII, XXVIII, XXIX) angehörten. Eine Kol. XXVIIIa der Tempelrolle gibt es also nicht.

---

[28] A. Steudel, Der Midrasch zur Eschatologie aus der Qumrangemeinde (4QMidrEschat[a.b]). Materielle Rekonstruktion, Textbestand, Gattung und traditionsgeschichtliche Einordnung des durch 4Q174 (»Florilegium«) und 4Q177 (»Catena A«) repräsentierten Werkes aus den Qumranfunden, StTDJ 13, Leiden / NewYork / Köln 1994.

[29] E. Qimron, The Temple Scroll. A Critical Edition with Extensive Reconstructions, Beer-Sheva / Jerusalem 1996.

[30] Vgl. zum Folgenden A. Steudel, There Are No Further Columns in the Temple Scroll, RdQ 73/19 (1999), 131–136.

Die Grenzen der Rekonstruktions-Methode liegen angesichts des so stark zerstörten Materials auf der Hand. Man wird sich mit ungeklärten Fällen abfinden müssen. Der Erkenntnisfortschritt aber, den rekonstruierte Handschriften herbeiführen – sei es für das Verständnis der Geschichte des Alten Testaments, des antiken Judentums oder den Entstehungshintergrund des frühen Christentums – ermutigt dazu, die Spurensuche in den Qumrantexten immer wieder aufzunehmen.

Die Schriftfunde aus Qumran und ihre Bedeutung für den hebräischen Bibeltext

Heinz-Josef Fabry

I. Ausgangsthesen

In den von 1947 bis 1956 in 11 Höhlen gefundenen Schriftrollen vom Toten Meer finden sich mehr als 200 Manuskripte mit biblischen Texten, die mit Ausnahme von Haggai, Ester und Nehemia nahezu den gesamten Bereich der Bücher der Hebräischen Bibel exemplarisch abdecken. Daneben sind die deuterokanonischen Bücher der LXX Sirach und Tobit in hebräischer Sprache belegt. Eine aramäische Handschrift (4Q551[DanSuz?ar]) scheint die Susanna-Erzählung aus Dan 13 zu enthalten, und schließlich ist EpJer in Qumran in 7Q2(LXXEpJer) in griechischer Sprache bezeugt. An apokryphen (pseudepigraphen) Büchern sind in Qumran Henoch, Jubiläen und die Testamente der zwölf Patriarchen belegt, z.T. in zahlreichen Exemplaren, sodass man damit rechnen muss, dass diese Bücher in Qumran für wertvoll und maßgeblich erachtet worden sind. Auffällig ist die breite Aufnahme priesterlicher Traditionen um Amram, Qehat, Hur, Mirjam, Levi und Melchisedech, von denen außerhalb Qumrans sonst so gut wie nichts mehr bekannt ist.
Überblicke ich die Anfragen, die seitens der wissenschaftlichen Exegese an die Qumranforschung gestellt werden, richtig, dann wird dieses extensive Handschriften-Potential geradezu zum Instrument, den Exegeten in eine neue »pole-position« zu bringen im Wetteifer um die Suche nach dem ursprünglichen Text der Hebräischen Bibel.

Da der Begriff »Kanon« wesentlich retrospektivisch funktioniert – auf die Bibel angewandt wird er erst im 4. Jh. n.Chr. durch Athanasius[1] –, ist er ungeprüft nicht auf Qumran und seine Schriften anzuwenden. Trotzdem war das mit diesem Begriff Gemeinte ganz sicher auch schon in Qumran präsent, wenn wir auch die genauen Modalitäten noch nicht kennen. Qumran kannte das, was in der Bibelwissenschaft als »Kanonliste« bezeichnet wird, wenn z.B. in 4QMMT C 10 »Tora, die Propheten, David und ...«[2] genannt werden. Aber wozu hat diese Liste gedient? Hatte sie dieselbe Funktion, wie sie im Sirach-Prolog zu beobachten ist? In der Forschung werden solche Listen als Hinweise auf einen bestehenden Kanon als heilig und verbindlich erachteter Schriften gewertet. Es ist völlig unsicher, ob es in Qumran genauso war. Und doch kann sich eine Durchsicht durch den Handschriftenbestand von Qumran nicht von dem Eindruck frei machen, dass sich bestimmte Auffälligkeiten nur als Hinweise auf einen Qumran-Kanon interpretieren lassen. Schon mehrmals habe ich in meinen Veröffentlichungen Kriterien für die externe Feststellung von Kanonizität[3]

---

1 Dazu vgl. C. Dohmen, Art. Kanon, LThK 5, Freiburg i.Br. u.a. [3]1996, 1177–1179.

2 Die in Qumran belegten Kanonlisten (z.B. 4QMMT C 10) bezeugen zwar eine Dreier-Struktur der Qumran-Bibel, sagen aber nichts über den exakten Bücherumfang der einzelnen Segmente. Die wenig später entstandene Regel 1QS I,3 spricht nur von Mose und den Propheten. Die Ordnungen und Regelbücher (CD und 1QS) gewähren Einblicke in das Binnenleben der Gemeinden und erweisen die Tora, die Gebetsliteratur und die Weisheitsliteratur als Objekte höchster Wertschätzung. In diesen Bereichen hat Qumran eine Vielzahl eigener Bücher promulgiert (für die Tora die Tempelrolle; für die Gebete die Hodajot und die Sabbatopferlieder, für die Weisheitsliteratur das *mûsar lammebîn* [4Q415–418]).

3 Vgl. dazu H.-J. Fabry, Der Umgang mit der kanonisierten Tora in Qumran, in: E. Zenger (Hg.), Die Tora als Kanon für Juden und Christen, HBS 10, Freiburg i.Br. u.a. 1996, 293–327, bes. 309–312; ders., Der Text und seine Geschichte, in: E. Zenger u.a., Einleitung in das Alte Testament, Stuttgart u.a. [3]1998, 36–65, bes. 54f.; ders., Die Qumrantexte und das biblische Kanonproblem, in: S. Beyerle u.a. (Hg.), Recht und Ethos im Alten Testament. Gestalt und Wirkung, FS H. Seebass, Neukirchen-Vluyn 1999, 251–271.

von Schriften in solchen Gruppen vorgeschlagen, die weder einen Kanon definiert, noch über »Kanon« systematisch reflektiert haben. Dies ist für Qumran sicher auch der Fall, da in den Schriftfunden weder der Begriff selbst vorkommt, noch über dieses Phänomen nachgedacht wird.

Deswegen wird man die Tatsache der Verschriftung, der Bezeugung, der Zitation und Kommentierung in den sonstigen Schriften der Gemeinschaft, dann das Vorhandensein von Mehrfachkopien und die so genannten Kanonlisten und schließlich ganz besonders den inneren Anspruch, der in der jeweiligen Schrift erhoben wird (z.B.: Gottesrede in 1.sg. in der Tempelrolle), als Kriterien in Rechnung stellen müssen.

Wende ich diese Argumente an, dann ergibt sich unausweichlich als erste These:

1. These:
Der Kanon heiliger Schriften in Qumran war wesentlich umfangreicher als der Kanon der Hebräischen Bibel einerseits, aber auch als der Kanon der LXX andererseits.

Dieser Handschriftenbefund weist uns auf die Notwendigkeit hin, dass unsere bisherige Vorstellung vom Kanon der Heiligen Schrift neu bedacht werden muss. Denn die Bedeutung Qumrans für die Kanontheologie und Kanongeschichte zeigt sich nicht nur generell in der sicheren Wertschätzung von Büchern, die bei uns unter »deuterokanonisch, apokryph oder pseudepigraphisch« rangieren, sondern sie zeigt sich auch im individuellen Textbestand und seiner Anordnung der einzelnen Bücher.

In dieser Hinsicht ist das Phänomen, dass Qumran nahezu 40 Psalmen-Handschriften hat, von aufschlussreicher Bedeutung, zeigt sich doch in ihnen eine merkwürdige Fluktuation des hebräischen Textbestandes, die gegenwärtig intensiv diskutiert wird: Die Psalmen-Handschriften erweisen für Qumran nämlich einen erheblich höheren Psalmen-Bestand als in MT und LXX. Über die zahlreichen Handschriften verteilt sind fast alle 150 masoretischen

Psalmen bezeugt, zusätzlich noch der aus LXX bekannte Ps 151, die aus der syrischen Tradition bekannten Ps 154 und 155 sowie eine Zions-Apostrophe, ein Hymnus an den Schöpfer (alle in 11Q5[11QPs[a]]), ein eschatologischer Psalm und eine Juda-Apostrophe (in 4Q88[4QPs[f]]), die ausnahmslos so mit den biblisch bekannten Psalmen kombiniert sind, dass für sie eine kanonische Wertschätzung vorausgesetzt werden muss. In den meisten Handschriften wird – wenn der fragmentarische Zustand eine Aussage erlaubt – im Wesentlichen die masoretische Reihenfolge der Psalmen bestätigt. Markant ist die zunehmende Unsicherheit ab Ps 89, also in den Psalmenbüchern 4 und 5, ein Textbereich, in dem in Qumran die Abfolge der Psalmen auffällig unsicher wird und in den gleichzeitig die eben genannten »apokryphen« Materialien hinein kompiliert sind. Daraus wurde die These abgeleitet, dass die Schriftrollen von Qumran zwei unterschiedliche Versionen des Psalters bewahrt haben: Ab Ps 89 habe sich die Psalter-Tradition getrennt. Die eine Version der meisten Kopien (Ps 89–150) gehört in die Tradition, die schließlich auf den masoretischen Text hinauslaufen sollte, die andere Version liege in 11Q5(11QPs[a]) vor und enthalte die Ps 89–151 sowie 10 »apokryphe« Implemente in nicht-masoretischer Abfolge.[4] So oder so – die Psalmenrolle aus 11Q ist ein Phänomen sui generis, das die Forscher noch lange in Atem halten wird.

Natürlich muss uns ein solches Faktum eines so extensiven Kanons in einer bewusst konservativen und traditionalistischen Gruppierung im Judentum beschäftigen. Wir kennen doch das Phänomen unterschiedlicher Kanones, sei es bei den Samaritanern mit ihrem auf den Pentateuch beschränkten Kanon, sei es im alexandrinischen Kanon, im syrischen oder schließlich im Kanon der äthiopisch-orthodoxen Kirche.

---

[4] J.A. Sanders, The Psalms Scroll of Qumrân Cave 11 (11QPs[a]), DJD IV, Oxford 1965, 53–93; vgl. dazu P. Flint, The Dead Sea Psalms Scrolls and the Book of Psalms, StTDJ 17, Leiden 1997.

2. These:
Die unterschiedlichen Kanones haben ihren Grund in lokalen und sozialen Kategorien, insofern sie deutlich mit bestimmten Gruppen in Verbindung zu bringen sind. Der Einblick in diese Mechanismen erlaubt die Erstellung einer modifizierten Textgeschichte der Hebräischen (und Griechischen) Bibel.

Neben der kanongeschichtlichen Fragestellung ist die *textkritische Problematik* für den Exegeten viel drängender:
Er ist für jede biblische Handschrift dankbar, die älter als die ihm bisher vorliegenden Kodizes (aus dem 10./11. Jh. n.Chr.) ist, geht er doch nach wie vor von der Vermutung aus, dass je älter die Handschrift, um so ursprünglicher und richtiger der Text sein müsse. Nun sind die ungefähr 200 Bibelhandschriften in Qumran – was die hebräische Textüberlieferung betrifft – mehr als ein volles Jahrtausend älter als der für unseren Bibeltext maßgebliche Kodex Petropolitanus aus dem 11. Jh. n.Chr. Die bisher ältesten bekannten Texte 4QSam[b] und 4QJer[a] verweisen sogar in das dritte vorchristliche Jahrhundert zurück. Die Handschrift 4QDan[c] scheint sogar unmittelbar an die Abfassung des Danielbuches heranzureichen.[5] Auch die so genannten »Reworked Pentateuch-Texts« sind in der gegenwärtigen Forschung außerordentlich interessant geworden, insofern auch sie offensichtlich unmittelbar in die abschließende Formatierungsphase des Pentateuch zurückzureichen scheinen.[6] Daraus ergibt sich die

3. These:
Die biblischen Handschriften aus Qumran sind aufgrund ihres ho-

---

5 E. Ulrich, Daniel Manuscripts from Qumran. Part 2: Preliminary Editions of 4QDan[b] and 4QDan[c], BASOR 274 (1989), 3–26, bes. 18.

6 Vgl. H.W. Attridge u.a., DJD XIII, Oxford 1994, 197ff. (E. Tov / S.A. White); E. Tov, The Textual Status of 4Q364–367 (4QPP), in: J. Trebolle Barreira / L. Vegas Montaner (Hg.), The Madrid Qumran Congress. Proceedings of the International Congress on the Dead Sea Scrolls, Madrid 18–21 March, 1991, StTDJ 11,1, Leiden u.a. 1992, 43–82.

hen Alters von entscheidendem Wert für die Textkritik sowohl am hebräischen wie am griechischen Text des Tanach bzw. des Alten Testamentes.

Das an sich schon erregende Faktum, dass viele biblische Handschriften aus Qumran in die Formatierungsphase alttestamentlicher Schriften zurückreichen, also noch Einblicke in die kreativen Redaktionsprozesse gegen Ende der alttestamentlichen Textgenese zu gewähren vermögen, macht diese Handschriften in ganz neuem Maß für die Literarkritik interessant, da es dieser Methode darum geht, die Diachronie der Textentstehung zu erheben und in der redaktionsgeschichtlichen Zusammenführung die theologischen Intentionen der einzelnen redaktionellen Schritte sichtbar zu machen. Mit Abschluss dieser Arbeiten ist das Buch fertig und wird als solches denen übergeben, die es als für ihr Leben wichtig erachten. Nun hat es aber den Anschein, dass manche biblischen Bücher in Qumran als noch nicht fertig gestellt galten, während andere Gemeinden diese Bücher für bereits abgeschlossen und für sakrosankt hielten. Hier ergibt sich das eigentliche neue Problem, das Qumran uns beschert hat:

4. These:
Insofern die biblischen Handschriften aus Qumran sich vielfach als Fortschreibungen alttestamentlicher Texte verstehen lassen, sind sie wichtig für die Literarkritik. Zugleich zwingen die unterschiedlichen Textversionen in Qumran, neu über das Verhältnis von Text- und Literarkritik nachzudenken.

Diese vier Thesen sind je für sich genommen relativ harmlos. Erst in ihrer Bündelung gewinnen sie Brisanz und Sprengkraft. Ich lege sie Ihnen hier vor, nicht um mit fertigen Antworten aufzuwarten, vielmehr um Ihnen eine neue Fragestellung anzubieten.

II. Hermeneutische Vorfragen zur Kanonwerdung biblischer Texte

Lassen Sie uns dieses Problem noch einmal kurz bedenken. Über den definitiven Übergang von der literarischen Entstehung des Textes hin zum kanonischen Endprodukt ist man sich noch nicht im Klaren. Sicher ist, dass Schriftwerdung und Kanonwerdung keineswegs identisch sind, aber doch etwas miteinander zu tun haben. Einerseits setzen die über die Literarkritik erschließbaren Quellen und Redaktionen wichtige theologische Impulse, die eine spätere Kanonwerdung des Textes zwar ermöglichen, sie aber nicht bedingen. Die kanonische Letztgestalt ist also offensichtlich nicht Ziel des literarischen Werdeganges, das als solches von vornherein einen prägenden Sog ausgeübt hätte. Die Schriften entstanden, ohne dass sie oder ihre Verfasser das Phänomen Kanon im Blick hatten. Umgekehrt ist Kanonwerdung kein literarisches Abschlussphänomen, das einen bereits zum Abschluss gekommenen literarischen Prozess noch zusätzlich bekrönt.

Die »kanonisierenden Kräfte« sind nicht eindeutig zu bestimmen, erst recht nicht zu institutionalisieren. So hat es die häufig genannte »Synode von Jamnia« nicht in dem Sinne gegeben, dass sie gegen Ende des ersten nachchristlichen Jahrhunderts eine feierliche Deklaration des Kanons vorgenommen hätte; auch die kirchlichen Kanonlisten sind Deklarationen post festum, insofern die hier als kanonisch benannten Schriften bereits kanonisch sind, es jedoch nicht erst durch die Deklaration werden. Die *»kanonisierenden Kräfte«* müssen wohl als Summe der literarisch-theologischen Impulse bei der Schriftwerdung (B.S. Childs, J.A. Sanders)[7] einerseits und der akzeptierenden Kräfte der mit den und aus den Texten lebenden Gemeinden[8] andererseits verstanden werden. Die An-

---

[7] Vgl. J.A. Sanders, Canon and Community: A Guide to Canonical Criticism, Philadelphia 1984.

[8] D.M. Carr, Canonization in the Context of Community: An Outline of the Formation of the Tanakh and the Christian Bible, in: R.D. Weis / D.M. Carr (Hg.), A Gift of God in Due Season, FS J.A. Sanders, JSOT.S 225, Sheffield 1996, 22–64.

nahme solcher voneinander unabhängigen Kräfte könnte die Ausbildung paralleler und zugleich unterschiedlicher Kanones erklären.
Dies setzt schon bei den unterschiedlichen Schreibern mit ihrer je unterschiedlichen Herkunft ein. Die Inhomogenität der Trägergruppen (Schreiberschulen, theologische Konventikel, Schriftgelehrte) bewirkte eine entsprechende Inhomogenität der Texttransmission und war verantwortlich für divergierende Fortschreibungen und die Existenz verschiedener Textausgaben nebeneinander (z.B. in Qumran). Diese kreative Form der Textüberlieferung (»Textpflege war immer auch schon Sinnpflege«, Jan Assmann) wurde durch den Prozess der Kanonisierung nicht grundsätzlich beendet. Allerdings wurde jetzt wegen des gottesdienstlichen und schulischen Gebrauches eine Vervielfältigung der Schriften notwendig, was wiederum eine Vereinheitlichung und Verfestigung des Wortlautes voraussetzte und bewirkte. Diese Verfestigung und Textsicherung wurde – wohl empfindlich angestoßen durch die christliche Vereinnahmung der LXX – von den Rabbinen der ersten nachchristlichen Jahrhunderte durchgeführt und schließlich von den Masoreten festgeschrieben.
Hatte die Bibelwissenschaft bisher mit den Ben Ascher-Kodizes das *Ende* der masoretischen Textfixierung erreicht, so ermöglichen die Texte vom Toten Meer nun Einblick in den *Beginn* der Textfixierung (E. Tov). In einigen Fällen (Sam, Dan) sind die vorgefundenen Handschriften noch der Formulierungsphase der entsprechenden Bücher zuzurechnen oder unmittelbar darauf folgend anzusetzen. Von den ca. 800 Handschriften aus Qumran sind ca. 200 im engeren Sinne als biblische Handschriften zu bezeichnen, die aus der Zeit vom ausgehenden 3. Jh. v.Chr. bis 70 n.Chr. stammen. In jedem Falle existieren die gleichen Texte in unterschiedlichen Formen an ein und demselben Ort. Das gibt zu denken!

III. Der Textstatus der biblischen Texte aus Qumran

Die vielleicht älteste Rolle 4Q17(4QEx–Lev[f]) stammt aus der Mitte des 3. Jh. v.Chr., steht im Ganzen der LXX nahe, richtet sich jedoch an einer Stelle mit dem Samaritanus gegen den MT, ist also – wie 4Q22(4QpalaeoEx[m]) – zur präsamaritanischen Texttradition zu rechnen. 4Q52(4QSam[b], nahe an der LXX), 4Q70(4QJer[a], nahe an MT), 4Q71(4QJer[b], nahe an der LXX), 4Q76(4QXII[a], unabhängig) und 4Q109(4QKoh[a], typisch qumranische Schreiberpraxis) stammen aus dem letzten Viertel des 3. Jh. v.Chr. und zeigen damit in aller Deutlichkeit das unmittelbare Nebeneinander aller bekannten Texttraditionen ohne jedes erkennbare Ranking, sodass schon sehr bald Cross die Bibliothek von Qumran als eine Sammlung der damals vorhandenen drei großen Texttraditionen bezeichnen konnte. Diese Einteilung wird aber dem viel komplizierteren Befund nicht gerecht. So zeigt z.B. 5Q1(5QDtn), das ebenfalls zu den sehr frühen Texten aus Qumran gehört, die Spezifika zugleich aller drei großen Texttraditionen, während dann wenig später 5Q2(5QKön), 2Q12(2QDtn[c]), 4Q47(4QJos[a]) und 11Q1(11QpalaeoLev) Varianten enthalten, die sich keiner der bekannten Texttraditionen zuordnen lassen. Mit Shemaryahu Talmon kann man diese textliche Pluriformität in den frühen Qumranhandschriften damit erklären, dass die biblischen Texte sich zu dieser Zeit noch in der Formationsphase befanden. Emanuel Tov hat durch eine detaillierte Beschreibung der biblischen Texte aus Qumran deutlich gemacht, dass die verbreitete Theorie von den lokalen Textfamilien nicht mehr zu halten ist. Mit Emanuel Tov lassen sich folgende Einteilungen vornehmen:

- Handschriften mit Texten, die der masoretischen Texttradition (MT) nahe stehen, deshalb *protomasoretisch* genannt werden (40% der Handschriften; z.B. 1QJes[b]; 4QJer[c]);
- Handschriften, die der Texttradition der LXX nahe stehen, also die hebräische Vorlage für den LXX-Text enthalten könnten oder ihr nahe stehen, deshalb *präseptuagintisch* genannt werden

(5% der Handschriften; z.B. 4QEx[b]; 4QLev[d]; 4QDtn[q]; 4QSam[a]; 4QJer[b.d]);

- Handschriften, die der samaritanischen Texttradition nahe stehen, die bekannte Samaritaner-Ideologie aber noch nicht enthalten, deshalb *präsamaritanisch* genannt werden (ca. 5% der Handschriften; z.B. 4QpalaeoEx[m]; 4QNum[b]);
- Handschriften mit Texten in der so genannten *Qumran-Orthographie* (plene, lange Suffix-Formen), dem MT ähnlich, jedoch mit vielen Schreibfehlern (ca. 25% der Handschriften); ihr relativ freier Umgang mit dem biblischen Text spricht für ihr hohes Alter;
- Handschriften, die sich diesen Texttraditionen *nicht eindeutig* zuordnen lassen, aber auch untereinander weder durchgängige Übereinstimmungs- noch Abweichungsmuster erkennen lassen (25% der Handschriften; z.B. 5QDtn; 4QJos[a]; 4QRi[a]). Zum Teil scheinen diese Texte aus Bibeltexten heraus entwickelt worden zu sein etwa zu liturgischen Zwecken (z.B. 4QEx[d]; 4QDtn[j.n]; 4QHhld[a.b] und viele Psalmentexte).
- Einige Texte bezeugen eine weitere, nicht mit LXX deckungsgleiche *griechische Nebentradition* (z.B. 4Q119/120).

Eine Zwischenbilanz nach einem Durchgang durch die Bibelhandschriften aus Qumran kann neben der Kanonproblematik eine zweite wichtige Perspektive aufzeigen: die Bedeutung Qumrans für die Textgeschichte.

Die *Bedeutung Qumrans für die Textgeschichte* zeigt sich z.B. im Fall des *Jeremia-Buches*.[9] Hier zeigt die Texttradition eine überraschend deutliche Differenz zwischen MT und LXX, die nun mit Hilfe der Qumrantexte einer Klärung zugeführt werden kann. Die LXX-Fassung des Jeremia-Buches ist um ungefähr ein Siebtel kürzer als die MT-Fassung. In Qumran sind 6 Jer-Handschriften belegt (2Q13; 4Q70; 4Q71; 4Q71a; 4Q71b; 4Q72), von denen

---

[9] Vgl. K. Schmid, Buchgestalten des Jeremiabuches, WMANT 72, Neukirchen-Vluyn 1996, 13ff.

einige (2Q13; 4Q70; 4Q72 und 4Q71a) die längere MT-Fassung enthalten, während 4Q71(4QJer[b]) und 4Q71a(4QJer[d]) eindeutig mit der (postulierten hebräischen Vorlage von) LXX zusammengehen.
Damit bestätigt Qumran die Vermutung, dass die kürzere LXX-Fassung tatsächlich ein hebräisches Äquivalent hat, das eindeutig eine frühere literarische Stufe des Jeremia-Buches darstellt. Ein Blick auf die Datierung der Rollen zeigt, dass beide Fassungen tatsächlich nebeneinander existierten: 4Q70(4QJer[a], um 200 v.Chr., *proto-MT*), 4Q71(4QJer[b], 1. Hälfte 2. Jh. v.Chr., *nahe an LXX*), gleichzeitig mit 4Q72a(4QJer[d], 1. Hälfte des 2. Jh. v.Chr., *proto-MT*). Zwei unterschiedliche Fassungen des gleichen Buches befanden sich also in ein und derselben Bibliothek. Möglicherweise muss man aber noch weiter gehen: Da 4QJer[b] dem Text von LXX zwar nahe steht, nicht jedoch mit ihm identisch ist, ist mit der Existenz einer weiteren Texttradition zu rechnen.

IV. Folgen für die Textgeschichte der Hebräischen Bibel

Aus der Entdeckung echter Textvarianten entstand schon sehr früh (Origenes) das dringende Desiderat, nach dem Ursprungstext der Bibel zu suchen. Dabei wurden zwei hermeneutische Prämissen vorausgesetzt:

- der älteste Text ist der richtigere;
- hinter jedem biblischen Text steht letztlich ein letztverantwortlicher Autor/Editor/Redaktor, der seinen Text vernünftigerweise in eine einzige Endform gebracht hat.

Diese beiden hermeneutischen Prämissen sind gegenwärtig so heftig umstritten, dass sie wahrscheinlich aufgegeben werden müssen. Die erste Prämisse lebt davon, dass man nur eine einzige Texttransmissionslinie mit einer abfallenden Filiation annimmt, d.h. einen Urtext mit voneinander abhängigen Generationen von Abschriften. So lassen sich die Varianten erklären als unbeabsichtigte Fehler im Bereich der Abschreibevorgänge. Die Aufgabe des Exegeten besteht demnach darin, nach einem festen Regelwerk aus den Varianten der Textzeugen diesen »Urtext« zu rekonstruieren. Diese Diskussion lässt sich im Prinzip auf drei Grundpositionen engführen:

- Die *»Urtext«-Theorie von de Lagarde* geht davon aus, dass alle Texttraditionen letztlich auf einen einzigen Urtext zurückgehen. Das lässt sich nach Qumran nicht mehr aufrechterhalten. Hier gab es noch keinen Standardtext mit exklusivem Verpflichtungscharakter. Ein solcher entwickelt sich erst in den folgenden Jahrhunderten im Judentum.
- Die *»Vulgärtext«-Theorie von Kahle* geht davon aus, dass es ganz unwahrscheinlich ist, dass es für die Hebräische Bibel als Ganze einen einzigen ursprünglichen Text gegeben haben könnte. Die erkennbaren Divergenzen in den Texttraditionen wertete Kahle als direkte Folge einer pluralen Quellensituation, die Vereinheitlichungstendenzen als Hinweis auf die Existenz einer Vermittlungsquelle, die er Vulgärtext(e) nannte. Daraus ergab sich seine Theorie: Eine Mehrzahl biblischer Texte war zu Vulgärtexten (Samaritanus, LXX, MT, 1QJes^{a}), Vermittlungsquellen, vereinheitlicht worden, aus denen sich die uns überkommenen Bibelhandschriften entwickelt haben.
- Die *Theorie der »lokalen Textfamilien« von Albright/Cross* versucht, die richtigen Elemente beider Theorien zu rezipieren und weiter zu entwickeln. A. Sperber (1929) konzentrierte die Kahleschen Vulgärtexte auf eine nördliche (Samaritanus, LXX^{B}) und eine südliche (MT, LXX^{A}) Haupttradition. Daraus entwickelten William F. Albright und Frank M. Cross die weiter ausdifferenzierte Theorie der »lokalen Textfamilien«: Danach lassen sich alle Textzeugen einigen wenigen Textfamilien zuweisen, die wiederum in bestimmten Gebieten beheimatet sind. In nachexilischer Zeit unmittelbar nach den Schlussredaktionen des Pentateuches und des Deuteronomistischen Geschichtswer-

kes entstanden diese Textfamilien in Palästina, in der babylonischen Gola und schließlich auch in Ägypten.

Die *palästinische Textfamilie* hat im *Samaritanischen Pentateuch* den wichtigsten Textzeugen. Er geht auf einen früheren präsamaritanischen Text zurück, wie er auch in vielen Handschriften in Qumran (z.B. 4QpalaeoEx[m]; 4QRP[a]) bezeugt ist. Er hebt sich von diesen präsamaritanischen Texten nun eindeutig durch eine theologisch-ideologische Prägung ab, die sich historisch verorten lässt: Spätestens seit den Streitigkeiten zwischen Samaritanern und Esra (Flavius Josephus, Ant. XI § 312) wurde ein Schisma unausweichlich, dessen Datierung mehrheitlich gegen Ende der Perserzeit angesetzt wird. Jedenfalls wissen die Chronik (2Chr 13,3–18), die Hirtenallegorie (Sach 11,14) und Sirach (Sir 50,25f.) bereits von der Abtrennung. Auf diese Streitigkeiten antworteten die Samaritaner mit einem aggressiven Identitätsprogramm, indem sie alle Stellen im Pentateuch, die auf den Ort hinweisen, den Gott sich für seinen Gottesdienst erwählen wird (יבחר), nun explizit als vollzogen ansehen und entsprechend formulieren: Gott hat den Ort erwählt (בחר), und zwar Sichem (heute: Nablus) und den Berg Garizim (הר גריזים, südwestlich von Sichem: Ex 20,21).

Die *babylonische Textfamilie* umfasst die Texte, die von Palästina aus in die babylonische Diaspora gebracht wurden, wo sie dann tradiert wurden. Sie unterscheiden sich so sehr von denen der palästinischen und ägyptischen Textfamilie, dass man sie einer eigenen Familie zuweisen muss. Als wichtigste Texttradition hat sich in dieser Textfamilie der *Masoretische Text (MT)* ausgebildet.

Die *ägyptische Textfamilie* basiert auf einem – aus Palästina stammenden – Grundtext, der der *Septuaginta* (LXX), der Hauptzeugin der ägyptischen Textfamilie, als hebräische Vorlage gedient hat. In Qumran gehören zu dieser Familie die Texte 4QEx[a] und 4QJer[b]. 4QSam[a] (3. Jh. v.Chr.) dürfte sogar die direkte Vorlage für LXX gewesen sein.

Die Theorie von den »lokalen Textfamilien« hat der »Urtext«-Theorie die Annahme einer Gleichzeitigkeit verschiedener Texttraditionen entgegengesetzt. Dabei ist es ihr gelungen, die einzelnen Familien zutreffend zu charakterisieren und die geographische Entfernung und soziologische Distanz als textprägende Elemente sichtbar zu machen.

V. Neue Ansätze für eine Textgeschichte der Hebräischen Bibel

Die entscheidend weiterführende Argumentation gründet in zweifacher Weise in den Textfunden vom Toten Meer und der Genisa von Kairo.

Zum Ersten hat die parallele Existenz von biblischen Büchern in unterschiedlichen literarischen Stadien – vorher schon ansatzweise aus der Differenz von Jer^{MT} und Jer^{LXX} vermutet – gezeigt, dass der »Übergabe-Punkt« der biblischen Bücher zwischen der literarischen Genese und der literarischen Transmission neu bedacht werden muss.

Zum Zweiten haben diese Textfunde aufgewiesen, dass sich die bekannten Bibelhandschriften nicht exakt den genannten Textfamilien zuordnen lassen, dass sie vielmehr eine größere Textpluralität dokumentieren und damit eine weiter reichende Differenzierung erzwingen.

1. Die Theorie von der Vielzahl der Texttraditionen (»textual variety«)

Emanuel Tov (und in seinem Gefolge Eugene Ulrich) hat in seiner Theorie von der »textual variety« (Vielfalt der Texte) die Annahme von drei Texttypen völlig aufgegeben. Für Emanuel Tov ist die Divergenz von Jer^{LXX} und Jer^{MT} der entscheidende Auslöser für seine Theorie, dass LXX, Samaritanus und MT keine Texttypen, sondern Texte sind, die nicht nur in einem synchronen (zeitlich nebeneinander), sondern auch in einem diachronen (zeitlich hintereinander) Beziehungsgeflecht stehen.

2. Die Theorie der »Gruppentexte«

In Antwort auf die Theorie von Cross vertrat Talmon die modifizierte Theorie der »Gruppentexte«. Er ging dabei aus von seiner Vorstellung, dass die ganze Textgeschichte immer schon von »einem einzelnen Texttyp« (im weiteren Sinne) geprägt war, der sich aber schon früh aufgrund soziologisch unterschiedlicher Trägergruppen in mehrere Texttypen hinein differenzierte. Die tat sächlich vorgefundene Dreizahl der Texttypen – nur die Samaritaner [Samaritanus], Christen [LXX] und Rabbinen [MT] haben als Trägergruppen überlebt – ist Relikt einer ursprünglich viel größeren Vielfalt. Deshalb ist die Rekonstruktion eines Urtextes unmöglich.

3. Hauptelemente gegenwärtiger Theoriebildung

Gegenwärtig schält sich ein Konsens über eine größere Diversivität der Textüberlieferung heraus (Martin J. Mulder, Emanuel Tov, Bruno Chiesa, Eugene Ulrich, James C. VanderKam, Yochanan Goldman, Heinz-Josef Fabry), in der zwar Samaritanus, LXX und MT als Texte auf bestimmte Textfamilien verweisen, die wirkliche Anzahl solcher Texte und Textfamilien aber unbestimmt größer angesetzt werden muss. In der gegenwärtigen Diskussion gewinnen folgende Argumente eine Präponderanz:

- Die Geschichte eines Textes – dem eine unbestimmt lange mündliche Überlieferung vorausgehen kann – beginnt im klassischen Sinne mit der *Übergabe des fertigen Textes* durch Autor oder Schlussredaktor an seine Lesergemeinde. Dieses Ereignis ist für die Ansetzung biblisch-exegetischer Methodik von entscheidender Bedeutung, denn die Schlussredaktion eines biblischen Textes gilt als der Schlusspunkt seiner z.T. umfangreichen und komplexen literarischen Genese. Änderungen und Entwicklungen des Textes bis zu diesem Zeitpunkt gelten als beabsichtigt und sind per definitionem Gegenstand der Literar-

und Redaktionskritik. Dann geht die Schlussredaktion eines biblischen Textes nahtlos in die Texttradition über. Änderungen und Entwicklungen des Textes nach diesem Zeitpunkt gelten als unbeabsichtigt und sind per definitionem Gegenstand der Textkritik.[10]

- Diese akademische Definition wird aber in mehrfacher Hinsicht den vorfindlichen Fakten und ihrer Komplexität nicht gerecht. Es ist nämlich keineswegs sicher, ob es für biblische Texte im Einzelnen einen solchen Übergabepunkt gibt. Für die Hebräische Bibel als Ganze ist eine solche Sicht sicher ausgeschlossen. Unabhängig davon gab es jedoch schon relativ früh fertige Teiltexte (Privilegrecht, Bundesbuch, Dekalog u.a.) und fertige Teilsammlungen (Erzählkränze, dann Pentateuch; Davidpsalmen u.a.; weisheitliche Kompendien).
- Bedenkt man weiter, dass die absolute Textstabilisierung weder der Kanonisierung vorausgeht noch mit ihr identisch ist, sondern als Folge des kanonisierenden Prozesses angesehen werden muss, dann verschieben sich doch die Parameter in entscheidender Weise! Deswegen geht die gegenwärtige Theoriebildung (z.B. Tov, Ulrich) von dem Ansatz aus, dass eine Schlussredaktion nahtlos in die Texttradition übergeht, ein Text also keinen *Übergabe-Punkt*, sondern einen *Übergabe-Bereich* hat.
- Dies erklärt zum Einen das Nebeneinander von beabsichtigten Textänderungen und unbeabsichtigten Textfehlern. Dieser Übergabe-Bereich kann sich zudem über einen erheblichen lokalen

---

[10] Die Unterscheidung zwischen beabsichtigten und unbeabsichtigten Textänderungen wurde in die Diskussion eingebracht von L. Schwienhorst, Die Eroberung Jerichos. Exegetische Untersuchungen zu Jos 6, SBS 122, Stuttgart 1986, 15–21; zur weiteren Diskussion, auf die ich an einer anderen Stelle eingehen werde, verweise ich auf H.-J. Stipp, Das Verhältnis von Textkritik und Literarkritik in neueren alttestamentlichen Veröffentlichungen, BZ N.F. 34 (1990), 16–37; ders., Textkritik – Literarkritik – Textentwicklung. Überlegungen zur exegetischen Aspektsystematik, EThL 66 (1990), 143–159. Dazu vgl. auch die Gegenposition von K. Bieberstein, Josua – Jordan – Jericho. Archäologie, Geschichte und Theologie der Landnahmeerzählungen Josua 1–6, OBO 143, Freiburg (Schweiz) / Göttingen 1995, bes. 71–81.

und/oder zeitlichen Raum erstrecken, sodass von derselben Schrift mehrere Kompositionen aus unterschiedlichen Textentwicklungsstadien existieren können, von denen sich schließlich eine – aus welchen Gründen auch immer – durchgesetzt hat. Das erklärt zum Anderen das Nebeneinander divergierender Textfassungen. Dabei können frühere Ausgaben möglicherweise in soziologisch (Qumran) oder lokal entfernten Gebieten (Alexandrien) noch lange in Geltung bleiben, obwohl sich offiziell eine andere Fassung durchgesetzt hat.

- Die Textgeschichte zeigt sich als ein breites Flussbett, in dem gleich mehrere Ströme offensichtlich voneinander völlig unbeeindruckt parallel verlaufen, sich gelegentlich berühren und ihre Wasser miteinander vermischen, um sich dann wieder für ein Stück des Weges zu trennen. Seit 300 v.Chr. waren mindestens vier unterschiedliche Texttraditionen im Umlauf, die sich z.T. auch regional zuweisen lassen mögen, in Qumran jedoch konvergieren konnten und damit das Lokalprinzip aufheben. Nun hat Qumran gelehrt, dass eine Vielzahl von Texttraditionen in ein und derselben Gemeinde nebeneinander existieren konnte. Dieser Pluralität wird der Klassifizierungsversuch von E. Tov besser gerecht als frühere Theorien.
- Besondere Aufmerksamkeit verdient in der gegenwärtigen Theoriebildung die Frage nach den *Trägergruppen* der einzelnen Texttraditionen. Sie vermag langfristig die Theorie von den »lokalen Textfamilien« zu ersetzen. Sicher steht die Forschung hier noch am Anfang, da wir auch trotz Qumran über die Vielfältigkeit des damaligen Judentums nur wenig wissen. Es lassen sich gelegentlich bestimmte Gruppierungen erkennen, die bestimmte Texttraditionen bevorzugt haben. Während man priesterliche Kreise am Tempel (Sadoqiden) und die Pharisäer als Trägerkreise für konservative Texttraditionen annehmen kann (Proto-MT, Prä-Samaritanus) – ähnlich wird man den ursprünglichen Trägerkreis der samaritanischen Texttradition zu werten haben –, dürften im Volk eher popularisierende Textausgaben (Kompendien, Nacherzählungen, »rewritten Pentateuch«,

Pseudo-Jubiläen u.a.) im Umlauf gewesen sein. In der essenischen Gemeinde sah man sich keiner einzelnen Texttradition verpflichtet, hat vielmehr alle bekannten Traditionen rezipiert (zumindest gesammelt) und offensichtlich auch zusätzlich eine eigene Tradition gepflegt. Im rabbinischen Judentum setzt dagegen in den ersten Jahrhunderten n.Chr. eine sorgfältige Pflege der einzig verbliebenen Texttradition ein. Das Institut der *maggihîm* und die Vorschrift, Abschriften anhand eines *sefær muggah,* einer »korrigierten Rolle« zu prüfen (b.Pesah 112a; j.Taʿan 4.68a), zeigt die vorgeschriebene Sorgfalt. Auf diese Weise entstand ein vollständig fixierter Standardtext als Ergebnis, nicht als Ziel der langen Textgeschichte.

Sind damit die Haupttheorien der älteren Forschungsgeschichte wesentlich in Frage gestellt, ist die leitende Suche nach der Einheit einer überzeugenden Bestätigung der Vielfalt gewichen, dann steht letztlich auch die *Dominanz der MT-Texttradition* zur Debatte.

Die Bedeutung der Qumranfunde für das Verständnis des Neuen Testaments[*]

Jörg Frey

Was die Qumran-Funde für das Bild Jesu und des frühen Christentums bedeuten, ob und inwiefern sie dieses Bild signifikant verändert haben, diese Frage interessiert christliche Leserinnen und Leser wohl am allermeisten. Mögen andere Fragestellungen wissenschaftlich auch vordringlicher und interessanter sein: Wo es um die Hintergründe und Anfänge des christlichen Glaubens und um das richtige Verständnis der urchristlichen Überlieferung geht, erwacht nach wie vor das Interesse einer breiten kirchlichen wie auch kirchenkritischen Öffentlichkeit. Apologetische Interessen einerseits und skeptische Distanz zu dem von der Kirche vermittelten Bild des Urchristentums auf der anderen Seite bestimmen die Diskussion, die bis in die Weihnachts- und Osterausgaben der großen Zeitschriften und Nachrichtenmagazine vordringt. Das öffentliche Interesse leistet allerdings auch der Versuchung Vorschub, mit steilen Thesen und unseriösen Behauptungen Geschäfte zu machen und Auflagen zu erzielen, die mit seriöser wissenschaftlicher Arbeit nie zu erreichen sind. Dann erscheint »Jesus« im Titel eines Buches, auch wenn dieses mitnichten von Jesus oder den Urchristen handelt,[1] und ein geschicktes Marketing verspricht

---

* Überarbeitete und erweiterte Fassung des Vortrags, der beim Qumran-Symposium in der Stiftsbibliothek St. Gallen am 3. Juli 1999 und als Gastvortrag im Albrecht-Bengel-Haus in Tübingen am 28. Oktober 1999 sowie an weiteren Orten gehalten wurde. Für die kritische Durchsicht danke ich meinen Mitarbeitern, Dr. des. Michael Becker, Christina Jörg und Enno Edzard Popkes (München).

1 Als Beispiele nenne ich hier nur die deutsche Übersetzung der Edition von

neue, umstürzende Erkenntnisse und sensationelle Enthüllungen. So entstehen Bestseller – auch wenn der Inhalt solcher Machwerke für Fachleute weder neu noch umstürzend und in vielen Fällen schlicht falsch ist.[2]

I. Die Qumran-Funde – eine bibelwissenschaftliche Sensation

Auch wissenschaftlich waren die Qumran-Funde von Anfang an eine Sensation ersten Ranges: Für Bibelwissenschaft und Judaistik sind sie der bedeutendste Textfund des 20. Jahrhunderts, und seit den Nachrichten über die ersten Funde hat die Bibliothek von Qumran selbst eine kaum mehr zu überschauende Bibliothek wissenschaftlicher Veröffentlichungen hervorgebracht.[3] Über fünf-

---

z.T. noch uneditierten Qumran-Texten von R.H. Eisenman / M.O. Wise, Jesus und die Urchristen. Die Qumran-Rollen entschlüsselt, München 1993, die an keiner Stelle explizit von Jesus und trotz der bewusst schwammigen Erklärungen Eisenmans auch nicht vom Urchristentum handelt und in der englischen Originalausgabe den sehr viel nüchterneren Titel »The Dead Sea Scrolls Uncovered« (Dorset 1992) trägt. Ein noch geschickterer Vermarktungstrick machte aus der pseudowissenschaftlich-romanhaften »Enthüllungsstory« von M. Baigent und R. Leigh mit dem Titel »The Dead Sea Srolls Deception« (New York 1991) den Bestseller in dem von den Kirchen ausgerufenen »Jahr mit der Bibel«: M. Baigent / R. Leigh, Verschlußsache Jesus. Die Qumranrollen und die Wahrheit über das frühe Christentum, München 1991. Auch hinter diesem Werk standen die fachwissenschaftlich fragwürdigen Thesen von Robert H. Eisenman (s. dazu unten Abschnitt II.2).

[2] S. zu dem in Anm. 1 genannten Werk von M. Baigent / R. Leigh die Besprechung von M. Hengel, Die Qumranrollen und der Umgang mit der Wahrheit, ThBeitr 23 (1992), 233–237.

[3] Die Zahl der Publikationen wird von Hartmut Stegemann auf inzwischen über 15000 geschätzt, s. H. Stegemann, Qumran, Qumran – und längst kein Ende, ThRev 94 (1998), 483–488, 483. Diese sind aufgelistet in verschiedenen Bibliographien: Ch. Burchard, Bibliographie zu den Handschriften vom Toten Meer 1, BZAW 76, Berlin 1957; ders., Bibliographie zu den Handschriften vom Toten Meer 2, BZAW 89, Berlin 1965; B. Jongeling, A Classified Bibliography of the Finds in the Desert of Judah 1958–1969, StTDJ 7, Leiden 1971; W.S. LaSor, Bibliography of the Dead Sea Scrolls 1948–1957,

zig Jahre nach den ersten Entdeckungen und kurz vor dem Abschluss der offiziellen Edition der letzten Fragmente bieten die Texte von Qumran noch immer viele offene Fragen, und eine große Zahl von Forschern unterschiedlicher Nationalität und Religion bearbeitet die Schriftrollen und insbesondere die zahlreichen kleinen Fragmente mit klassischen philologischen Methoden und modernsten technischen Hilfsmitteln.[4] Für die Bibelwissenschaft sind die Texte von Qumran deshalb von unschätzbarem Wert, weil durch diesen Fund erstmals in größerer Zahl hebräische und aramäische Originaltexte aus dem palästinischen Judentum der Zeit um die Zeitenwende ans Tageslicht gekommen sind und sich dadurch die Quellenlage zur Erhellung des jüdischen Umfeldes Jesu und des Urchristentums in entscheidender Weise verbessert hat.

Pasadena 1958; F. García Martínez / D.W. Parry, A Bibliography of the Finds in the Desert of Judah 1970–95, StTDJ 19, Leiden 1996, in der fortlaufenden Bibliographie der Zeitschrift Revue de Qumran und in der ständig aktualisierten Internet-Bibliographie der Webseite des Orion Institute der Hebräischen Universität (Jerusalem): http://www.orion.mscc.huji.ac.il.

4 Zu erwähnen sind hier unter anderem die Techniken der Infrarot-Fotografie und der elektronischen Bildbearbeitung (zur Steigerung der Lesbarkeit geschwärzter Passagen), der Radio-Carbon-Analyse (zur Datierung), der DNA-Analyse (zur Zuordnung einzelner Lederfragmente) etc. Zur Radio-Carbon-Analyse s. die Literatur unten Anm. 32; zur fotografischen und elektronischen Bildbearbeitung s. grundlegend A. Lange, Computer-Aided Text-Reconstruction and Transcription: CATT Manual, Tübingen 1993, sowie B. Zuckerman, Bringing the Dead Sea Scrolls Back to Life. A New Evaluation of Photographic and Electronic Imaging of the Dead Sea Scrolls, DSD 3 (1996), 178–207; s. weiter die unterschiedlichen Beiträge in D.W. Parry / S. Ricks, Current Research and Technological Developments on the Dead Sea Scrolls, StTDJ 20, Leiden / New York / Köln 1996, 215–250; D.W. Parry / E. Ulrich (Hg.), The Provo International Conference on the Dead Sea Scrolls. Technological Innovations, New Texts, and Reformulated Issues, StTDJ 30, Leiden u.a. 1999, 5–43, sowie P.W. Flint / J.C. VanderKam (Hg.), The Dead Sea Scrolls After Fifty Years. A Comprehensive Assessment 1, Leiden u.a. 1998, 430–515.

Das öffentliche Interesse an den Textfunden wurde freilich zunächst weniger durch die Frage nach ihrer Bedeutung für das Verständnis Jesu und des Urchristentums bestimmt als vielmehr durch die Tatsache, dass sich in Qumran – unter den ersten Funden von Höhle 1 – ein faszinierender Zeuge für den alttestamentlichen Bibeltext befunden hatte: die große Jesajarolle 1QJes^{a}, die sich als ca. 1000 Jahre älter erwies als die ältesten bis dahin bekannten masoretischen Codices[5] und den Text des Jesajabuches vollständig und mit nur relativ wenigen, vorwiegend orthographischen Abweichungen enthält. Der Text der zweiten, nicht mehr vollständig erhaltenen Jesajarolle aus Höhle 1 (1QJes^{b}) steht der mittelalterlichen Texttradition sogar noch näher. Die ersten Textfunde schienen somit die Treue der alttestamentlichen Textüberlieferung zu bestätigen.[6] Das war die Botschaft, die in einer breiten Öffentlichkeit ankam und dort vielfach in apologetischem Sinne ausgewertet wurde.[7] Insofern galt das öffentliche Interesse an den Funden zunächst ihrer Bedeutung für die hebräische Bibel.

---

5 Codex Petropolitanus (früher: Codex Leningradensis B 19^{A}) geht auf das Jahr 1009 zurück, der Codex Aleppo wurde um 925 vokalisiert, einige andere mittelalterliche Codices sind vielleicht nur wenig älter (s. dazu E. Tov, Der Text der Hebräischen Bibel. Handbuch der Textkritik, übersetzt von H.-J. Fabry, Stuttgart u.a. 1997, 36–38). Vor den Funden von Qumran war nur ein einziges antikes Fragment des hebräischen Bibeltextes bekannt: der Papyrus Nash, der aus dem 1. oder 2. Jh. v.Chr. stammt, aber nur eine Form des Dekalogs und das *š^{e}ma ʿ jiśra ʾel* aus Dtn 6,4 enthält (s. dazu E. Tov, Der Text der Hebräischen Bibel, 99; E. Ulrich, The Dead Sea Scrolls and the Biblical Text, in: P.W. Flint / J.C. VanderKam [Hg.], The Dead Sea Scrolls After Fifty Years 1, Leiden / Boston / Köln 1998, 79–100, 79).

6 Vgl. M. Burrows, Die Schriftrollen vom Toten Meer, München 1957, 249.

7 Vorsichtiger formuliert, erlaubte die Jesaja-Rolle den Schluss, dass die masoretische Texttradition bereits in vorchristliche Zeit zurückreicht. Dieser Sachverhalt bleibt beachtlich, auch wenn man heute – in Anbetracht der zahlreichen Bibelhandschriften aus Qumran – ein sehr viel differenzierteres Bild zu zeichnen hat, in dem mit einem Nebeneinander verschiedener Texttraditionen zu rechnen ist (s. dazu E. Ulrich, The Dead Sea Scrolls and the Biblical Text [s. Anm. 5]; E. Tov, Der Text der Hebräischen Bibel [s. Anm. 5], 83–98) und in dem im Blick auf den Prozess der Redaktion und

Die Bedeutung der Funde für das Verständnis des Neuen Testaments lag in der ersten Phase der Qumranforschung nicht so unmittelbar auf der Hand, vor allem weil die Texte (mit Ausnahme der Handschriften biblischer Bücher) zunächst als Produkte einer marginalen jüdischen Sekte angesehen wurden. Nur wenige Forscher ahnten schon bald nach den ersten Entdeckungen, dass sich aus diesen Texten grundlegende neue Einsichten zum sprachlichen und religiösen Hintergrund des Urchristentums ergeben sollten, und dass viele Phrasen und Ideen, die man in der Forschung bis dahin als unjüdisch, hellenistisch oder gar gnostisch angesehen hatte, tatsächlich aus dem Judentum stammten.
Mehr Aufsehen erregten – und erregen bis heute – jene Autoren, die zwischen dem »Wüstenkloster« und Jesus oder dem Urchristentum engere Bezüge herstellen wollen. Einige ihrer Spitzenthesen und ihre Problematik sind im Folgenden kurz zu benennen (II). Daraufhin sollen einige methodische Differenzierungen eingeführt werden (III). Schließlich möchte ich an drei exemplarischen Punkten vorführen (IV), was sich bei nüchterner Betrachtung über die Bedeutung der Qumrantexte für das Verständnis des Neuen Testaments sagen lässt.

II. Vier problematische Modelle

1. Qumran als »Prototyp« des Urchristentums?

Fragt man nach Modellen der Beziehungen zwischen Qumran und dem Urchristentum, so stößt man zuerst auf ein sehr populäres, in der Fachwissenschaft allerdings längst als völlig unhaltbar erkanntes Modell: Es ist die These, dass die Qumrangemeinde eine Art Vorläuferin der christlichen Gemeinde oder der in den Qumrantexten genannte, uns namentlich nicht näher bekannte »Lehrer der Gerechtigkeit« ein Vorbild für das Auftreten Jesu von Naza-

Kanonisierung einzelner Schriften noch viele Fragen offen sind.

reth oder ein »Prototyp« für seine spätere Darstellung gewesen sei. Schon im Jahr 1950 trat auf der Basis der ersten Funde der französische Gelehrte André Dupont-Sommer mit dieser These an die Öffentlichkeit.[8] Der amerikanische Journalist Edmund Wilson hat ihr später breite Publizität beschert,[9] während Dupont-Sommer von seinen überzogenen Annahmen wieder Abstand nahm. Auf der Basis der ersten Funde hatte er vermutet, der »Lehrer der Gerechtigkeit« sei bereits 100 Jahre vor Jesus als Messias aufgetreten, habe Umkehr, Demut, Nächstenliebe und Enthaltsamkeit gepredigt und eine Art Kirche gegründet, in der ein heiliges Mahl gehalten wurde. Auch er habe die Feindschaft der Priester auf sich gezogen und sei schließlich verurteilt und getötet worden. Der Lehrer, von dem die Texte reden, sei insofern ein »exakter Prototyp Jesu«,[10] oder umgekehrt, Jesus eine »erstaunliche Reinkarnation«[11] des Lehrers bzw. das Jesusbild der Evangelisten eine Kopie des älteren Modells. Wilson war der Meinung, mit dieser Erkenntnis wäre der Offenbarungsanspruch des Christentums erledigt, dessen Aufstieg nun als bloße Episode der Menschheitsgeschichte erkannt werden könnte. Mit der These, die Qumrantexte seien eine potentielle Gefährdung für den Kirchenglauben, lassen sich bis heute publizistische Erfolge erzielen.[12]

---

[8] A. Dupont-Sommer, Aperçus préliminaires sur les manuscrits de la Mer Morte, L'Orient ancien illustré 4, Paris 1950 (s. dort 119–122: »La ‹Nouvelle Alliance› Juive et la ‹Nouvelle Alliance› Chrétienne«).

[9] E. Wilson, A Reporter at Large, The New Yorker 31/13 (14. 5. 1955), 45–121; ders., The Scrolls from the Dead Sea, New York 1955 (s. den erweiterten Nachdruck in: ders., The Dead Sea Scrolls 1947–1969, London 1969).

[10] Vgl. E. Wilson, The Scrolls from the Dead Sea (s. Anm. 9), 55.

[11] Vgl. A. Dupont-Sommer, Aperçus préliminaires (s. Anm. 8), 121.

[12] S. außer der in M. Baigent / R. Leigh, The Dead Sea Scrolls Deception (s. Anm. 1) breit verarbeiteten, wenngleich völlig absurden These, dass der Vatikan die Veröffentlichung der Schriftrollen unterbunden habe, exemplarisch den Artikel von W. Harenberg, Gab es Christen vor Jesus, Der Spiegel, Ausgabe vom 5. 1. 1995, 126–135 (dort 132: »Im Lichte der Qumran-Texte erweist sich manche Lehrmeinung als überholt, manches Bibel-Wort wirkt wie ein Plagiat.«).

Freilich waren Dupont-Sommers Thesen von Anfang an überzogen,[13] und die Folgerungen, die Wilson aus ihnen zog, allzu kurzschlüssig. Er erhoffte sich aus der historischen Relativierung der »Einzigartigkeit« des Christentums einen Fortschritt des aufgeklärten Denkens und einen Gewinn an Humanität. Deshalb waren die Thesen Dupont-Sommers für ihn so interessant. Es erübrigt sich fast zu bemerken, dass es für historisch gebildete Theologen keineswegs umstürzend sein konnte, dass einzelne Lehren Jesu und Riten oder Sozialformen des Urchristentums im antiken Judentum ihre Vorbilder und Vorläufer besitzen. Allerdings resultierten die weit reichenden Parallelen, die Dupont-Sommer zwischen der Qumrangemeinde und dem frühen Christentum bzw. dem »Lehrer der Gerechtigkeit« und Jesus annahm, aus gravierenden Fehllesungen einiger Qumrantexte:

Der »Lehrer der Gerechtigkeit«[14], der – nach der Rekonstruktion von Hartmut Stegemann[15] – die Frommen des »Neuen Bundes« in der Zeit der Makkabäerkämpfe sammelte und zur »Einung«, zum *yaḥad* der »Essener«[16] formte, verstand sich selbst wohl als inspi-

---

[13] Dies war aus der fachwissenschaftlichen Diskussion um das Buch von Dupont-Sommer früh erkennbar (s. W. Baumgartner, Der palästinische Handschriftenfund, ThR 19 [1951] 97–154, 149f.) und Wilson durchaus bewusst.

[14] Zu dieser Gestalt, über deren Identität in der Forschung freilich keine Einigkeit besteht, s. die immer noch grundlegende Arbeit von G. Jeremias, Der Lehrer der Gerechtigkeit, StUNT 2, Göttingen 1963, sowie – weiterführend – H. Stegemann, Die Entstehung der Qumrangemeinde, Habilitationsschrift Bonn, Privatdruck Bonn 1971. Andere Interpreten verzichten darauf, die Aussagen über den »Lehrer« einer einzigen Gestalt der Gemeindegeschichte zuzuordnen (so z.B. P.R. Callaway, The History of the Qumran Community, JSP.S 3, Sheffield 1988), doch muss hier auf die Auseinandersetzung mit derartigen Theorien verzichtet werden.

[15] Vgl. H. Stegemann, Die Essener, Qumran, Johannes der Täufer und Jesus, Freiburg / Basel / Wien 1993, 198ff.

[16] Auch die Identifikation des *yaḥad* mit den bei Josephus, Philo und Plinius d. Ä. erwähnten Ἐσσηνοί bzw. Ἐσσαῖοι wird in der Forschung gelegentlich bestritten (s. zuletzt G. Bergmeier, Die Essener-Berichte des Flavius Josephus. Quellenstudien zu den Essenertexten im Werk des jüdischen Historio-

rierter Schriftausleger,[17] aber nicht als Messias.[18] Und obwohl die Qumran-Texte von Nachstellungen gegen den »Lehrer« reden,[19] lässt sich doch aus keinem der Texte etwas über einen gewaltsamen Tod entnehmen, erst recht nicht über eine Kreuzigung des »Lehrers«, wie manche Presseberichte im Blick auf 4Q285 voreilig behaupteten.[20] In diesem Text ist nämlich nicht vom »Lehrer« die Rede, sondern vom endzeitlichen »Fürsten der Gemeinschaft«. Von diesem heißt es, dass er »ihn«, d.h. wohl seinen Widersacher,

---

graphen, Kampen 1993), freilich erscheinen einige Übereinstimmungen zwischen den Angaben der Essener-Berichte des Josephus und den aus dem *yaḥad* stammenden Texten aus der Qumran-Bibliothek so signifikant, dass doch anzunehmen ist, dass beide von ein und derselben Gruppe sprechen. Allerdings waren die Bewohner von Qumran wohl nur ein kleiner Teil einer sehr viel größeren Bewegung – die bei den antiken Autoren »Essener« genannt wird (s. zu der Identifikation auch A. Lange, Art. Essener, Der Neue Pauly 4, Stuttgart 1998, 141ff.).

[17] Vgl. 1QpHab VII,4–5. Vermutlich war der »Lehrer« hohepriesterlicher Herkunft (4QpPs[a] III,15); s. dazu H. Stegemann, Die Essener (s. Anm. 15), 205f.

[18] Vgl. G. Jeremias, Der Lehrer der Gerechtigkeit (s. Anm. 14), 285: »Nichts wird davon gesagt, daß der historische Lehrer auch der eschatologische Lehrer sein wird. ... Nichts identifiziert ihn mit dem Messias.« Vgl. jetzt J. Zimmermann, Messianische Texte aus Qumran, WUNT II/104, Tübingen 1998, 455–458.

[19] Vgl. 1QpHab XI,2–8: Dort wird Hab 2,15 interpretiert: »Seine Deutung bezieht sich auf den gottlosen Priester, der den Lehrer der Gerechtigkeit verfolgte, um ihn zu verschlingen im Zorn seines Grimms. Am Ort seines Exils und zur Zeit des Festes, während der Ruhe des Versöhnungstags, erschien er bei ihnen, um sie zu verschlingen und zu Fall zu bringen am Tage des Fastens, dem Sabbat ihrer Ruhe.«

[20] So z. B. The New York Times, Ausgabe vom 8. November 1991; The Times (London), Ausgabe vom 8. November 1991. Die Thesen weisen auf R.H. Eisenman und M.O. Wise zurück, die in ihrer Ausgabe von Qumran-Texten (Jesus und die Urchristen [s. Anm. 1], 30ff.) den Text 4Q285 unter dem Titel »Der messianische Führer« präsentierten und für die Passage (dort als Fragment 7, Zeile 5 bezeichnet) die Übersetzung »und sie werden den Führer der Gemeinde töten, den Zwei[g Davids]« vorschlugen (Jesus und die Urchristen, 36).

töten werde.[21] Diese Interpretation der Textstelle fügt sich hervorragend in den Kontext ein. 4Q285 ist also keinesfalls ein Beleg für einen gewaltsamen Tod des »Lehrers der Gerechtigkeit«. Dass das Geschick Jesu in der Gestalt desselben präfiguriert sei, ist daher völlig abwegig.

Dass zwischen dem »Lehrer« und Jesus[22] wie auch zwischen einigen Vorstellungen und Praktiken des *yaḥad* und dem Urchristentum Parallelen begegnen, ist etwas anderes und bedarf im Einzelfall der Interpretation. Aber die These Dupont-Sommers, die auf einen Gelehrten des 19. Jahrhunderts, Ernest Renan, zurückgeht, dass das Christentum eine Form des Essenismus sei,[23] lässt sich angesichts der Texte von Qumran nicht aufrechterhalten. Die Qumrangemeinde ist nicht der »Prototyp« des Urchristentums.

---

[21] Auch wenn die passive Übersetzung der Wendung והמיתו נשיא העדה in diesem Fragment (4Q285 Frgm. 5, Z.4) grammatikalisch nicht unmöglich ist, ist doch die Wiedergabe »und der Fürst der Gemeinde, der Sp[roß(?) Davids] wird ihn töten« (so J. Zimmermann, Messianische Texte aus Qumran [s. Anm. 18], 83) eindeutig vorzuziehen. Dafür spricht insbesondere der Anschluss an das Zitat aus Jes 10,34–11,1 in Z.1–2 desselben Fragments (s. J. Zimmermann, Messianische Texte aus Qumran, 87). Vgl. weiter O. Betz / R. Riesner, Jesus, Qumran und der Vatikan, Giessen / Basel / Freiburg i.Br. 1993, 103–120; M. Bockmuehl, A Slain Messiah in 4QSerekh Milchamah (4Q285)?, TynB 43 (1992), 155–169; J.J. Collins, Jesus, Messianism and the Dead Sea Scrolls, in: J.H. Charlesworth / H. Lichtenberger / G. Oegema (Hg.), Qumran-Messianism, Tübingen 1998, 100–119, 105f.

[22] S. dazu G. Jeremias, Der Lehrer der Gerechtigkeit (s. Anm. 14), 319–353; H. Stegemann, »The Teacher of Righteousness« and Jesus: Two Types of Religious Leadership in Judaism at the Turn of the Era, in: S. Talmon (Hg.), Jewish Civilization in the Hellenistic-Roman Period, Philadelphia 1991, 196–213.

[23] «Le christianisme est un essénisme qui a largement réussi« (A. Dupont-Sommer, Aperçus préliminaires [s. Anm. 8], 121; vgl. E. Renan, Œuvres Complètes. Édition définitive, hg. v. H. Psichari, Bd. 6, Paris 1953, 1301).

2. Die Qumrantexte als Reflex des Urchristentums?

Eine zweite Theorie über die Beziehungen zwischen den Qumrantexten und dem Urchristentum ist hier zu erwähnen, weil sie in populären Veröffentlichungen große Verbreitung erlangt hat, obwohl sie wissenschaftlich völlig unhaltbar ist. Einzelne Autoren behaupten immer wieder, dass die Qumran-Texte tatsächlich aus dem Urchristentum stammten und in verdeckter Form von einigen Personen und Gruppen aus demselben redeten. So böten sie eine Quelle, um die Geschichte der Anfänge des Christentums noch einmal »ganz anders« zu schreiben.

Auch diese These lebt von ihrer aufklärerisch-kirchenkritischen Attitüde, und sie findet Anklang bei denen, die auf der Suche sind nach einem »anderen« Jesus oder schon immer argwöhnten, dass die Kirche und die Theologie ihnen nur die halbe Wahrheit zu sagen wagten. Dieser Verdacht wurde 1991 durch die Journalisten Michael Baigent und Richard Leigh in ihrem Bestseller »Verschlußsache Jesus« verbreitet. Dieses Buch spielte mit der Vermutung, die Kirche – konkret: der Vatikan – wolle die Wahrheit über das frühe Christentum unter Verschluss halten.

Zugrunde legten die Autoren die Thesen eines sehr umstrittenen Qumranforschers, Robert Eisenman.[24] Dieser wollte die Qumran-Texte und das Neue Testament als Zeugnisse einer einzigen jüdischen Bewegung deuten, die von Esra über die Makkabäer und

---

[24] Vgl. R.H. Eisenman, Maccabees, Zadokites, Christians and Qumran. A New Hypothesis of Qumran Origins, StPB 34, Leiden 1983; ders., James the Just in the Habakkuk Pesher, Leiden 1986; ders., Playing on and Transmuting Words: Interpreting »Abeit-Galuto« Offered in the Habakkuk-Pesher, in: Z.J. Kapera (Hg.), Mogilany 1989: Papers on the Dead Sea Scrolls in Memory of Jean Carmignac: Part 2. The Teacher of Righteousness, Literary Studies, Krakau 1991, 177–196; ders., Theory of Judeo-Christian Origins: The Last Column of the Damascus Document, in: M.O. Wise u.a. (Hg.), Methods of Investigation of the Dead Sea Scrolls and the Khirbet Qumran Site: Present Realities and Future Prospects, New York 1994, 355–370; ders., Jakobus, der Bruder von Jesus. Der Schlüssel zum Geheimnis des Frühchristentums und der Qumran-Rollen, München 1998.

Johannes den Täufer bis zu Jesus und seinem Bruder Jakobus reicht. Der Ansatzpunkt ist die eher oberflächliche Parallele zwischen der Bezeichnung »Lehrer der Gerechtigkeit« (מורה הצדק) und dem Beinamen des Jakobus »der Gerechte«,[25] die Eisenman dazu verleitet, beide Gestalten zu identifizieren und die berühmte Passage aus dem Habakuk-Kommentar über die Nachstellungen gegen den Lehrer[26] als Kommentar zu dem von Josephus berichteten Martyrium des Jakobus zu verstehen. Trifft dies zu, dann kann der dem Lehrer entgegengesetzte »Lügenmann« der Qumrantexte natürlich kein anderer sein als der Apostel Paulus. Auf dieser Basis erscheinen die Qumrantexte als Zeugnisse judenchristlich-zelotischer Polemik gegen Paulus, der als jüdischer Apostat und zugleich als römischer Agent gezeichnet wird. Die ganze phantastische Theorie gründet auf dem Postulat, dass die Autoren der Qumran-Texte mittels einer Wortspiel-»Methode« historische Ereignisse hinter dunklen Anspielungen versteckten,[27] sodass der Interpret die Rätsel mit Hilfe spekulativer Phantasie zu »entschlüsseln« hätte. Der hemmungslosen Allegorese ist damit Tür und Tor geöffnet; die Texte können letztlich nur noch sagen, was ihr Interpret ihnen entlocken will.

Noch eine Steigerung des Phantastischen bietet Barbara Thiering in ihrem Buch »Jesus von Qumran«. Auch sie folgt in ihrer Interpretation einer von ihr so genannten »Pescher«-Methode, d.h. im

---

[25] So bei Hegesipp (bei Eusebius, h. e. II 23,4.7.16 und IV 22,4), bei Clem. Alex., Hypotyposen VII (bei Eusebius, h. e. II 1,4), weiter in EvHebr 7; EvThom 12; 1ApkJak (NHC V,4) 32,2f.; 2ApkJak (NHC V,4) 44,14.18; 59,22; 60,12; 61,14. Vgl. R. Bauckham, Jude and the Relatives of Jesus in the Early Church, Edinburgh 1990, 14; weiter M. Hengel, Jakobus der Herrenbruder – der erste »Papst«?, in: E. Grässer / O. Merk (Hg.), Glaube und Eschatologie, FS W.G. Kümmel, Tübingen 1985, 71–104, 79ff.; W. Pratscher, Der Herrenbruder Jakobus und die Jakobustradition, FRLANT 139, Göttingen 1987; J. Pointer, Just James, Edinburgh 1999.

[26] 1QpHab XI,4–8; s. oben Anm. 19.

[27] Vgl. besonders R.H. Eisenman, Playing on and Transmuting Words (s. Anm. 24). Zur Kritik dieser »Methode« s. O. Betz / R. Riesner, Jesus, Qumran und der Vatikan (s. Anm. 21), 88–102, bes. 97–101.

Grunde einer Allegorese.[28] Sowohl die Qumrantexte als auch die Evangelien will die Autorin nicht nach ihrem Wortsinn, sondern nach einem hinter diesem zu suchenden Tiefensinn interpretieren. Doch verbirgt sich für sie hinter der Chiffre »Lehrer der Gerechtigkeit« nicht Jakobus, sondern Johannes der Täufer, der in den Qumrantexten polemisch so genannte »Lügenmann« bzw. »Frevelpriester«[29] ist Jesus »von Qumran«. Das Resultat ist ein bizarrer Roman, ein »neues« Leben Jesu, von seiner Geburt nahe Qumran über seine Erziehung bei den Essenern, die Aufnahme in die Gemeinschaft durch den »Lehrer« Johannes, seinen Konflikt mit diesem, seine Kreuzigung durch Pilatus – die er mit Hilfe essenischer Heilkünste überlebte[30] – seine Ehe mit Maria Magdalena und, nachdem diese ihn verlassen hatte, mit Lydia aus Philippi bis zu seinem Tod – an Altersschwäche – in Rom.

Die hier praktizierte Methode bietet wohl den Stoff für Romane – aber sie ist irreführend und wissenschaftlich unseriös. Dies betrifft nicht nur die phantastischen Allegoresen, sondern vor allem auch die Datierung der Qumran-Texte, die deren Deutung auf Gestalten und Ereignisse des Urchristentums als ausgeschlossen erscheinen lässt. Sowohl die Paläographie[31] als auch die inzwischen für einige

---

[28] Die spezifische, in den Pescharim von Qumran belegte eschatologisch-analoge Auslegung prophetischer Aussagen auf die Geschichte und Gegenwart der Gemeinde ist etwas ganz anderes und wird von Thiering völlig verkannt.

[29] Mit diesen Bezeichnungen sind in den Qumran-Texten höchstwahrscheinlich zwei unterschiedliche Gestalten bezeichnet. Barbara Thiering identifiziert beide.

[30] Hier findet sich ein altes Motiv der rationalistischen Erklärung der Wunder Jesu und seiner Auferstehung. Schon der Aufklärungstheologe und -schriftsteller C.F. Bahrdt (1741–1792) vertrat in seinen »Briefe(n) an Wahrheit suchende Leser« die Auffassung, dass Jesus als Scheintoter von Essenern vom Kreuz abgenommen und gesund gepflegt wurde (C.F. Bahrdt, Ausführung des Plans und Zwecks Jesu. In Briefen an Wahrheit suchende Leser, 1784–1792; s. dazu das Referat von A. Schweitzer, Geschichte der Leben-Jesu-Forschung, Tübingen [9]1984, 79ff.). Die These Thierings ist insofern nicht einmal neu!

[31] Dazu ist immer noch grundlegend: F.M. Cross, The Development of the Jewish Scripts, in: G.E. Wright (Hg.), The Bible and the Ancient Near East,

Handschriften durchgeführte Radio-Carbon-Methode[32] haben gezeigt, dass die Handschriften überwiegend den beiden vorchristlichen Jahrhunderten entstammen und nur ganz wenige der ersten Hälfte des ersten Jahrhunderts christlicher Zeitrechnung.[33] Damit ist eindeutig geklärt, dass die von Eisenman oder Thiering herangezogenen Qumran-Texte kein Reflex der Geschichte des frühen Christentums sind. Keine der bekannten Gestalten des Urchristentums ist in der Bibliothek von Qumran erwähnt.

Es ist bezeichnend, dass Autoren wie Eisenman und Thiering sich genötigt sehen, die Ergebnisse der neueren naturwissenschaftlichen Untersuchungen zu ignorieren oder gar – ohne zureichende Gründe – infrage zu stellen. Spätestens hier wird deutlich, dass es ihnen weniger um die geschichtliche Wahrheit als um gute Geschäfte geht.

3. Christliche Texte in der Qumran-Bibliothek?

In diesem Zusammenhang ist eine dritte These kritisch zu erörtern, die vor allem in konservativ-kirchlichen Kreisen Anklang findet und sich auf die Texte aus der Höhle 7 von Qumran bezieht. In dieser Höhle, die vermutlich der Arbeitsraum eines der Bewohner

---

FS W.F. Albright, Garden City 1961, 133–202.

32 Diese hat grundsätzlich – mit wenigen Ausnahmen – die Zuverlässigkeit der früheren paläographischen Datierungen bestätigt. S. zu den Resultaten: G. Bonani / S. Ivy / W. Wölfli / M. Broshi / I. Carmi / J. Strugnell, Radiocarbon Dating of Fourteen Dead Sea Scrolls, *Radiocarbon* 34 (1992), 843–849; A. Jull / D. Donahue / M. Broshi / E. Tov, Radiocarbon Dating of Scrolls and Linen Fragments from the Judean Desert, *Radiocarbon* 37 (1995), 11–19; dies., Radiocarbon Dating of the Scrolls and Linen Fragments from the Judean Desert, *ʿAtiqot* 28 (1996), 85–91, sowie zuletzt G. Doudna, Dating and Radiocarbon Analysis, in: P.W. Flint / J.C. VanderKam (Hg.), The Dead Sea Scrolls After Fifty Years 1, Leiden u.a. 1998, 430–465.

33 G. Doudna schlägt sogar vor, die Manuskripte mit »herodianischer« Handschrift eher noch etwas früher, d.h. in das 1. Jh. v.Chr. zu datieren (Dating and Radiocarbon Analysis [s. vorige Anm.], 463f.).

von Qumran war,[34] fanden sich auffälligerweise nur griechische Texte, kleine Fragmente zumeist, deren Identifikation nur schwer möglich ist, weil nur wenige Buchstaben lesbar sind[35] und von 17 der 20 Handschriften nur je ein einziges Fragment vorliegt. Eines der Fragmente (7Q1) ließ sich dem griechischen Exodusbuch zuordnen, ein anderes (7Q2) dem Brief Jeremias, die anderen wurden als »unidentifiziert« publiziert.[36]

Im Jahr 1972 schlug der spanische Papyrologe Jose O'Callaghan die Identifikation einiger Fragmente mit neutestamentlichen Texten vor, vor allem von 7Q5 mit Mk 6,52–53 und 7Q4 mit Teilen von 1Tim 3,16–4,3.[37] Der Vorschlag war deshalb brisant, weil er die allgemein akzeptierten Datierungen neutestamentlicher Texte infrage zu stellen schien und nicht nur für das Markusevangelium, sondern auch für den gewöhnlich als Pseudepigraphon vom Anfang des 2. Jahrhunderts angesehenen 1. Timotheusbrief[38] ein

---

[34] So H. Stegemann, Die Essener (s. Anm. 15), 110–113.

[35] H. Stegemann vermutet aufgrund der Form der kleinen Textfragmente, dass die Höhle bereits in früherer Zeit besucht und geleert wurde, sodass die Archäologen, die sie 1955 entdeckten, nur noch die Stücke vorfinden konnten, die die ersten Besucher zurückgelassen oder auf dem Fußboden verloren hatten. Stegemann (Die Essener, 111) verweist dazu auf die antiken Nachrichten, dass Origenes bei der Anfertigung seiner Hexapla (228–254 n.Chr.) für den griechischen Psalter eine weitere Textfassung zur Verfügung stand, die zusammen mit anderen Handschriften »in der Zeit des Antonius, des Sohnes des Severus, in einem Tonkrug im Gebiet von Jericho gefunden wurde« (nach F. Field, Origenis Hexaplorum quae supersunt I, 1875, XLIV).

[36] M. Baillet, in: M. Baillet / J.T. Milik / R. de Vaux, Les »Petites Grottes« de Qumran, DJD III, Oxford 1962, 142–146 und Tafel XXX.

[37] J. O'Callaghan, ¿Papiros neotestamentarios en la cueva 7 de Qumrân?, Bib. 53 (1972), 91–100 (vgl. deutsch ders., Die griechischen Papyri aus der Höhle 7 von Qumran, BiLi 45 (1972), 121f.; französisch ders., Les papyrus de la grotte 7 de Qumrân, NRTh 95 (1973), 188–195); ausführlicher ders., Los papiros griegos de la cueva 7 de Qumrân, BAC 353, Madrid 1974; zuletzt ders., Los primeros testimonios del Nuevo Testamento. Papirología neotestamentaria, Córdoba 1995.

[38] Vgl. U. Schnelle, Einleitung in das Neue Testament, Göttingen [3]1999, 347,

Abfassungsdatum vor dem Jahr 68 nahe legen würde. Diese Konsequenz für eine Beurteilung neutestamentlicher Einleitungsfragen scheint auch der Grund dafür zu sein, dass die Identifikation der 7Q-Texte eine so heftige Debatte ausgelöst hat. Für die Vertreter dieser These eröffnet dies die Möglichkeit, das älteste Evangelium gut 20 Jahre früher zu datieren, als dies üblicherweise geschieht,[39] um es so näher an die Ereignisse um Jesus heranzurücken und damit auch historisch als glaubwürdiger erscheinen zu lassen.[40] Nur deshalb wird die Identifikation von 7Q5 mit Mk 6,52f. wohl so verbissen verteidigt.

Nachdem die Vorschläge O'Callaghans recht bald von Textkritikern, Papyrologen und Qumran-Forschern abgewiesen waren,[41]

---

der die Pastoralbriefe um 100 n. Chr. datiert. Andere Autoren tendieren noch etwas später.

39 Für die Datierung »kurz vor oder kurz nach 70 n. Chr.«: U. Schnelle, Einleitung (s. vorige Anm.), 218. Eine präzisere Ansetzung aufgrund von Mk 13 versucht M. Hengel, Entstehungszeit und Situation des Markusevangeliums, in: H. Cancik (Hg.), Markus-Philologie, WUNT 33, Tübingen 1984, 1–45.

40 Dabei wird gerne übersehen, dass die letzte Folgerung keineswegs zwingend wäre. Ein früheres Datum impliziert nicht notwendig eine größere Überlieferungstreue. Zu beantworten wäre des Weiteren auch, warum und wie der Text nach Qumran gekommen sein sollte und in welchem Interesse ein Bewohner der Anlage mit ihm gearbeitet haben sollte. Doch entscheidend ist die Frage der Identifikation. Eine negative Antwort an dieser Stelle macht alle weiteren Überlegungen obsolet.

41 K. Aland, Neue neutestamentliche Papyri III: (1) Die Papyri aus Höhle 7 von Qumran und ihre Zuschreibung zum Neuen Testament durch J. O'Callaghan, NTS 20 (1974), 358–376; ders., Über die Möglichkeit der Identifikation kleiner Fragmente neutestamentlicher Handschriften mit Hilfe des Computers, in: J.K. Elliott (Hg.), Studies in New Testament Language and Text, FS G.D. Kilpatrick, Leiden 1976, 14–38; C. Martini, Note sui papiri della grotta 7 di Qumrân, Bib. 53 (1972), 101–104; vgl. auch die Voten des Papyrologen C.H. Roberts (On some Presumed Papyrus Fragments of the New Testament from Qumran, JThS 23 [1972], 446f.), des Herausgebers der Qumran-Fragmente M. Baillet (Les manuscrits de la grotte 7 de Qumrân et le Nouveau Testament, Bib. 53 [1972], 508–516, und 54 [1973], 340–350)

nahm Carsten Peter Thiede 1984 die These wieder auf und präsentierte das Fragment 7Q5 mit großem publizistischem Eifer als die älteste Evangelien-Handschrift.[42] Sein Vorstoß wurde in zahlreichen Fachbeiträgen kritisch diskutiert,[43] und paradoxerweise haben die von Thiede besorgten verbesserten Fotografien des Fragments[44] Fachleute gerade in der Ablehnung seiner These bestätigt.[45]

---

sowie der evangelikalen Neutestamentler C.J. Hemer (New Testament Fragments at Qumran, TynB 23 [1972], 125–128) und G.D. Fee (Some Dissenting Notes on 7Q5 = Mark 6:52–53, JBL 92 [1973], 109–112).

42 C.P. Thiede, 7Q – Eine Rückkehr zu den neutestamentlichen Papyrusfragmenten in der siebten Höhle von Qumran, Bib. 65 (1994), 538–559; vgl. ders., Die älteste Evangelien-Handschrift? Das Markusfragment von Qumran und die Anfänge der schriftlichen Überlieferung des Neuen Testaments, Wuppertal 1986; zuletzt hat Thiede die Rückdatierung einer Handschrift des Matthäusevangeliums versucht, s. ders., Papyrus Magdalen Greek 17 (Gregory-Aland P^{64}). A Reappraisal, ZPE 105 (1995), 13–20 und Tafel IX; ders. / M. d'Ancona, Der Jesus-Papyrus. Die Entdeckung einer Evangelien-Handschrift aus der Zeit der Augenzeugen, Reinbek 1997; s. zur Kritik jetzt W. Wischmeyer, Zu den neuen Frühdatierungen von Carsten Peter Thiede, Zeitschrift für Antike und Christentum / Journal of Ancient Christianity 1 (1997), 280–290.

43 Vgl. H.-U. Rosenbaum, Cave 7Q5! Gegen die erneute Inanspruchnahme des Qumranfragments 7Q5 als Bruchstück der ältesten Evangelien-Handschrift, BZ 31 (1987), 189–205; C. Focant, 7Q5 = Mk 6,52–53: A Questionable and Questioning Identification, in: B. Mayer (Hg.), Christen und Christliches in Qumran?, ESt 32, Regensburg 1992, 11–25; S.R. Pickering, Paleographical Details of the Qumran Fragment 7Q5, in: B. Mayer (Hg.), Christen und Christliches, 27–31; É. Puech, Des fragments Grecs de la Grotte 7 et le Nouveau Testament?, RB 102 (1995), 570–584; M.-É. Boismard, A propos de 7Q5 et Mc 6,52–53, RB 102 (1995), 585–588; P. Grelot, Jésus et ses témoins, RSR 84 (1996), 413–423; jetzt ausführlich: S. Enste, Kein Markustext in Qumran. Eine Untersuchung der These: Qumran-Fragment 7Q5 = Mk 6,52-53, NTOA 45, Freiburg (Schweiz) / Göttingen 2000.

44 C.P. Thiede, Bericht über die kriminaltechnische Untersuchung des Fragments 7Q5 in Jerusalem, in: B. Mayer (Hg.), Christen und Christliches in Qumran? (s. vorige Anm.), 239–245.

45 Vgl. R. Riesner, Essener und Urgemeinde in Jerusalem. Neue Funde und Quellen, Biblische Archäologie und Zeitgeschichte 6, Gießen ^{2}1998, 133f.

Die Argumente können hier nur knapp referiert werden: Tatsache ist, dass von dem Fragment nur zehn Buchstaben eindeutig lesbar sind, diese verteilen sich auf vier aufeinander folgende Zeilen. Das einzige sicher lesbare Wort ist ein einfaches »und« (KAI). Die Verbindung zu Mk 6,52f. war zuerst durch die Buchstabensequenz NNHΣ angeregt worden, die Teil des Ortsnamens »Gennesaret« (Γεννησαρέτ) aber auch einer so häufigen Verbform wie ἐγέννησεν o.ä. sein könnte. Im Falle der Identifikation mit Mk 6,52f. müssten innerhalb des kurzen Textstücks wenigstens drei textliche Abweichungen vorliegen: Die Worte ἐπὶ τὴν γῆν (Mk 6,53), die auf dem gegebenen Raum nicht unterzubringen sind, müssten fehlen. Das Wort διαπεράσαντες (Mk 6,53) müsste grob verschrieben sein, denn das Fragment bezeugt nur ein T anstelle des Δ (KAI TI[...), aber eine Form τιαπεράσαντες ist kaum denkbar.[46] Entscheidend ist die dritte Abweichung, denn die in Z.2 vorgeschlagene Lesung αὐ]τῶν ἡ [καρδία ist gerade in Anbetracht der neuen Fotografien definitiv unmöglich: Die korrekte Transkription ist hier nicht TΩN (ein Ny lässt sich gerade nicht nachweisen), sondern TΩI, also eine Dativ-Form mit *iota adscriptum*,[47] die auch auf eine ganz andere syntaktische Verknüpfung verweist. Es ist daher – gegen Thiedes wiederholte Beteuerungen – ganz ausgeschlossen, dass 7Q5 den Text von Mk 6,52f. repräsentiert.

Zu erwähnen ist weiter, dass inzwischen für andere Fragmente aus Höhle 7 alternative Identifikationsversuche vorliegen, insbeson-

---

(im Unterschied zu O. Betz / R. Riesner, Jesus, Qumran und der Vatikan [s. Anm. 21] 139–150, wo Riesner die Frage noch offen gelassen hatte). S. auch G.N. Stanton, Gospel Truth? New Light on Jesus and the Gospels, London 1995, 28f.

46 S. die ausführliche Argumentation bei H.-U. Rosenbaum, Cave 7Q5! (s. Anm. 43), 198–202, sowie M.-É. Boismard, A propos (s. Anm. 43).

47 So bereits die Edition von M. Baillet (s. oben Anm. 36), 144; s. jetzt R. Riesner, Essener und Urgemeinde (s. Anm. 45), 134, sowie auf der Grundlage neuer mikroskopischer Untersuchungen des Fragments R.H. Gundry, No NU in Line 2 of 7Q5: A Final Disidentification of 7Q5 with Mark 6:52–53, JBL 118 (1999), 698–707.

dere mit Texten aus dem griechischen Henochbuch.[48] Für 7Q4 ist der Bezug auf Teile des 1. Timotheusbriefes endgültig falsifiziert,[49] und für 7Q5 wurde eine Identifikation mit Sach 7,3c–5[50] und mit 1Hen 15,9d–10 vorgeschlagen[51]. All diese Texte fügen sich sehr viel besser in den Rahmen der Bibliothek von Qumran ein als neutestamentliche Schriften, und es ist gut denkbar, dass ein Glied der Gemeinschaft an den griechischen Texten dieser Bücher gearbeitet hat. Die Hoffnung, in Qumran Zeugen neutestamentlicher Texte zu finden, ist hingegen aufzugeben: Keines der Fragmente entstammt einer Abschrift eines neutestamentlichen Buches. Es besteht daher keine textliche Brücke zwischen dem Neuen Testament und der Bibliothek von Qumran und auch kein Anlass, über die Präsenz von Christen oder christlichen Texten dort zu spekulieren.

4. Ein »Essenerviertel« als Keimzelle der Urgemeinde?

Ein viertes Modell setzt nicht textliche, aber stattdessen lokale und personelle Brücken zwischen der essenischen Bewegung und dem Urchristentum voraus. Der Kern der These ist die Annahme eines Essenerviertels in Jerusalem, auf dem Südwesthügel der Stadt, dem heutigen »Zionsberg«. In der altkirchlichen Tradition ist dieses Areal mit dem Ort des letzten Mahles Jesu und des Pfingstereignisses verbunden. So wären, wenn die Vertreter der These, der Benediktiner-Archäologe Bargil Pixner und der Neutestament-

---

48 G. Nebe, 7Q4 – Möglichkeit und Grenze einer Identifikation, RdQ 49–52/13 (1988), 629–633; É. Puech, Notes sur les fragments grecs du manuscript 7Q4 = 1 Hénoch 103 et 105, RB 103 (1996), 592–600; ders., Sept fragments de la lettre d'Hénoch (1 Hén 100, 103 et 105) dans la grotte 7 de Qumrân, RdQ 70/18 (1997), 313–324; E.A. Muro, The Greek Fragments of Enoch from Qumran Cave 7, RdQ 70/18 (1997), 307–312.

49 Vgl. É. Puech, Des fragments Grecs (s. Anm. 43).

50 M.V. Spottorno, Una nueva posible identificación de 7Q5, *Sefarad* 52 (1992), 541–543; vgl. revidiert in ders., Can Methodological Limits be Set in the Debate on the Identification of 7Q5?, DSD 6 (1999), 66–77, 72.

51 Vgl. M.V. Spottorno, Can Methodological Limits be Set (s. vorige Anm.), 76f.

ler Rainer Riesner,[52] Recht hätten, durch den lokalen Bezug vielfältige Möglichkeiten eines essenischen Einflusses auf das Urchristentum gegeben. Doch basiert die These auf einigen nicht ganz unproblematischen Argumenten, die hier nur sehr knapp erörtert werden können.

a) Vorausgesetzt ist zunächst die verbreitete Überzeugung, dass die Bewohner von Qumran zur größeren »Religionspartei« der Essener[53] gehörten, die nach Philo und Josephus[54] in allen Städten Judäas lebten. Den Berichten des Ausgräbers von Qumran, Roland de Vaux, haben viele Forscher die These entnommen, dass die Siedlung längere Zeit unbenutzt gewesen sei. Aufgrund des bei Josephus erhaltenen Berichts über ein schweres Erdbeben im Jahr 31 v.Chr.[55] und in Anbetracht der in Qumran gefundenen Münzen hatte de Vaux diese Siedlungslücke mit der Zeit Herodes des Großen (37–4 v.Chr.) in Verbindung gebracht: Die Bewohner hätten die Siedlung eventuell schon vor dem Erdbeben, spätestens

---

[52] Vgl. B. Pixner, An Essene Quarter on Mount Zion?, in: Studia Hierosolymitana I. Studi archeologici in onore di P. Bellarmino Bagatti, SBF.CMa 22, Jerusalem 1976, 245–285; ders. The History of the »Essene Gate« Area, ZDPV 105 (1989), 96–104; ders., Church of the Apostles Found on Mt. Zion, BARev 16/3 (1990), 16–35.60; ders., Wege des Messias und Stätten der Urkirche. Jesus und das Judenchristentum im Licht neuer archäologischer Erkenntnisse, hg. v. R. Riesner, Biblische Archäologie und Zeitgeschichte 2, Gießen / Basel 1991; R. Riesner, Essener und Urkirche in Jerusalem, BuK 40 (1985), 64–76; ders., Josephus' »Gate of the Essenes« in Modern Discussion, ZDPV 105 (1989), 105–109; ders., Jesus, the Primitive Community, and the Essene Quarter of Jerusalem, in: J.H. Charlesworth (Hg.), Jesus and the Dead Sea Scrolls, New York 1992, 198–234; ders., Das Jerusalemer Essenerviertel und die Urgemeinde. Josephus, Bellum Judaicum V 145; 11QMiqdash 46, 13–16; Apostelgeschichte 1–6 und die Archäologie, ANRW II.26.2, Berlin / New York 1995, 1775–1992, mit einem Nachtrag nachgedruckt in: ders., Essener und Urgemeinde in Jerusalem (s. oben Anm. 45).

[53] Dazu s. oben Anm. 16.

[54] Philo, Apol. (nach Euseb, Praep. Ev. VIII 11,1); Josephus, Bell. II,124. Text bei A. Adam / Ch. Burchard, Antike Texte über die Essener, KIT 182, Berlin / New York 1972, 5.27.

[55] Josephus, Bell. I,370–380; Ant. XV,121–147.

danach verlassen,[56] und die Wiederbesiedlung sei erst in der Zeit des Archelaos (4 v.Chr.–6 n.Chr.) erfolgt. Aus der Notiz, dass Herodes die Partei der Essener favorisiert habe,[57] wurde dann geschlossen, »daß sich Essener aus Qumran in dieser für sie politisch so günstigen Zeit wieder in Jerusalem ansiedeln konnten«.[58] Riesner verweist schließlich darauf, dass die Ansiedlung in Qumran nach dem Wiederaufbau bescheidener war als zuvor,[59] und vermutet deshalb, dass ein Teil der Gruppe in Jerusalem blieb, während ein anderer, eventuell radikalerer Teil wieder in die Wüste zurückkehrte.[60]

Diese Konstruktion wird jedoch durch neue Interpretationen des numismatischen Befundes geschwächt. Diese zeigen nämlich, dass die Unterbrechung der Besiedlung nicht so lange andauerte, wie de Vaux vermutet hatte, sondern dass die Anlage nicht vor 9/8 v.Chr. verlassen und bald danach wieder in Betrieb genommen wurde.[61] Zwischen der Siedlungslücke, der Favorisierung der Essener durch Herodes und der Präsenz dieser Gruppe in Jerusalem besteht daher keine so eindeutige Verbindung, wie sie von den Vertretern der »Essenerviertel«-These vorausgesetzt wird.[62]

---

[56] Zum Wandel der Auffassung von de Vaux s. R. Riesner, Essener und Urgemeinde (s. Anm. 45), 6.

[57] Josephus, Ant. XV,373–378.

[58] R. Riesner, Essener und Urgemeinde (s. Anm. 45), 8.

[59] R. Riesner, Essener und Urgemeinde (s. Anm. 45), 9; vgl. R. de Vaux, Archaeology and The Dead Sea Scrolls, London 1973, 24–27.

[60] R. Riesner, Essener und Urgemeinde (s. Anm. 45), 9.

[61] Vgl. J. Magness, Qumran Archaeology: Past Perspectives and Future Prospects, in: P.W. Flint / J.C. VanderKam (Hg.), The Dead Sea Scrolls After Fifty Years 1, Leiden u.a. 1998, 47–77, 50–53; dies., The Chronology of the Settlement at Qumran in the Herodian Period, DSD 2 (1995), 58–65.

[62] Dies spricht natürlich keineswegs gegen die Präsenz von Essenern in Jerusalem, die ja – nach Josephus und Philo – in ganz Judäa, nicht nur in Qumran und Jerusalem, verbreitet waren. Die These einer Übersiedlung der Essener von Qumran nach Jerusalem und zurück scheint diesen Sachverhalt noch zu wenig ernst zu nehmen; vgl. H. Stegemann, Die Essener (s. Anm. 15), 224f.

b) Die These des Jerusalemer Essenerviertels beruht zweitens auf der Erwähnung eines »Essenertores« (ἡ Ἐσσηνῶν πύλη) und eines in dessen Nähe gelegenen Landstücks mit Namen »Bethso« (Βηθσώ) bei Josephus (Bell. V,145). Bargil Pixner hat dieses Tor mit einer bereits von F.J. Bliss entdeckten Lokalität auf dem Südwesthügel Jerusalems identifiziert und dort – zusammen mit anderen Archäologen – zwischen 1977 und 1985 Ausgrabungen durchgeführt.[63] Er hat ein Tor freigelegt, dessen untere Schwelle tatsächlich römische Maße aufweist, sodass die Identifikation dieses Tores mit dem bei Josephus erwähnten »Essenertor« durchaus plausibel erscheint.

Die Deutung dieses Befundes ist allerdings weniger sicher: Führte der Weg durch das Tor zu den Essenern außerhalb der Stadt[64] oder lag deren Ansiedlung hinter der besagten Mauerstelle? Aufgrund der essenischen Reinheitshalakha wurde gelegentlich vermutet, dass die Essener ein eigenes Stadttor benutzt haben müssten. Pixner und Riesner deuten nun den Flurnamen »Bethso« als Transkription des aramäischen *bêt ṣô'āh* (= Latrine) und verweisen auf die Tempelrolle,[65] die eine Latrine außerhalb der Heiligen Stadt fordert. Das »Essenertor« wäre somit der Toilettenweg der Essener gewesen.

Doch selbst wenn auch die philologische Deutung von »Bethso« zutreffen könnte, bleibt unsicher, ob und in welchem Maße die Halakha der Tempelrolle von Essenern in Jerusalem oder anderswo umgesetzt wurde. Damit bleiben auch Unsicherheiten im Blick auf die Funktion des Tores und den Ort, an dem die Essener in Jerusalem lebten.

---

[63] Vgl. die Berichte von B. Pixner, The History of the »Essene Gate« Area, (s. Anm. 52); B. Pixner / D. Chen / S. Margalit, Mount Zion: The »Gate of the Essenes« Re-excavated, ZDPV 105 (1989), 85–95 und Tafeln 8–16; vgl. R. Riesner, Essener und Urgemeinde in Jerusalem (s. Anm. 45), 14–40.

[64] So E. Otto, Jerusalem – die Geschichte der Heiligen Stadt, UB 380, Stuttgart 1980, 125.

[65] 11QTemp XLVI,13–16.

c) Pixner und Riesner begegnen diesen Schwierigkeiten mit einem dritten Argument: Sie weisen auf ein Netz von Ritualbädern im Gebiet des vermeintlichen »Essenerviertels« hin, außerdem auf ein Doppelbad außerhalb der Mauer, das für die Reinigung nach dem Toilettengang verwendet worden sein könnte. Auf der einen Seite dieses Doppelbades sind Ein- und Ausstieg durch einen Höcker getrennt. Diese Bauweise wurde wegen der Parallelen in den Ritualbädern von Qumran oft als essenische Besonderheit gewertet,[66] freilich haben neuere Grabungen gezeigt, dass solche Konstruktionen verbreiteter waren und z.B. auch gegenüber dem südlichen Teil der Westmauer des Tempelareals begegnen. Die konstruktive Trennung von Aus- und Einstieg ist daher kaum als spezifisch essenisch zu werten, sie könnte für öffentliche oder häufig benutzte Ritualbäder einfach aus praktischen Gründen nahe gelegen haben. Dass die Ritualbäder auf dem Gelände des heutigen Zionsberges essenisch waren, lässt sich daher nicht erweisen. Damit bleibt die Unsicherheit, an welcher Stelle in Jerusalem Essener lebten.

d) Der vierte Pfeiler der »Essenerviertel»-These sind die Hinweise auf eine judenchristliche Präsenz auf dem Südwesthügel in römischer Zeit.[67] Archäologisch sprechen dafür die Ausrichtung einer Nische im Raum des heutigen »Davidsgrabs« auf den Golgotha-Felsen sowie einige Graffiti, die eine judenchristliche Nutzung des Gebäudes nahe legen.[68] Freilich ist die Tradition über den Ort des letzten Mahles auf dem Zion erst spät belegt und nur mit Schwierigkeiten in vorbyzantinische Zeit zurückzuverfolgen.[69]

---

66 Vgl. R. Riesner, Essener und Urgemeinde (s. Anm. 45), 38–40.

67 Vgl. R. Riesner, Essener und Urgemeinde (s. Anm. 45), 55–83.

68 Vgl. R. Riesner, Essener und Urgemeinde (s. Anm. 45), 58–62.

69 S. die materialreiche Argumentation bei R. Riesner, Essener und Urgemeinde (s. Anm. 45), 63–78.138–141. Für eine Bildung der Tradition aus liturgischen Bedürfnissen argumentiert hingegen K. Bieberstein, Die Hagia Sion in Jerusalem, in: Akten des XII. Internationalen Kongresses für Christliche Archäologie, Bonn 22.–28. September 1991, Bd. 1, SAC 52 / JAC.E 20,1, Münster 1995, 543–551.

Wo man die Lücke durch Anhaltspunkte aus neutestamentlichen Texten zu schließen versucht, entstehen zirkuläre und z.T. problematische Argumentationsfiguren: So ist etwa die Tatsache, dass in der markinischen Saalauffindungsgeschichte ein Mann erwähnt wird, der einen Krug Wasser trägt (Mk 14,13f.), noch längst kein Beweis dafür, dass Jesus das letzte Mahl in der Gemeinschaft essenischer »Mönche« gefeiert hat.[70] Auch lassen sich die Differenzen zwischen Johannes und den Synoptikern hinsichtlich der Chronologie der Passion Jesu durch die Möglichkeit der Benutzung eines abweichenden Kalenders (durch Jesus oder die Evangelisten) keineswegs so überzeugend erklären, dass sich damit ein essenischer Einfluss auf Jesus oder die Evangelisten nahe legte.[71] Schließlich ist auch die Notiz über die Bekehrung von jüdischen Priestern (Apg 6,7) – ganz abgesehen von der Frage nach ihrem historischen Wert – kein Beweis für einen Zustrom von Essenern und damit einen essenischen Einfluss auf die Urgemeinde.[72]

---

[70] Dieses Argument gebraucht B. Pixner, Wege des Messias (s. Anm. 52), 219ff. Hier schwingt immer noch allzu sehr die in der ersten Phase der Qumran-Forschung dominante Vorstellung mit, dass die Essener eine monastische Gemeinschaft unverheirateter Männer waren.

[71] S. dazu J. Frey, Die johanneische Eschatologie II: Das johanneische Zeitverständnis, WUNT 110, Tübingen 1998, 183 mit Anm. 130. Gegen E. Ruckstuhl, Zur Chronologie der Leidensgeschichte Jesu, in: ders., Jesus im Horizont der Evangelien, SBAB 3, Stuttgart 1988, 101–184, 130ff.180f., der annimmt, dass Jesus das Passamahl nach essenischem Kalender, d.h. am Dienstagabend der Passionswoche, gefeiert habe. Ruckstuhl zufolge ist der »Lieblingsjünger«, der nach Joh 13,23 beim letzten Mahl Jesu den Ehrenplatz »an der Brust« Jesu einnimmt, der »Gastmönch« der Herberge der Mönchsgemeinschaft der Essener in Jerusalem (Jesus im Horizont der Evangelien, 133; vgl. ders., Der Jünger, den Jesus liebte, BiKi 40 [1985], 77–83; im Anschluss daran auch B.J. Capper, »With the Oldest Monks...« Light from Essene History on the Career of the Beloved Disciple, JThS 49 [1998], 1–55). Ruckstuhl setzt dabei die Historizität der johanneischen Passionschronologie voraus, muss aber annehmen, dass der Evangelist Markus die eigentlich dreitägige Dauer der Passionsereignisse zeitlich gerafft habe (Jesus im Horizont der Evangelien, 181).

[72] S. dazu J.A. Fitzmyer, The Acts of the Apostles, AncB 31, New York 1998,

Gegenüber derartigen exegetischen Schlüssen ist daher vorsichtige Zurückhaltung angeraten. Es ist aus verschiedenen Gründen sehr wahrscheinlich, dass Essener in Jerusalem lebten,[73] aber die Annahme eines Essenerviertels auf dem Südwesthügel der Stadt ist nicht sicher zu erweisen, und die vermuteten lokalen und personalen Beziehungen zwischen dieser Gemeinschaft und der Urgemeinde bleiben spekulativ. Es gibt keine sicheren Hinweise darauf, dass Jesus und seine Jünger im Kontakt mit essenischen Kreisen waren oder dass diese die Urgemeinde maßgeblich beeinflusst hätten. Derartige Annahmen können daher nicht als Basis für die Interpretation der neutestamentlichen Texte dienen.

III. Methodische Überlegungen

Was lässt sich tatsächlich sagen über die Beziehungen zwischen den Qumran-Texten und dem Neuen Testament bzw. über die möglichen Kontakte zwischen den hinter Qumran stehenden Gruppen und dem Urchristentum? Um einen methodisch gesicherteren Ausgangspunkt für die Diskussion zu gewinnen, sind einige grundlegende Sachverhalte und dann vor allem die neueren Entwicklungen in der Qumran-Forschung in Betracht zu ziehen.

1. Ein doppelter negativer Tatbestand

Zunächst ist ein doppelter negativer Tatbestand ernst zu nehmen:

351; C.K. Barrett, The Acts of the Apostles I, ICC, Edinburgh 1994, 317: »Theories of influence on the primitive church from Qumran ... cannot be built on this verse.«

[73] Neben den Hinweisen bei Philo und Josephus (s. bei Anm. 54) lassen sich dafür nun vor allem die jüngst gefundenen Gräber von Beit Safafa anführen, die in ihrem Typ denen von Qumran auffällig ähneln, s. B. Zissu, »Qumran Type« Graves in Jerusalem: Archaeological Evidence of the Essene Community?, DSD 5 (1998), 158–171; ders., Odd Tomb Out: Has Jerusalem's Essene Cemetery Been Found?, BAR 25 (1999), 50–55.62; R. Riesner, Essener und Urgemeinde (s. Anm. 45), 130f.

a) Keiner der in Qumran gefundenen Texte spricht in irgendeiner Weise von Jesus oder von uns bekannten Personen des Urchristentums.

Dagegen spricht bereits die Datierung: Die Handschriften wurden von den Bewohnern der Siedlung im Jahr 68 n.Chr. vor den anrückenden römischen Truppen versteckt. Die jüngsten Handschriften entstammen noch der ersten Hälfte des 1. Jh. n.Chr., aber sie sind Abschriften, nicht Originale. Die Texte, die sie wiedergeben, sind deshalb älter und vermutlich alle vor dem Auftreten Jesu von Nazareth entstanden. Sie handeln nicht von Personen und Ereignissen, die uns aus dem Neuen Testament bekannt sind.

b) Fast noch erstaunlicher ist die zweite Feststellung: Auch das Neue Testament erwähnt an keiner Stelle Qumran oder jene Gruppe, zu der die Bewohner der Siedlung vermutlich gehörten: die »Essener«.[74]

Die Trägerkreise der Qumran-Siedlung werden in einem nach wie vor breiten Konsens der Forschung mit der aus antiken Schriftstellern – zunächst Philo, Josephus und Plinius d. Ä.[75] – bekannten Gruppe der »Essener« (bzw. »Essäer«) verbunden, weil insbesondere Josephus deren Lebensweise in einigen Details in einer Weise beschreibt, die signifikante Parallelen zu dem aufweist, was wir aus den Regelwerken von Qumran wissen.[76]

---

[74] Zur Identifikation der Trägerkreise der Qumran-Siedlung mit der aus antiken Schriftstellern – zunächst Philo, Josephus und Plinius d. Ä. – bekannten Gruppe der »Essener« (bzw. »Essäer«) s. oben Anm. 16.

[75] S. die Texte bei A. Adam / Ch. Burchard, Antike Texte (s. Anm. 54).

[76] S. dazu A. Lange, Art. Essener (s. Anm. 16); J.C. VanderKam, The Dead Sea Scrolls Today, Grand Rapids 1994, 71ff.; ausführlich T.S. Beall, Josephus' Description of the Essenes Illustrated by the Dead Sea Scrolls, MSSNTS 58, Cambridge 1988.

Wenn man den bei Philo und Josephus berichteten Zahlen auch nur einen vagen Realitätsgehalt zuschreiben darf,[77] bedeutet das, dass die Essener – wie die Pharisäer und die Sadduzäer – nicht nur eine marginale »Sekte«, eine kleine Schar von »Aussteigern« in einem abgelegenen »Wüstenkloster«, waren, sondern dass sie als die dritte »Religionspartei« – so ist der von Josephus gebrauchte Terminus αἵρησις angemessener zu übersetzen – Bedeutung hatten und nach Philo und Josephus in allen Städten Judas präsent waren.[78] Dann ist es freilich verwunderlich, dass das Neue Testament nirgendwo von dieser Gruppe spricht. Ist das Schweigen der neutestamentlichen Autoren ein Indiz schroffer Distanz zwischen Essenismus und Christentum oder eher ein Zeichen der Nähe?[79] Oder begegnen Essener im Neuen Testament unter anderen Chiffren? Haben die Evangelisten sie unter die Pharisäer subsumiert, mit denen sich Jesus auseinander setzt und die nach dem Jahr 70 als führende Gruppe der sich neu konstituierenden Synagoge herausragende Bedeutung erlangt haben? Sind sie gemeint, wenn im

---

[77] Josephus, Ant. XVIII,20 und Philo, Quod omnis 75, berichten übereinstimmend von 4000 Essenern, Josephus, Ant. XVII,41 zudem von 6000 Pharisäern. Berndt Schaller hat jüngst zu zeigen versucht, dass diese Zahlen Stereotypen hellenistischer Geschichtsschreibung sind und daher historisch nicht ausgewertet werden können (B. Schaller, 4000 Essener – 6000 Pharisäer. Zum Hintergrund und Wert antiker Zahlenangaben, in: B. Kollmann / W. Reinbold / A. Steudel (Hg.), Antikes Judentum und Frühes Christentum, FS H. Stegemann, BZNW 97, Berlin / New York 1999, 172–182). Natürlich ist auch damit zu rechnen, dass die Zahlen nicht auf der eigenen Schätzung der Autoren, sondern gegebenenfalls auf einer Quellennotiz beruhen (so Schaller, 4000 Essener – 6000 Pharisäer, 174, im Anschluss an G. Bergmeier, Die Essenerberichte [s. Anm. 16]). Dennoch wird man ihnen eine ungefähre Verhältnisbestimmung entnehmen dürfen: also die Tatsache, dass beide Gruppen von Relevanz waren, sowie »das zahlenmäßige Übergewicht der Pharisäer« (so Schaller, 4000 Essener – 6000 Pharisäer, 182).

[78] S. die oben Anm. 54 genannten Quellenbelege.

[79] Dass die Essener die am engsten mit dem Urchristentum verbundene Gruppierung waren, vertrat H. Kosmala, Art. Jerusalem, BHH 2, 1964, 820–850, 846.

Neuen Testament von »Schriftgelehrten« die Rede ist?[80] Oder sind die an nur drei Stellen im Neuen Testament (Mk 3,6; 12,13; Mt 22,16) genannten »Herodianer« eigentlich Essener?[81] An dieser Stelle kann man nur spekulieren. Die Quellen schweigen.

2. Möglichkeiten und Wahrscheinlichkeiten

Vieles ist *möglich*, aber nur weniges lässt sich auch *wahrscheinlich* machen.

a) Natürlich ist es möglich, dass Jesus – zumindest in Jerusalem – auch Essenern begegnete. Aber in Galiläa, wo er herkam, seine Jünger berief und predigte, lässt sich eine essenische Präsenz nicht erweisen. Die Hinweise auf Verbindungen mit Judäa oder die Wüste wie der Bericht vom zwölfjährigen Jesus im Tempel (Lk 2,41–52) oder die Perikope von der Versuchung in der Wüste (Lk 4,1) lassen sich biographisch kaum auswerten und erscheinen nicht als eine ausreichende Basis für die Hypothese prägender Kontakte mit Essenern.

Inwiefern das Wirken und die Verkündigung Jesu durch die Qumran-Texte dennoch in erhellender Weise erläutert werden, lässt sich daher nur durch detaillierte Textanalysen zeigen.

b) Natürlich ist es auch möglich, ja sogar wahrscheinlich, dass die Urgemeinde – gerade in Jerusalem – auch mit Essenern in Berührung kam. Dabei ist allerdings zu berücksichtigen, dass sowohl die Gemeinderegel von Qumran als auch der Bericht des Josephus von einer Verpflichtung wissen, die »Geheimnisse der Erkenntnis« zu verhüllen[82] und nicht mit den »Leuten der Grube« zu diskutieren,

---

80 So die (mündlich geäußerte) Auffassung von Hartmut Stegemann.

81 Dies wurde gelegentlich vermutet, s. C. Daniel, Les »Hérodiens« du Nouveau Testament sont-ils des Esséniens?, RdQ 21/6 (1967), 31–53; ders., Nouveaux arguments en faveur de l'identification des Hérodiens et des Esséniens, RdQ 27/7 (1970), 397–402; Y. Yadin, The Temple Scroll 1, Jerusalem 1983, 138f.; vgl. kritisch W. Braun, Were the New Testament Herodians Essenes?, RdQ 53/14 (1989), 75–88.

82 1QS IV,5f.; vgl. X,24f.; Josephus, Bell. II,141.

sondern »den Rat des Gesetzes inmitten der Leute des Frevels zu verbergen«[83]. Wir dürfen daher nicht annehmen, dass die spezifischen Einsichten der Gemeinschaft für alle offen zugänglich waren oder gar öffentlich diskutiert wurden.[84] Ausschließen lassen sich essenische Einflüsse auf die Urgemeinde jedoch nicht.

Dennoch wird man nicht alle Parallelen, die zwischen beiden Gruppen erkennbar sind, im Sinne einer unmittelbaren Beeinflussung deuten können: Strukturelle Ähnlichkeiten der Gemeindeorganisation, die Parallele des gemeinschaftlichen Mahls oder die beiderseitig bezeugte Gütergemeinschaft können durch eine analoge Gruppensituation hervorgerufen sein, gemeinsame Theologumena können auf der jeweiligen Rezeption biblischer und nachbiblisch-jüdischer Traditionen beruhen. Daher ist stets zu fragen, ob die Parallelen auf beiden Seiten so speziell und so signifikant sind, dass sie die Annahme textlich oder anderweitig vermittelter essenischer Einflüsse fordern, oder ob diese Parallelen nicht auch auf eine andere Weise erklärt werden können.

c) Es ist natürlich auch möglich, dass Essener zur christlichen Gemeinde stießen, sowohl in der frühen Zeit der Urgemeinde[85] als auch später, nach dem Jüdischen Krieg, als der Tempel zerstört war und besonders die Priesterschaft – soweit sie die Katastrophe überlebt hatte – nach einer Neuorientierung suchen musste.[86] Ob man allerdings annehmen darf, dass essenisch geprägte Fromme in

---

83 1QS IX,16f.

84 Bezeichnenderweise spiegeln die Essenerberichte des Josephus lediglich eine Außenperspektive, die um einzelne Kuriositäten der Lebensweise weiß (und hier erstaunliche Parallelen mit den Regelwerken von Qumran aufweist), aber keinerlei Verständnis der essenischen Theologie und Schriftauslegung zeigt.

85 Ein Hinweis darauf wurde häufig in Apg 6,7 gesehen, s. dazu bereits kritisch H. Braun, Qumran und das Neue Testament 1, Tübingen 1966, 153f., sowie die oben Anm. 72 genannte Literatur.

86 So die Annahme bei J.H. Charlesworth, The Dead Sea Scrolls and the Gospel according to John, in: R.A. Culpepper / C. Clifton Black (Hg.), Exploring the Gospel of John, FS D. Moody Smith, Louisville 1996, 65–97, 70.89 mit Anm. 111.

relevanter Zahl den Weg in die christliche Gemeinde fanden, etwa deshalb, weil auch diese Bewegung »messianisch« geprägt war, ist sehr fraglich. Angesichts der äußerst strengen Haltung der Essener zur Tora und vor allem in Fragen der rituellen Reinheit wäre eine solche Konversion noch radikaler als die des pharisäischen Schriftgelehrten Paulus. Denn gerade die spätere Entwicklung der christlichen Gemeinde, die zunehmende Öffnung für Heiden, die damit verknüpfte Liberalität in Speise- und Reinheitsfragen und die immer stärkere Preisgabe der Toraobservanz müssten für Mitglieder der essenischen Gemeinschaft noch viel anstößiger gewesen sein als für ihre pharisäisch geprägten Zeitgenossen. Es ist daher fraglich, ob man für die Schriften der dritten christlichen Generation wirklich mit einem stärkeren essenischen Einfluss rechnen darf als in der Frühzeit des Urchristentums oder ob man nicht auch für die Qumran-Parallelen in diesen Schriften – wie z.B. dem Matthäusevangelium, dem Johannesevangelium oder dem Epheserbrief – nach anderen Erklärungen suchen muss.
Die Überlegungen zeigen, dass die Frage nach personalen und institutionellen Beziehungen zwischen Essenismus und Urchristentum mangels eindeutiger Quellenbelege nicht hinreichend geklärt werden kann. Von den zahlreichen Möglichkeiten lässt sich kaum eine als wahrscheinlich erweisen.
Die Aporie verlangt nach einem stärker *textbezogenen Ansatz*. Die Frage nach der Bedeutung der Qumran-Texte für das Verständnis des Neuen Testaments lässt sich nicht aufgrund vager Spekulationen über geschichtliche Beziehungen zwischen Essenern und Urchristentum verhandeln, sondern nur auf der Basis der detaillierten und differenzierten Analyse der Quellen, deren Gemeinsamkeiten und Differenzen so sorgfältig wie möglich auszuwerten sind.

3. Differenzierungen innerhalb der Qumran-Bibliothek

Die Sachverhalte bieten sich heute allerdings um ein Vielfaches komplizierter dar als in den ersten zwei bis drei Dekaden der Qumranforschung. Eines der wichtigsten Resultate der Qumran-

Forschung, die sich seit den späten Achtzigerjahren und unter dem Eindruck der Vielfalt der Texte aus Höhle 4 weithin durchgesetzt hat, ist nämlich die Differenzierung zwischen Texten, die in der Trägergruppe der Qumran-Bibliothek selbst entstanden sind, und solchen Texten, die in anderen Gruppen entstanden und in der so genannten »Qumrangemeinde« bzw. der »essenischen« Bewegung nur rezipiert wurden.[87]

In den ersten Jahrzehnten der Qumranforschung hatte man die nichtbiblischen Qumrantexte weithin als Zeugnisse des Denkens der Qumrangemeinde gewertet. Ein Grund dafür lag auch in den Zufällen der Fundgeschichte. Unter den zunächst aufgetauchten und publizierten Texten aus Höhle 1 waren gerade jene Texte, die man bis heute als die »klassischen« Zeugnisse dieser Gemeinschaft ansieht: die Gemeinderegel 1QS (und in Verbindung mit ihr die schon länger aus dem Fund in der Kairoer Geniza bekannte Damaskusschrift), die Hymnenrolle 1QH[a], der Habakuk-Pescher 1QpHab und die Kriegsregel 1QM[88]. Auch zwischen diesen Texten bestehen z.T. gravierende Unterschiede: So setzen z.B. die Regelwerke nicht durchgehend ehelose Mitglieder voraus, manche Passagen sprechen auch von Verheirateten. Dies zeigte schon früh, dass man nicht damit rechnen darf, dass diese Regeln für alle Mit-

---

87 Erste derartige Thesen äußerte Claus-Hunno Hunzinger in seiner 1957 erschienenen Studie über die Fragmente der Kriegsregel, s. C.-H. Hunzinger, Fragmente einer älteren Fassung des Buches Milḥama aus Höhle 4 von Qumran, ZAW 69 (1957), 131–151, 149f.; s. auch H. Lichtenberger, Studien zum Menschenbild in Texten der Qumrangemeinde, StUNT 15, Göttingen 1980, 13–20.

88 Für die Kriegsregel ist freilich seit der bahnbrechenden Arbeit Hunzingers damit zu rechnen, dass in ihr ein älteres nichtessenisches Werk in essenischer Überarbeitung vorliegt, s. A. Lange / H. Lichtenberger, Art. Qumran, TRE 28, 1997, 45–78, 60–62, sowie J. Frey, Different Patterns of Dualistic Thought in the Qumran Library, in: M. Bernstein / F. García Martínez / J. Kampen, Legal Texts and Legal Issues. Proceedings of the Second Meeting of the International Organization for Qumran Studies Cambridge 1995, FS J.M. Baumgarten, StTDJ 23, Leiden 1997, 275–335, 308–310.

glieder zu jeder Zeit gleichermaßen gültig waren, sondern dass hier mit Differenzen der Adressatenschaft und mit diachronen Entwicklungen zu rechnen ist.[89] Die neuere Forschung hat angesichts der immer größeren Zahl von Texten weitere Differenzierungen erkannt und Kriterien essenischer Autorschaft herausgearbeitet.[90]

Für die biblischen Texte und die bereits bekannten Pseudepigraphen wie das Henochbuch oder das Jubiläenbuch war es ohnehin einsichtig, dass diese nicht in der Qumrangemeinde entstanden sein konnten. Aber auch anderen Texten fehlen die spezifischen Bezüge auf diese Gemeinschaft und vor allem die ausgeprägte Gemeindeterminologie.[91] Ihre Perspektive ist eine gesamtisraelitische, keine partikularistisch auf eine bestimmte Gruppe von Frommen eingeengte, und manche Termini und Topoi werden in signifikanter Abweichung von den spezifischen Gemeindetexten verwendet. Man muss deshalb heute damit rechnen, dass nur ein kleinerer Teil der in der Qumran-Bibliothek belegten »neuen« Texte tatsächlich von Autoren verfasst wurde, die zur Gemeinschaft der Essener gehörten, die Qumran bewohnt und die Schriftrollen-Bibliothek schließlich in den Höhlen versteckt haben. Viele Texte aus anderen Kreisen wurden in Qumran ebenfalls gelesen, bearbeitet oder sogar abgeschrieben, auch wenn sie nicht vollständig mit den Ansichten dieser Gruppe übereinstimmten. Sie sind als Zeugnisse des Denkens und der Schriftauslegung unterschiedlicher Gruppen des zeitgenössischen Judentums von Bedeutung. Die genaue Zuordnung dieser Texte ist noch längst nicht

---

89 Dies hat anhand der 4QS-Texte die Arbeit von S. Metso (The Textual Development of the Qumran Community Rule, StTDJ 21, Leiden 1996) gezeigt.

90 S. dazu A. Lange, Weisheit und Prädestination. Weisheitliche Urordnung und Prädestination in den Textfunden von Qumran, StTDJ 18, Leiden 1995, 6–20; A. Lange / H. Lichtenberger, Art. Qumran (s. Anm. 88), 45f.

91 Vgl. D. Dimant, The Qumran Manuscripts. Contents and Significance, in: D. Dimant / L.H. Schiffman (Hg.), Time to Prepare the Way in the Wilderness. Papers on the Qumran Scrolls by Fellows of the Institute of Advanced Studies of the Hebrew University, Jerusalem 1989–1990, StTDJ 16, Leiden 1995, 23–58.

hinreichend geklärt,[92] aber die grundsätzliche Differenzierung zwischen »essenischen« und »nicht-essenischen« Texten – im englischen Sprachgebrauch zwischen »sectarian« und »non-sectarian« – lässt sich heute nicht mehr umgehen und muss die Grundlage jeder Analyse bilden. Wohl alle Texte in aramäischer Sprache, die meisten Weisheitstexte, ein Großteil der neuen pseudepigraphenähnlichen Texte, ja selbst eine Passage wie die bekannte »Zweigeisterlehre« (1QS III,13–IV,26)[93] müssen wohl als Teil des literarischen Erbes angesehen werden, das die Essener aus anderen Kreisen, z.T. aus Vorläufer-Bewegungen, übernahmen und das uns heute ausschließlich durch die Bibliothek von Qumran zugänglich ist.

Man wird darin vielleicht die größte Bedeutung der Qumran-Funde sehen können, dass sie uns nicht nur Zeugnisse einer abgeschiedenen »Sekte« zugänglich gemacht haben, sondern einen viel breiteren Ausschnitt aus der Literatur des Judentums der drei vorchristlichen Jahrhunderte. Im Licht der ganzen Fülle von Texten erweist sich dieses als ungleich vielfältiger und facettenreicher, als die Forschung in der Zeit vor den Textfunden am Toten Meer erkennen konnte. Zuvor standen als Quellen ja nur die griechisch oder in sekundären Übersetzungen erhaltenen Apokryphen und Pseudepigraphen, die Werke von Josephus und Philo und dann natürlich die rabbinische Literatur zur Verfügung, die erst lange nach 70 n.Chr. kodifiziert wurde und für die ein Bezug auf die Zeit vor der Zerstörung des Zweiten Tempels außerordentlich problematisch ist. Unter dem Eindruck der rabbinischen Texte rechneten viele Forscher mit einem »normativen« Judentum[94] als dem

---

[92] Dies ist in der Schwierigkeit begründet, die Gruppen und Untergruppen im Palästina des 2. Jh. v.Chr. zu identifizieren und miteinander in Beziehung zu setzen.

[93] S. dazu H. Stegemann, Die Essener (s. Anm. 15), 154–156; A. Lange, Weisheit und Prädestination (s. Anm. 90), 126ff.; J. Frey, Different Patterns (s. Anm. 88), 295–300.

[94] So G.F. Moore, Judaism in the First Centuries of the Christian Era: The Age of the Tannaim I, Cambridge 1927, 3.236; vgl. dazu J.A. Fitzmyer, The

Hintergrund des Urchristentums. Von einer solchen Normativität kann aber nach Ausweis der Qumran-Funde bis zum Jahr 70 keine Rede sein. Auf dem Hintergrund der neu erschlossenen Quellen lassen sich nun manche urchristliche Termini, die zuvor als »unjüdisch«, hellenistisch oder gar gnostisch galten, als jüdisch begreifen.

4. Ein neuer Katalog von Fragen

Mit der Einsicht in die Differenziertheit der Bibliothek von Qumran haben sich auch die Fragen verändert, die im Blick auf das Verhältnis zwischen den Qumran-Texten und dem Neuen Testament zu stellen sind: Die ältere Forschung hatte vorwiegend nach »Qumran-Parallelen« zum Neuen Testament gefragt und diese auf einen möglichen qumranischen oder essenischen Einfluss auf die jeweiligen Autoren hin diskutiert.[95] In Anbetracht der Differenzierungen in der Qumran-Bibliothek ist es jedoch nicht mehr möglich, die sprachlichen und sachlichen Parallelen unbesehen als Indiz essenischer Einflüsse zu werten. Vielmehr sind diese zunächst als Bestandteile der palästinisch-jüdischen Matrix[96] des Urchristentums zu begreifen, an der Jesus und die Urgemeinde, aber auch Paulus, die synoptische und die johanneische Tradition Anteil haben. Die Frage nach »Qumran-Parallelen« ist daher differenzierter als früher zu stellen:[97]

Qumran Scrolls and the New Testament After Forty Years, RdQ 49–52/13 (1988), 609–620, 609f.

95 Diesen Typus der Fragestellung belegt die Zusammenstellung der älteren Diskussion (bis 1959) bei H. Braun, Qumran und das Neue Testament, 2 Bde., Tübingen 1966.

96 So J.A. Fitzmyer, The Qumran Scrolls (s. Anm. 94), 610.

97 Solche Differenzierungen formuliert jetzt auch H.-W. Kuhn, Qumran und Paulus. Unter traditionsgeschichtlichem Aspekt ausgewählte Parallelen, in: U. Mell / U.B. Müller (Hg.), Das Urchristentum in seiner literarischen Geschichte, FS Jürgen Becker, BZNW 100, Berlin / New York 1999, 227–246, 228f.

a) Zunächst müssen die Parallelen klar beschrieben und klassifiziert werden. Es ist zu klären, in welcher Hinsicht tatsächlich eine Parallele besteht: Ist ein einzelner Terminus oder ein spezifischer semantischer Wert desselben »parallel«? Ist es ein Motiv, eine literarische Form oder eine Institution der hinter den Texten stehenden Gemeinschaft? Und welcher »Grad« von Parallelität liegt vor? Existiert eine sehr enge, gegebenenfalls sogar wörtliche Entsprechung zwischen einem Text aus der Qumran-Bibliothek und einem neutestamentlichen Text, oder besteht nur eine ungefähre Analogie, eine entferntere Ähnlichkeit?
b) In Anbetracht der Differenzierung zwischen essenischen und nicht-essenischen Texten ist zu unterscheiden: Stellt die fragliche Parallele ein Spezifikum essenischer Texte dar, oder erscheint das Phänomen auch in nicht-essenischen Texten? Lässt sich gegebenenfalls eine interne Differenzierung oder gar eine Entwicklung innerhalb der Dokumente der Qumran-Bibliothek aufzeigen? Und wenn dies der Fall ist, welchem Vorstellungstyp oder welcher Entwicklungsstufe kommt die neutestamentliche Parallele am nächsten? Nur auf der Basis einer derart differenzierten Analyse lässt sich in angemessener Weise nach möglichen Beziehungen zwischen den Texten, ihren Autoren oder Trägergruppen fragen.
c) Es versteht sich von selbst, dass eine solche Analyse der Qumran-Texte nicht zu einer einseitigen, pan-qumranistischen Sichtweise verleiten darf.[98] Natürlich lassen sich nicht alle Sprachformen und Vorstellungen des Urchristentums aus dem palästinischen Judentum erklären, vielmehr ist gleichermaßen mit Einflüssen des hellenistischen Judentums – auch in Palästina[99] – sowie

[98] Ein solcher Pan-Qumranismus wurde in der ersten Phase der Forschung, kurz nach den Funden, von manchen Autoren vertreten. Doch haben diese Übertreibungen der Rezeption der Qumran-Funde in der neutestamentlichen Wissenschaft eher geschadet.

[99] S. dazu grundlegend die Arbeiten von M. Hengel: Judentum und Hellenismus, WUNT 10, Tübingen [3]1988; ders., Juden, Griechen und Barbaren. Aspekte der Hellenisierung des Judentums in vorchristlicher Zeit, SBS 76, Stuttgart 1976; ders. (mit Ch. Markschies), Das Problem der »Hellenisie-

– in geringerem Maße und oft in gebrochener Form – der paganen Umwelt zu rechnen. So sollte die Beurteilung der Qumran-Parallelen stets mit der Frage geschehen, ob nicht Texte aus anderen Traditionskreisen engere Parallelen zu den neutestamentlichen Phänomenen bieten und somit für eine Erklärung derselben eher in Frage kommen können.

d) Die Bibliothek von Qumran verspricht andererseits Einsichten für das Verständnis des Neuen Testaments, die weit über die bloße Suche nach Parallelen und deren Auswertung hinausgehen. Zu erwarten sind hier vor allem vertiefte Einsichten in die Milieus der Traditionsübermittlung und den Vorgang der Textproduktion und Textüberlieferung im zeitgenössischen Judentum sowie in die Entstehung und Geschichte einzelner literarischer Formen.

e) Interessant ist schließlich auch die forschungsgeschichtliche Fragestellung: Inwiefern haben die Qumran-Funde und die folgenden Wellen ihrer Veröffentlichung die religionsgeschichtliche Einordnung und dann auch die theologische Interpretation einzelner Texte oder Schriftenkreise verändert. Welche Deutungen beherrschten das Feld vor den Textfunden, welche wurden in Anbetracht der Qumrantexte vorgeschlagen (und gegebenenfalls wieder verworfen), und was lässt sich heute – im Blick auf eine über 50jährige Forschungsgeschichte – aus diesen Diskussionen als Ertrag festhalten? Inwiefern haben die Schriftrollen unser Bild des irdischen Jesus, des Apostels Paulus oder des Johannesevangeliums tatsächlich verändert? Erst wo sich eine sachgemäße Analyse der Texte und Parallelen mit forschungsgeschichtlichem Bewusstsein verbindet, lässt sich die wirkliche Bedeutung der Qumran-Funde für das Verständnis des Neuen Testaments benennen. Perspektiven einer derart angelegten Untersuchung sollen im Folgenden an drei ausgewählten Beispielen angedeutet werden.

---

rung« Judäas im 1. Jahrhundert nach Christus, in: ders., Judaica et Hellenistica. Kleine Schriften I, WUNT 90, Tübingen 1996, 1–90; ders., Qumran und der Hellenismus, in: ders., Judaica et Hellenistica, 258–294; ders., Jerusalem als jüdische und hellenistische Stadt, in: ders., Judaica, Hellenistica et Christiana, Kleine Schriften II, WUNT 109, Tübingen 1999, 115–156.

IV. Drei exemplarische Testfälle

1. Die Bedeutung der Qumrantexte für das Verständnis der Gestalt Johannes des Täufers

Gemeinsamkeiten und Unterschiede zwischen den Zeugnissen aus Qumran und den neutestamentlichen Texten sollen zunächst am Beispiel jener Gestalt erörtert werden, für dic man in der Forschung am stärksten mit der Nähe zu den Essenern bzw. zu Qumran gerechnet hat: an der Überlieferung von Johannes dem Täufer.[100]

---

[100] Die Literatur zum Täufer ist fast unübersehbar, s. zum Überblick O. Böcher, Art. Johannes der Täufer, TRE 17, 1988, 172–181; S. von Dobbeler, Das Gericht und das Erbarmen Gottes. Die Botschaft Johannes des Täufers und ihre Rezeption bei den Johannesjüngern im Rahmen der Theologiegeschichte des Frühjudentums, BBB 70, Bonn 1988; J. Ernst, Johannes der Täufer. Interpretation, Geschichte, Wirkungsgeschichte, BZNW 53, Berlin / New York 1989; R.L. Webb, John the Baptizer and Prophet. A Socio-Historical Study, JSNT.S 62, Sheffield 1991; K. Backhaus, Die Jüngerkreise des Täufers Johannes. Eine Studie zu den religionsgeschichtlichen Ursprüngen des Christentums, PaThSt 19, Paderborn 1991; E.F. Lupieri, John the Baptist in New Testament Traditions and History, ANRW II 26.1, Berlin / New York 1992, 430–461; M. Tilly, Johannes der Täufer und die Biographie der Propheten. Die synoptische Täuferüberlieferung und das jüdische Prophetenbild zur Zeit des Täufers, BWANT 137, Stuttgart u.a. 1994; B. Chilton, John the Purifier, in: B. Chilton / C.A. Evans (Hg.), Jesus in Context. Temple, Purity and Restoration, AGJU 39, Leiden 1997, 203–220; A. Yarbro Collins, The Origin of Christian Baptism, in: dies., Cosmology and Eschatology in Jewish and Christian Apocalypticism, JSJ.S 50, Leiden 1996, 218–238; J.E. Taylor, The Immerser. John the Baptist within Second Temple Judaism, Grand Rapids / Cambridge 1997; zu den möglichen Bezügen zu Qumran s. aus neuerer Zeit O. Betz, Was John the Baptist an Essene?, BibRev 18 (1990), 18–25; H. Lichtenberger, The Dead Sea Scrolls and John the Baptist: Reflections on Josephus' Account of John the Baptist, in: D. Dimant / U. Rappaport (Hg.), The Dead Sea Scrolls: Forty Years of Research, StTDJ 10 Leiden 1992, 340–346; ders., Johannes der Täufer und die Texte von Qumran, in: Z.J. Kapera (Hg.), Mogilany 1989: Papers on the Dead Sea Scrolls Offered in Memory of Jean Carmignac 1, Qumranica Mogilanensia 2,

Es ist eine der bestbezeugten neutestamentlichen Überlieferungen, dass Jesus durch Johannes die »Taufe der Buße zur Vergebung der Sünden« (Mk 1,4) empfing. Im Verlauf der neutestamentlichen Traditionsentwicklung lässt sich allerdings eine Tendenz beobachten, dieses Faktum des Anfangs immer stärker zu verdrängen[101] und den Täufer immer stärker als Vorläufer und Zeugen Jesu, ja schließlich als »ersten Christen« zu zeichnen[102]. Dies zeigt, wie problematisch diese Gestalt des »Lehrers« Jesu für das Urchristen

---

Krakow 1991, 139–152; ders., Die Texte von Qumran und das Urchristentum, Jud. 50 (1994), 68–91; H. Stegemann, Die Essener (s. Anm. 15), 292–313; S.J. Pfann, The Essene Yearly Renewal Ceremony and the Baptism of Repentance, in: D.W. Parry / E. Ulrich (Hg.), The Provo International Conference on the Dead Sea Scrolls, StTDJ 30, Leiden 1999, 337–352; J.H. Charlesworth, John the Baptizer and Qumran Barriers in Light of the Rule of the Community, in: D.W. Parry / E. Ulrich (Hg.), The Provo International Conference on the Dead Sea Scrolls, StTDJ 30, Leiden 1999, 353–375; F. Avemarie, Ist die Johannestaufe ein Ausdruck von Tempelkritik? Skizze eines methodischen Problems, in: B. Ego / A. Lange / P. Pilhofer (Hg.), Gemeinde ohne Tempel. Community without Temple, WUNT 118, Tübingen 1999, 395–410.

[101] Nach dem Matthäusevangelium will Johannes sich weigern, Jesus zu taufen (Mt 3,14). Das Johannesevangelium lässt den Bericht von der Taufe Jesu ganz aus – obwohl diese als bekannt gelten muss – und erzählt nur das Herabkommen des Geistes auf Jesus (Joh 1,32f.). So vermeidet das vierte Evangelium jeden Anschein der Unterordnung Jesu unter Johannes (der auch nicht »Täufer« genannt wird).

[102] Vgl. Joh 1,26f.29–35; 3,27–30 sowie das »Verschmelzen« von Täuferwort und Jesu Verkündigung in Joh 3,31–36 (s. dazu J. Frey, Die johanneische Eschatologie III: Die eschatologische Verkündigung in den johanneischen Texten, WUNT 117, Tübingen 2000, 244f.300–302). Zum johanneischen Täuferbild s. J. Ernst, Johannes der Täufer (s. Anm. 100), 186–216; D.-A. Koch, Der Täufer als Zeuge des Offenbarers. Das Täuferbild von Joh 1,19–34 auf dem Hintergrund von Mk 1,2–11, in: F. van Segbroeck u.a. (Hg.), The Four Gospels 1992, FS F. Neirynck, Vol. 3, BEThL 100, Leuven 1992, 1963–1984; M. Stowasser, Johannes der Täufer im vierten Evangelium, ÖBS 12, Klosterneuburg 1992.

tum und seine späteren christologischen Konzepte gewesen sein muss.[103]

Auch für moderne historisch-kritische Interpreten blieb die Gestalt des Täufers in vielem rätselhaft. In welchem Kontext sollte man seine Predigt in der Wüste und seine Bußtaufe erklären? In ein »normatives Judentum« passten beide gewiss nicht. Weder der Hinweis auf die erst später belegte Proselytentaufe[104] noch der Blick auf die gleichfalls erst in sehr viel jüngeren Quellen bezeugten Taufsekten des Ostjordanlandes[105] boten eine wirklich überzeugende Parallele. So verwundert es nicht, dass man Johannes bald nach den ersten Textfunden mit der »Sekte« von Qumran in Verbindung brachte und vermutete, er habe »in besonders nahem Kontakt mit den Lehren der Essener« gestanden.[106] Die

---

[103] Die Problematik ergab sich, weil eine an Jesus vollzogene Bußtaufe »zur Vergebung der Sünden« (Mk 1,4) dessen christologische Würde in Frage zu stellen drohte. Hinzu kam dann auch die Rivalität mit Täufergemeinden (s. dazu H. Lichtenberger, Täufergemeinden und frühchristliche Täuferpolemik im letzten Drittel des 1. Jahrhunderts, ZThK 84 [1987], 36–57, sowie auch K. Backhaus, Die Jüngerkreise des Täufers Johannes [s. Anm. 100]).

[104] In diesem Sinne etwa P. Billerbeck, in: Kommentar zum Neuen Testament aus Talmud und Midrasch 1, München 1926, 112; J. Leipoldt, Die urchristliche Taufe im Lichte der Religionsgeschichte, Leipzig 1928, 25–29; J. Jeremias, Der Ursprung der Johannestaufe, ZNW 28 (1929), 312–320; ders., Proselytentaufe und Neues Testament, ThZ 5 (1949), 418–428; A. Oepke, Art. βάπτω κ. τ. λ., ThWNT 1, 1933, 527–543, 534f.; H.H. Rowley, Jewish Proselyte Baptism and the Baptism of John, HUCA 15 (1940), 313–334.

[105] Grundlegend R. Reitzenstein, Die Vorgeschichte der christlichen Taufe, Leipzig 1929, 152ff.; s. auch O. Cullmann, The Significance of the Qumran Texts for Research into the Beginnings of Christianity, in: K. Stendahl (Hg.), The Scrolls and the New Testament, London 1958, 18–32, 24.

[106] So K. Schubert, Die Gemeinde vom Toten Meer, München / Basel 1958, 109. S. besonders W.H. Brownlee, John the Baptist in the New Light of Ancient Scrolls, in: K. Stendahl (Hg.), The Scrolls and the New Testament, New York 1957, 33–53. Eine unmittelbare Ableitung der Johannestaufe aus Qumran versuchten K. Stendahl, 'Αξιος im Lichte der Texte der Qumrân-Höhle, NSNU 7 (1952), 53–55; O. Betz, Die Proselytentaufe der Qumransekte und die Taufe im Neuen Testament, RdQ 2/1 (1958/59), 213–234, 222; eine

priesterlich bestimmte und asketisch lebende Gruppe mit ihren strengen Reinigungsriten schien einen angemesseneren Rahmen für die Gestalt des Täufers und sein Wirken zu eröffnen.[107] Immerhin berichtet Lukas, dass Johannes aus priesterlichem Geschlecht stammte (Lk 1,5ff.) und bereits vor seinem Auftreten »in der Wüste« gelebt habe (Lk 1,80)[108]. Geographisch dürfte Johannes zu gewissen Zeiten wenigstens nicht allzu weit von Qumran entfernt gewirkt haben.[109] Seine asketische Nahrung und Kleidung, die Er-

Verbindung zwischen Qumran und den späteren Täufersekten zog O. Cullmann, The Significance (s. vorige Anm.). Bereits vor den Qumran-Funden wurden (aufgrund der antiken Essenerberichte) »essenische« Züge an der Johannestaufe festgestellt, so bei S. Kraus, Art. Baptism, The Jewish Encyclopedia 2, 1925, 499f., und J. Thomas, Le mouvement baptiste en Palestine et Syrie, Gembloux 1935, 87.

[107] S. grundlegend W. Brownlee, John the Baptist in the New Light of Ancient Scrolls, in: K. Stendahl (Hg.), The Scrolls and the New Testament, New York 1957, 71–90; zur Diskussion der nach den Funden von Qumran aufgestellten Thesen J. Gnilka, Die essenischen Tauchbäder und die Johannestaufe, RdQ 10/3 (1961/62), 185–207; H. Braun, Qumran und das Neue Testament 2 (s. Anm. 95), 1–25.

[108] Dies wurde gelegentlich mit den Notizen bei Josephus, Bell. II,120.160f., über die Aufnahme fremder Kinder bei den Essenern verbunden; s. W. Brownlee, John the Baptist (s. Anm. 106), 35f.; K. Schubert, Gemeinde (s. Anm. 106), 111.

[109] H. Stegemann, Die Bedeutung der Qumranfunde für das Verständnis Jesu und des frühen Christentums, BuK 8 (1993), 10–19, 12, schätzt, dass zwischen beiden Orten ca. 15 km, d.h. etwa fünf Gehstunden lagen. J.H. Charlesworth, John the Baptizer (s. Anm. 100), 357 rechnet nur mit drei Gehstunden. Freilich ist der Ort der Wirksamkeit des Täufers nicht mehr eindeutig zu bestimmen. Eine Taufstelle wird traditionell nahe Jericho lokalisiert (vgl. Mt 3,1: »in der Wüste Judäas«), aber auf der Ostseite des Jordan. Joh 1,28 nennt einen Ort »Bethanien jenseits des Jordans«. Die östliche Jordanseite erfährt dadurch eine Stütze, dass Herodes Antipas, der Tetrarch von Galiläa und Peräa, Johannes auf der zu Peräa gehörenden Festung Machärus festsetzen und töten konnte (Josephus, Ant. XVIII,119). Die Annahme, dass der in Joh 1,28 genannte Ort im Norden zu lokalisieren oder gar mit der Region Batanäa zu identifizieren sei (so B. Pixner, Wege des Messias [s. Anm. 52], 166–179; R. Riesner, Bethany Beyond the Jordan [John 1:28]: Topography, Theology and History in the Fourth Gospel, TynB

wartung des nahen Endes und vor allem der von ihm praktizierte Wasserritus der Bußtaufe vervollständigten das Bild und führten bei vielen Interpreten zur Vermutung, der Täufer sei essenisch beeinflusst oder gar ein ehemaliger Essener, der sich dann aus irgendwelchen Gründen von der Gemeinde getrennt hätte oder von ihr ausgeschlossen worden sei.[110]

In der Tat könnte die Nahrung des Täufers, Heuschrecken und willder Honig (Mk 1,6), mit der essenischen Halakha im Einklang stehen,[111] und die Versuchung ist groß, auch die Kleidung des Täufers mit der eidlichen Verpflichtung der Essener in Verbindung zu bringen, nichts von Außenstehenden anzunehmen[112]. Allerdings lässt sich der Habitus des Täufers mindestens ebenso gut aus prophetischer Tradition erklären.[113] Auch das Interesse des Täufers an eschatologischer Reinheit und seine Taufe als ein durch fließendes Wasser zu vollziehender, entsündigend wirkender Reinigungsritus weist Parallelen mit den essenischen Waschungen auf, wenngleich sich in der Interpretation und in der Praxis des Ritus wesentliche Differenzen zeigen.

---

38 [1987], 29–63) kann hingegen nicht überzeugen; s. dazu J. Frey, Die johanneische Eschatologie II (s. Anm. 71), 200f.

[110] S. dazu die oben Anm. 106–107 genannten Autoren.

[111] S. dazu J.H. Charlesworth, John the Baptizer (s. Anm. 100), 367, der auf CD XII,14f. verweist, wonach Heuschrecken lebendig gekocht werden sollen; nach CD XII,12 sind zwar Bienenlarven nicht gestattet, doch dürfte damit gefilterter Honig erlaubt sein; s. Ch. Rabin, The Zadokite Documents, Oxford 1958, 61; S.L. Davies, John the Baptist and Essene Kashruth, NTS 29 (1983), 569–571.

[112] Vgl. 1QS V,16f. und Josephus, Bell. II,143, wo ausdrücklich auf die Not der aus der Gemeinschaft Ausgestoßenen eingegangen wird.

[113] Vgl. O. Böcher, Art. Johannes der Täufer (s. Anm. 100), 174: »Vermutlich galten Kamelhaarmantel, Heuschreckenspeise und Honigtrank als Attribute des Propheten Elia.« S. ausführlich M. Tilly, Johannes der Täufer (s. Anm. 100), 167–185; vgl. weiter 2Kön 1,8; Sach 13,4; Apk 11,3; Hebr 11,37f.; 1Clem 11,37; AscJes 2,10f.; zum Fasten auch VitProph Daniel 3.

Dass Josephus den Täufer in ähnlichen Zügen schildert wie die Essener,[114] scheint die Beziehung zwischen beiden noch zu stärken. Doch ist bei Josephus stets zu fragen, welche Interessen hinter seiner Darstellung stehen könnten. Auffällig ist ja, dass er die eschatologische Verkündigung des Täufers ebenso konsequent verschweigt wie seine schroffe Kritik gegenüber Herodes Antipas. Johannes wird stattdessen ausschließlich als tugendhaft und gerecht gekennzeichnet. In vergleichbarer Weise verfährt Josephus in den Anekdoten über die essäischen Propheten Judas, Menachem und Simon:[115] Diese werden als treffsichere Prognostiker gezeichnet, die durch die Kennzeichnung als Essäer/Essener an der Tugend und Frömmigkeit dieser Gruppe teilhaben. Der nicht zu verkennende politische Aspekt ihrer Prophetie wird dabei allerdings ebenso zurückgedrängt wie in der Notiz über Johannes den Täufer. Josephus dürfte in beiden Fällen von seinem jüdisch-apologetischen Interesse geleitet sein, die betreffenden Gestalten nicht mit dem Zelotentum in Verbindung zu bringen. Deshalb verschweigt er beim Täufer – wie in den Essenerberichten – alle eschatologischen Züge und stellt hier wie dort den Aspekt der Gerechtigkeit und Tugend heraus.[116] Wenn aber das essenische Gewand des Täufers im apologetischen Darstellungsinteresse des Josephus gründet, kann dieser Aspekt die historische Zuordnung des Täufers zu den Essenern nicht stützen.

---

[114] Josephus, Ant. XVIII,116–119. Vgl. H. Lichtenberger, The Dead Sea Scrolls and John the Baptist (s. Anm. 100). Parallelen betreffen die Reinigungsriten (die Josephus in seinen Notizen über Pharisäer und Sadduzäer weglässt), und den Inhalt der Predigt (nach Josephus δικαιοσύνη und εὐσέβεια).

[115] Judas: Bell. I,78–80; Ant. XIII,311–313; Menachem: Ant. XV,372–279; Simon: Bell. II,111f.; Ant. XVII,345–348.

[116] Vgl. R.L. Webb, John the Baptizer (s. Anm. 100), 38, der herausstellt, dass Josephus den Täufer als Beispiel für die unruhigen Zeiten in Palästina und als Illustration für den Verfall nach dem Tod Herodes' des Großen einführt, ihn für seine römischen Leser aber gerade als Opfer der Umstände, als unschuldigen Märtyrer, zeichnen will. Nur im Lichte der genauen Kenntnis der palästinischen Zustände konnte die politische Relevanz der von Johannes angestoßenen Bewegung deutlich werden.

Neuerdings hat James H. Charlesworth[117] das Bild des Täufers als eines ehemaligen Esseners eindrucksvoll erneuert und eine Hypothese formuliert, warum Johannes diese Gemeinschaft verlassen haben könnte. Er könnte demnach – gemäß den Bestimmungen der Gemeinderegel – die ersten Stadien der Aufnahme durchlaufen und die Gelübde der Ehelosigkeit und völligen Absonderung abgelegt haben. Er könnte von vielen Elementen des essenischen Denkens beeindruckt gewesen sein. Doch dann, als er erstmals an der Liturgie der Bundeserneuerung[118] teilnahm und die Flüche über die »Männer Belials« hörte, da könnten diese Worte ihm zum Anstoß geworden sein, er könnte das »Amen. Amen« verweigert, sich so ins Abseits gestellt und schließlich seinen Ausschluss hervorgerufen haben. Gebunden an seine Gelübde, aber aus der Gemeinschaft ausgeschlossen, hätte er nun in völliger Autarkie sein Leben gefristet und essenische Ideen in signifikanter Modifikation vertreten, nämlich in einer nicht-deterministischen und auf die Umkehr aller Israeliten zielenden Predigt.

Dieses Szenario klingt zunächst plausibel, und es könnte einzelne Gemeinsamkeiten mit dem essenischen Denken sowie die Nahrung und Kleidung des Täufers zu erklären helfen. Dennoch bestehen hier gravierende sachliche und methodische Einwände: Die Erwartung des göttlichen Gerichtszorns und der Verweis auf den »Kommenden«, die zum Kern der in der Logienquelle überlieferten Täuferworte gehören,[119] haben Parallelen nicht nur in Qumran, sondern in einer sehr viel breiteren prophetisch-apokalyptischen Überlieferung, und auch Nahrung und Kleidung des Täufers, die schon die Zeitgenossen an Elia erinnerten,[120] lassen

---

[117] J.H. Charlesworth, John the Baptizer (s. Anm. 100).

[118] Vgl. 1QS II,4–10.11–18.

[119] Mt 3,7–10 par. Lk 3,7–9; Mt 3,12 par. Lk 3,17.

[120] Vgl. Mk 1,4.6; s. O. Böcher, Art. Johannes der Täufer (s. Anm. 100), 176; S. von Dobbeler, Das Gericht (s. Anm. 100), 141–147; J. Ernst, Johannes der Täufer (s. Anm. 100), 300–308; J.E. Taylor, The Immerser (s. Anm. 100), 35–38.

sich vom Bild des Bußpropheten her verstehen. Schließlich erhebt sich die Frage, ob das bei Charlesworth geschilderte Szenario der Trennung des jungen Johannes von der essenischen Gemeinschaft hier nicht in einer allzu »modernen« Weise konstruiert ist. Im Lichte von Traditionen wie Lk 3,7 oder 3,9 ist es fraglich, ob der Täufer mit den Fluchformeln im essenischen Bundeserneuerungsritual derartige Schwierigkeiten gehabt hätte, wie sie einem modernen christlichen Ausleger hier vor Augen stehen. Warum Johannes die Gemeinschaft verlassen haben sollte, lässt sich daher kaum mehr mit Sicherheit rekonstruieren. Dann aber ist es mindestens ebenso unsicher, ob er jemals ein Glied derselben war.[121] Der Versuch, aus den uns vorliegenden Quellen ein »Leben Johannes des Täufers« zu rekonstruieren, kann daher leider ebenso wenig gelingen wie die vielen Versuche, aus diesen Quellen ein »Leben Jesu« zu verfassen.

Eine eindeutige Antwort auf die Frage, ob der Täufer einmal zur Gemeinschaft der Essener gehörte und sich dann – aus welchen Gründen auch immer – von ihr wieder trennte, lässt sich daher nicht geben. Hier lassen sich nur Möglichkeiten benennen, ohne dass man diese zur Wahrscheinlichkeit erheben könnte. Fruchtbarer ist es, umgekehrt zu fragen, inwiefern die Qumran-Texte uns helfen können, die Gestalt des Täufers besser zu verstehen, als dies ohne diese Quellen möglich wäre. Hier können gerade die Differenzen im Gemeinsamen zu einem präziseren Bild des Täufers und seiner Wirksamkeit verhelfen. Zwei Aspekte verdienen besondere Beachtung, das Schriftzitat aus Jes 40,3 und der Ritus der Johannestaufe:

---

[121] H. Lichtenberger, Die Texte von Qumran und das Urchristentum (s. Anm. 100), 78, stellt mit Recht fest, dass eine solche Annahme der einstigen Mitgliedschaft und des späteren Austritts (bzw. Ausschlusses) eine Hypothese auf eine andere baut und daher methodisch »noch bedenklicher [ist] als die Annahme einer Zugehörigkeit des Täufers zur Qumrangemeinde während seiner Predigt- und Tauftätigkeit am Jordan«.

a) Eine der auffälligsten Gemeinsamkeiten zwischen den Qumrantexten und der christlichen Täuferüberlieferung besteht darin, dass beide an zentraler Stelle auf dieselbe biblische Tradition bezogen sind, nämlich Jes 40,3: »Die Stimme eines Rufers in der Wüste: Bereitet den Weg des Herrn«. Dieses Prophetenwort ist in der Gemeinderegel (1QS VIII,14; vgl. IX,19f.) und in den Evangelien (Mk 1,4; par. Mt 3,3 und Lk 3,4–6; Joh 1,23) zitiert. In der Perspektive der christlichen Autoren kennzeichnet das Wort den Täufer als Vorläufer Jesu Christi. Doch ist es fraglich, ob diese Bibelstelle nur eine späte christliche Interpretation bietet. Jes 40,3 ist bereits in Mal 3,1 aufgenommen; von Mal 3,23 her wird der dort genannte »Bote« schließlich mit dem wiederkommenden Elia identifiziert.[122] Auch sonst begegnet die Zitierung von Jes 40,1–5 in der nachbiblischen jüdischen Überlieferung häufiger.[123] So könnten der Bezug auf diese Stelle durchaus dem Kreis des Täufers oder gar diesem selbst zuzutrauen sein, denn gerade sie bietet in Verbindung mit ihrer Rezeption in Mal 3, dem Abschluss des Prophetenkanons, den Schlüssel für das Auftreten und die Verkündigung des Johannes:[124] In Mal 3 begegnet Elia als der letzte Rufer vor dem »großen und schrecklichen Tag« des Gerichts,[125] zweimal findet sich das Bild vom Feuergericht,[126] zweimal begegnet die Botschaft von der Umkehr[127]. Der Bezug auf Elia erscheint grundlegend für das Erscheinungsbild wie für wesentliche Themen und Bilder der Verkündigung des Täufers.[128] »Auch der Wirkungsort,

---

[122] Vgl. O. Böcher, Art. Johannes der Täufer (s. Anm. 100), 174; M. Öhler, Elia im Neuen Testament. Untersuchungen zur Bedeutung des alttestamentlichen Propheten im frühen Christentum, BZNW 88, Berlin / New York 1997, 4–6.

[123] Vgl. Bar 5,7; Sir 48,24; 1Hen 1,6; AssMos 10,4; LevR zu Lev 1,14; DtnR zu Dtn 4,11; PesR 29.30.33 (s. W.D. Davies / D.C. Allison, The Gospel According to Saint Matthew I, ICC, Edinburgh 1988, 294).

[124] S. dazu H. Stegemann, Die Essener (s. Anm. 15), 299–301; M. Öhler, Elia im Neuen Testament (s. Anm. 122), 103–107.

[125] Mal 3,23f.

[126] Mal 3,2f.19; vgl. Mt 3,12 und Lk 3,9.

[127] Mal 3,7.24.

[128] S. dazu auch M. Öhler, Elija und Elischa, in: ders. (Hg.), Alttestamentliche

den Johannes für sein Auftreten wählt, könnte in Analogie zu Elija gewählt sein.«[129] Nach 2Kön 2 überquerte Elia den Jordan dort, wo Israel unter Josua das Land betreten hatte, und dort, am Ostufer, wurde er im Sturmwind zum Himmel entrückt.[130] Eben dort, wo Elia hinweggenommen worden war und wo man auch die in Mal 3,23 angesagte Wiederkehr des Propheten erwarten konnte, trat Johannes als der letzte Rufer im Erscheinungsbild Elias auf, forderte Umkehr und bot die Bußtaufe als »Initiationsritus für die Zugehörigkeit zum wahren, von Sündenschuld gereinigten Israel der Endzeit« an.[131] Jes 40,3, der Text, auf den Mal 3,1 zurück weist, fügt den in Mal 3 nicht erwähnten Aspekt der Wüste hinzu. Das Auftreten des Täufers als Elia redivivus in der Wüste konnte so als eine wörtliche Erfüllung der Botenverheißung von Jes 40,3 erscheinen.

Die Gemeinderegel von Qumran nimmt das Prophetenwort in anderer Weise auf. 1QS VIII,14 formuliert: »In der Wüste bereitet den Weg des °°°°, macht gerade in der Steppe eine Straße für unseren Gott. Das ist das Studium (*midraš*) der Tora, die er befohlen hat durch Mose, um zu handeln gemäß allem, was offenbart ist für Zeit um Zeit und wie es die Propheten offenbart haben.«[132] Hier ist die Wegbereitung mit dem gemeinschaftlichen Studium der Tora verknüpft,[133] das für die Essener in ihrer Anfangszeit grundlegend war und nun als die Erfüllung der zitierten Prophetie angesehen

---

Gestalten im Neuen Testament, Darmstadt 1999, 184–203, 195f.; ders., Elia im Neuen Testament (s. Anm. 122), 103ff.

[129] So M. Öhler, Elija und Elischa (s. vorige Anm.), 201.

[130] 2Kön 2,6–8 (zur Jordanüberquerung); 2,11 (zur Entrückung).

[131] O. Böcher, Art. Johannes der Täufer (s. Anm. 100), 172.

[132] Übersetzung nach J. Maier, Die Qumran-Essener. Die Texte vom Toten Meer 1, München / Basel 1995, 188 (leicht modifiziert). Der Text ist auch in 4QS[e] III,5–6 erhalten; das Zitat ist ausgelassen (aber mit verkürzter Anspielung auf dieselbe Stelle) in 4QS[d] VI,6–7; vgl. jetzt P.S. Alexander / G. Vermes (Hg.), Qumran Cave 4 XIX. Serekh ha-Yaḥad and Two Related Texts, DJD XXVI, Oxford 1998.

[133] Vgl. zu *midraš hat-tôrah* Esra 7,10.

wird.[134] Dieser Teil der Gemeinderegel wurde sicher vor der essenischen Besiedlung von Qumran komponiert. Ob und inwiefern das Torastudium der Essener bereits in der Frühzeit dieser Gruppierung »in der Wüste« erfolgte, ist unsicher, doch kann man umgekehrt annehmen, dass die Idee der Erfüllung der Prophetie im gemeinsamen Torastudium später zum Rückzug »in die Wüste« motivierte, wo dieses Studium in Abgeschiedenheit von der Außenwelt betrieben werden konnte.

Der Vergleich zeigt, dass die Essener (und später die Qumran-Essener) sich auf dieselbe Schriftstelle bezogen wie Johannes, diese aber völlig anders verstanden und durch ein ganz anderes Verhalten »erfüllten«. Für den Täufer ist die Erfüllung mit der Elia-Tradition verbunden, die für das essenische Verständnis der Schriftstelle ohne Bedeutung ist. Für ihn ist sie mit dem Ruf zur Umkehr aus Mal 3,7.24 und mit dem eschatologischen Reinigungsritus der Bußtaufe verknüpft, während die essenische Deutung von Jes 40,3 gerade nicht mit den Reinigungsriten der Gemeinschaft verbunden ist. Für sie war es das Studium der Tora, das den Weg für Gott bereiten sollte. Ein Hinweis auf die Tora oder gar eine Aufforderung zum Studium derselben lässt sich hingegen in den Traditionen über Johannes den Täufer nicht erkennen. Gerade im Detail zeigen sich die Unterschiede zwischen ihm und den Essenern.

Dies ist noch deutlicher im Blick auf die beiden Reinigungsriten, die essenischen Tauchbäder und die Bußtaufe des Täufers.[135] Ge-

---

[134] S. dazu T. Lim, Midrash Pesher in the Pauline Letters, in: S.E. Porter / C.A. Evans (Hg.), The Scrolls and the Scriptures. Qumran Fifty Years After, JSP.S 26 / RILP 3, Sheffield 1997, 280–292, 286; zum Zitat von Jes 40,3 s. weiter J.H. Charlesworth, Intertextuality: Isaiah 40:3 and the Serek ha-Yahad, in: C.A. Evans / S. Talmon (Hg.), The Quest for Context and Meaning: Studies in Biblical Intertextuality in Honor of James A. Sanders, BIS 28, Leiden 1997, 197–224.

[135] S. dazu besonders H. Stegemann, Die Essener (s. Anm. 15), 306. Die Differenzen sollten nicht verwischt werden durch den Hinweis auf Gemeinsamkeiten zwischen der Initiation bei den Essenern und der Bußtaufe bei Johannes, die S.J. Pfann, The Essene Yearly Renewal Ceremony (s. Anm. 100), aufzählt. Wir finden in Qumran keinen Hinweis auf eine wesentliche

meinsam ist beiden ein Interesse an ritueller Reinheit. Beim Täufer ist dieses jedoch nicht auf das stetige Leben in einer Gemeinschaft bezogen, sondern vom Gedanken an das kommende Feuergericht bestimmt, vor dem das Jordanwasser – ersatzweise – reinigt.[136] Gemeinsam ist beiden auch die Verbindung des Wasserritus mit der Idee der Entsündigung bzw. Sühnung.[137] Doch während die Entsündigung im Horizont des nahen Gerichtstags letztgültigen und damit höchstwahrscheinlich einmaligen Charakter hatte,[138] waren die Waschungen der Essener eine regelmäßig mehrmals täglich zu vollziehende Praxis, die lediglich dem Zustandekommen kultischer Reinheit diente. Die Bußtaufe des Johannes hatte »sakramentale Bedeutung«, sie »bewahrte vor dem Umkommen im bevorstehenden Endgericht und erschloss den Zugang zur künftigen Heilszeit«;[139] die Waschungen der Essener hingegen waren weder mit dem Motiv der Umkehr noch mit dem Gedanken an das bevor-

---

Differenz zwischen dem im Zuge der Initiation erstmals erlaubten Tauchbad und den dann regelmäßig zu vollziehenden Tauchbädern.

[136] S. dazu O. Böcher, Art. Johannes der Täufer (s. Anm. 100), 172f.

[137] Dies zeigt die Beschreibung des Rituals der Waschung in 1QS II,25–III,12. In der Evangelientradition über den Täufer verbindet sich damit auch der Gedanke des Heiligen Geistes (Mk 1,8), womit sich eine zusätzliche Parallele zum essenischen Verständnis ergäbe. Freilich könnte die Erwähnung des Geistes hier erst sekundär sein und in der ursprünglichen Q-Tradition (Mk 3,11; Lk 3,16) gefehlt haben. Dann läge hier keine Parallele zu Qumran vor (gegen J.M. Baumgarten, The Purification Liturgies, in: P.W. Flint / J.C. VanderKam, The Dead Sea Scrolls After Fifty Years 2, Leiden u.a. 1999, 200–212, 206ff.

[138] Dies bestreitet neuerdings B.D. Chilton, John the Purifier, in: ders., Judaic Approaches to the Gospels, USFFCJ 2, Atlanta 1994, 1–37, 26f., doch nicht überzeugend. Natürlich wird eine Wiederholung durch kein Täuferwort explizit ausgeschlossen, aber wir wissen auch nichts davon, dass die Jordantaufe für die Getauften der Beginn eines Lebens in ritueller Reinheit gewesen wäre. Die Erwartung des nahen Gerichts wird für beides kaum Raum gelassen haben. Dass die Reinigung im Horizont des kommenden Gerichts erfolgt, unterscheidet die Johannestaufe von den levitischen Reinigungsriten ebenso wie von den essenischen Tauchbädern.

[139] H. Stegemann, Die Essener (s. Anm. 15), 306.

stehende Endgericht verbunden. Während die rituellen Waschungen in Qumran und anderswo von jedem Einzelnen an sich selbst vollzogen werden konnten, wurde die eschatologische Bußtaufe im Jordan durch einen anderen ausgeführt, dessen Auftreten offenbar gerade darin so bemerkenswert war, dass er von Zeitgenossen den Namen βαπτιστής, d.h. »Untertaucher« bzw. »Täufer«, erhielt.[140] Die Waschungen der Essener waren Vollmitgliedern vorbehalten. Nichtmitglieder mussten bis zur ersten Zulassung ein Jahr Probezeit absolvieren.[141] Der Täufer hingegen taufte öffentlich, und alle, die vorbeikamen und zur Umkehr bereit waren, konnten wohl die Taufe empfangen, da angesichts des nahen Gerichts keine Zeit zu warten war. Die Waschungen der Essener konnten überall erfolgen, der Täufer hingegen taufte an einem bestimmten Ort mit symbolischer Bedeutung, nämlich im Jordan, an der Grenze des Gelobten Landes, an der Stelle, an der Israel dieses Land einst betreten hatte. Die Taufe zur Umkehr und zur eschatologischen Reinigung von Sündenschuld hat insofern eine ganz andere Qualität als die rituellen Waschungen der Essener, gerade vor diesem Hintergrund erscheinen sie als etwas Neues. Die nächsten Verwandten des Johannes sind daher nicht die Essener, auch nicht eine Gestalt wie der bei Josephus erwähnte Bannus, der sich »mit kaltem Wasser Tag und Nacht häufig« reinigte,[142] sondern eher die eschatologischen Propheten jener Zeit[143]. Die Bußtaufe des Johan-

---

140 So neben den Evangelien auch Josephus, Ant. XVIII,116. Die Praxis, dass das Tauchbad von einem anderen vollzogen wird, begegnet hier erstmals (s. H. Stegemann, Die Essener [s. Anm. 15], 302) und ist wohl durch den besonderen Aspekt der eschatologischen Sündenvergebung motiviert, die nur durch Gott gewährt werden konnte.

141 Vgl. 1QS VI,16ff.

142 Josephus, Vita 11. Auf Bannus als Parallele zum Täufer verweist O. Böcher, Art. Johannes der Täufer (s. Anm. 100), 173.

143 S. zu diesen M. Öhler, Elia im Neuen Testament (s. Anm. 122), 98–103; ausführlicher P.W. Barnett, The Jewish Sign Prophets – A. D. 40–70. Their Intentions and Origin, NTS 27 (1981), 679–697; zu den nach dem Vorbild biblischer Propheten auftretenden Gestalten s. R.A. Horsley, »Like One of the Prophets of Old«. Two Types of Prophets at the Time of Jesus, CBQ 47

nes lässt sich verstehen als die rituelle Vorwegnahme des Mal 3 angekündigten eschatologischen Feuergerichts, bei der ersatzweise Wasser zur Verwendung kommt.[144] Sie lässt sich nicht aus den essenischen Reinigungsriten herleiten, und die Differenz zwischen beiden lässt sich keinesfalls durch den Hinweis erklären, dass Johannes eine weniger deterministische Sicht des Heils vertrat als die Essener. Andererseits wäre es »ohne die Qumran-Funde ... gar nicht möglich ..., Johannes den Täufer und sein Wirken ... so darzustellen und seine Andersartigkeit im Vergleich mit den ›Essenern‹ zu erfassen«.[145] Insofern bieten die Qumrantexte doch die entscheidende Hilfe zum Verständnis der Gestalt des Täufers im Rahmen seiner religiösen Umwelt, auch wenn sich eine Ableitung des Täufers aus Qumran bzw. von den Essenern gerade verbietet.

2. Die Bedeutung der Qumrantexte für das Verständnis der paulinischen Anthropologie

Ein zweiter, für die vorliegende Fragestellung interessanter Bereich ist die Anthropologie des Paulus, näherhin die Antithese von »Fleisch« und »Geist«,[146] wie sie z.B. in Gal 5,17 begegnet: »Das Fleisch begehrt gegen den Geist und der Geist gegen das Fleisch, denn diese liegen miteinander im Streit, sodass ihr nicht das tut,

---

(1985), 435–463.

[144] O. Böcher, Johannes der Täufer (s. Anm. 100), 172f., weist darauf hin, dass nach Num 31,22f. (vgl. mAZ 5,12) »unreine Geräte, die einer Lustration durch Feuer nicht ausgesetzt werden könnten, ersatzweise mit Wasser gereinigt werden dürfen«.

[145] H. Stegemann, Die Essener (s. Anm. 15), 311.

[146] S. zu diesem Problem J. Frey, Die paulinische Antithese von »Fleisch« und »Geist« und die palästinisch-jüdische Weisheitstradition, ZNW 90 (1999), 45–77; ders., The Notion of »Flesh« in 4QInstruction and the Background of Pauline Usage, in: D.K. Falk / F. García Martínez / E.M. Schuller (Hg.), Poetical, Liturgical, and Sapiential Texts. Proceedings of the Third Meeting of the International Organization for Qumran Studies, Oslo 1998, StTDJ, Leiden 2000, im Druck.

was ihr wollt.« Weiter ausgeführt wird diese Antithese in Röm 8,4ff.: Das Denken der σάρξ führt zum Tod, das des πνεῦμα zu Leben und Frieden. Das Streben der σάρξ ist Gott ungehorsam, ja feindlich. Die Glaubenden aber leben nicht mehr »nach dem Fleisch«, sondern »nach dem Geist«, der in ihnen wohnt. Diese Antithese hat weder in der hebräischen Bibel noch im Urchristentum vor und neben Paulus eine wirkliche Entsprechung, und sie wird auch später nicht in der gleichen Weise weitergeführt.[147] Aus dieser Beobachtung ergibt sich natürlich die Frage, wie Paulus zu dieser Entgegensetzung und zur Wertung der σάρξ als »Nährboden alles Widergöttlichen«[148] kommt? Ist diese ein Reflex seiner Berufungserfahrung oder ein Ertrag des Ringens mit den Galatern oder den Korinthern? Hat er die Antithese selbst geformt? Hat er die Sprachform von der frühen Gemeinde übernommen und in seinem eigenen Denken semantisch vertieft? Oder war ihm die Rede vom sündigen »Fleisch« und der Gegensatz zum »Geist« bereits im vorchristlich-jüdischen oder hellenistischen Denken vorgegeben?

Die Frage der Herleitung dieser Terminologie ist seit den Anfängen der kritischen Forschung heftig umstritten.[149] Da eine unmittelbare Herleitung aus der hebräischen Bibel nicht möglich ist, wurde in der älteren Forschung und in den Arbeiten der religionsgeschichtlichen Schule zumeist auf einen hellenistisch-heidnischen oder gar gnostischen Hintergrund verwiesen. Für Ferdinand Christian Baur und seine Schüler war die Antithese von πνεῦμα und

---

[147] In der nachpaulinischen Glosse Röm 7,25b liegt gerade nicht das authentische Verständnis von Röm 7–8 vor, sondern ein Missverständnis, s. H. Lichtenberger, Der Beginn der Auslegungsgeschichte von Römer 7: Röm 7,25b, ZNW 88 (1997), 284–295.

[148] H. Lietzmann, An die Römer, HNT 8, Tübingen ^{4}1933, 81.

[149] S. den Forschungsüberblick in J. Frey, Die paulinische Antithese (s. Anm. 146), 46–48; ausführlicher O. Kuss, Der Römerbrief, Lfg. 2, Regensburg 1959, 521–540; A. Sand, Der Begriff »Fleisch« in den paulinischen Hauptbriefen, BU 2, Regensburg 1967, 1–121; R. Jewett, Paul's Anthropological Terms, AGJU 10, Leiden 1971, 49–94.

σάρξ ein Ausdruck des griechischen Dualismus von Geist und Materie.[150] Wilhelm Bousset sah den Apostel in dieser Terminologie von einer »hellenistischen, rein heidnische[n] Gnosis«[151] abhängig, später folgte auch Rudolf Bultmann dieser Interpretationslinie,[152] und sein Schüler Ernst Käsemann verstand die als kosmische Macht personifizierte σάρξ als »gnostische[n] Aeon«[153].

In neuerer Zeit wurde vor allem aufgrund der Untersuchung von Egon Brandenburger vermutet, dass Paulus mit der Antithese von »Fleisch« und »Geist« auf eine hellenistisch-jüdische Konzeption der dualistischen Weisheit rekurriere.[154] Wenn man die Verwendung von σάρξ in der griechischen Philosophie oder bei hellenistisch-jüdischen Autoren wie Philo von Alexandrien näher untersucht, ergibt sich freilich nur der Eindruck, dass »Fleisch« – wie auch »Leib« – gegenüber geistigen Wirklichkeiten abgewertet erscheint; eine Verbindung von »Fleisch« und Sünde oder gar eine geprägte Antithese von »Fleisch« und »Geist« im Sinne zweier feindlicher Mächte lässt sich hingegen nicht belegen.[155]

Die älteren Versuche einer überwiegend hellenistischen Herleitung der paulinischen Terminologie lassen sich auf dem Hintergrund

---

[150] C. Holsten, Die bedeutung des wortes ΣΑΡΞ im lehrbegriffe des Paulus (1855), wieder abgedruckt in ders., Zum Evangelium des Petrus und Paulus, Rostock 1868, 365–447; vgl. bereits F.C. Baur, Paulus, der Apostel Jesu Christi, 1845, 532–535, wo von einem geistigen und einem sinnlichen Prinzip die Rede ist.

[151] W. Bousset, Kyrios Christos, Göttingen [6]1967 (= [2]1921), 134.

[152] R. Bultmann, Art. Paulus, RGG[2] 4, 1930, 1019–1045, 1035; ders., Theologie des Neuen Testaments, Tübingen [9]1984, 171.

[153] E. Käsemann, Leib und Leib Christi, BHTh 9, Tübingen 1933, 105.

[154] Vgl. E. Brandenburger, Fleisch und Geist. Paulus und die dualistische Weisheit, WMANT 29, Neukirchen-Vluyn 1968; im Anschluss daran H. Paulsen, Überlieferung und Auslegung in Römer 8, WMANT 43, Neukirchen-Vluyn 1974, 45ff.; U. Wilckens, Der Brief an die Römer 2, EKK 6/2, Zürich u.a. 1980, 67f.; U. Schnelle, Neutestamentliche Anthropologie. Jesus – Paulus – Johannes, BThSt 18, Neukirchen-Vluyn 1991, 74f.

[155] S. dazu J. Frey, Die paulinische Antithese (s. Anm. 146), 49–52.

verstehen, dass vor den Qumran-Funden praktisch keine hebräischen und aramäischen Texte aus dem nachbiblischen Judentum der Zeit vor 70 n.Chr. vorlagen. Doch führte dieser Sachverhalt zu einer gewissen Einseitigkeit der religionsgeschichtlichen Einschätzung. Da auch der paulinische Verweis auf seine pharisäische und d.h. wohl palästinisch-jüdische Ausbildung nicht an zeitgenössischen Quellen gemessen werden konnte, wurden dieser Sachverhalt und die Notiz des Lukas über das Torastudium des jungen Paulus in Jerusalem häufig mit großer Skepsis betrachtet[156] und diasporajüdische Erklärungen vorgezogen.

Es ist daher höchst bedeutsam, dass die Qumran-Texte eine große Zahl von sprachlichen Wendungen und Motiven enthalten, die als Parallelen zu den paulinischen Briefen gelten können und die palästinisch-jüdischen Wurzeln wesentlicher Elemente des paulinischen Denkens dokumentieren. Die Qumran-Funde markieren daher auch einen forschungsgeschichtlichen Einschnitt in der Paulusinterpretation.

Ich kann im vorliegenden Rahmen nur wenige Beispiele für solche terminologischen Parallelen erwähnen:[157]

---

[156] Phil 3,5; vgl. Apg 22,3. Die Notiz über das Torastudium des jungen Paulus in Jerusalem begegnet zwar nur bei Lukas, nicht in den authentischen Paulusbriefen, dennoch hatte bereits G. Bornkamm festgestellt, dass die unter Exegeten verbreitete Skepsis gegenüber dem lukanischen Werk zumindest an diesem Punkt nicht gerechtfertigt ist (s. G. Bornkamm, Art. Paulus, RGG^3 5, 1961, 166–190, 168). Zum historischen Wert der Notiz s. ausführlich M. Hengel, Der vorchristliche Paulus, in: M. Hengel / U. Heckel (Hg.), Paulus und das antike Judentum, WUNT 58, Tübingen 1991, 177–291, 220–239; zum jüdischen Hintergrund des Paulus s. auch K.-W. Niebuhr, Heidenapostel aus Israel. Die jüdische Identität des Paulus nach ihrer Darstellung in seinen Briefen, WUNT 62, Tübingen 1992; zur Frühzeit des Apostels s. R. Riesner, Die Frühzeit des Apostels Paulus, WUNT 71, Tübingen 1994; M. Hengel / A.M. Schwemer, Paulus zwischen Damaskus und Antiochien, WUNT 108, Tübingen 1998.

[157] Vgl. die jüngsten zusammenfassenden Darstellungen von J.A. Fitzmyer, Paul and the Dead Sea Scrolls, in: P.W. Flint / J.C. VanderKam (Hg.), The Dead Sea Scrolls After Fifty Years 2, Leiden u.a. 1999, 599–621; H.-W. Kuhn, Qumran und Paulus. Unter traditionsgeschichtlichem Aspekt ausgewählte Pa-

a) Der für Paulus ganz charakteristische Ausdruck »Werke des Gesetzes« (ἔργα νόμου),[158] für den weder in der hebräischen Bibel noch in der späteren rabbinischen Literatur Parallelen vorlagen, ließ sich nun aus der Qumran-Bibliothek belegen. Eine nicht ganz exakte Parallele begegnet in der Gemeinderegel 1QS V,21 und VI,8, wo der Ausdruck »Werke im Gesetz« (מעשיו בתורה) verwendet wird. Präzise mit der paulinischen Verwendung stimmt der Terminus in dem halakhischen Text 4QMMT (C 27)[159] überein, wo

---

rallelen, in: U. Mell / U.B. Müller (Hg.), Das Urchristentum in seiner literarischen Geschichte, FS Jürgen Becker, BZNW 100, Berlin / New York 1999, 227–246; vgl. ausführlich die Beiträge von H.-W. Kuhn, The Impact of the Qumran Scrolls on the Understanding of Paul, in: D. Dimant / U. Rappaport (Hg.), The Dead Sea Scrolls: Forty Years of Research, Leiden / Jerusalem 1992, 327–339; ders., Die Bedeutung der Qumrantexte für das Verständnis des ersten Thessalonicherbriefes, in: J. Trebolle Barrera / L. Vegas Montaner (Hg.), The Madrid Qumran Congress: Proceedings of the International Congress on the Dead Sea Scrolls, Madrid, 18–21 March, 1991, StTDJ 11/1–2, Leiden u.a. 1992, 339–353; ders., Die Bedeutung der Qumrantexte für das Verständnis des Galaterbriefes aus dem Münchener Projekt: Qumran und das Neue Testament, in: G.J. Brooke / F. García Martínez (Hg.), New Qumran Texts and Studies. Proceedings of the First Meeting of the International Organization for Qumran Studies, StTDJ 15, Leiden u.a. 1994, 169–221; ders., A Legal Issue in 1 Corinthians 5 and in Qumran, in: M.J. Bernstein / F. García Martínez / J. Kampen (Hg.), Legal Texts and Legal Issues. Proceedings of the Second Meeting of the International Organization for Qumran Studies, Published in Honour of J.M. Baumgarten, StTDJ 23, Leiden u.a. 1997, 489–499.

[158] Gal 2,16 (3-mal); 3,2.5.10; Röm 3,20.28; s. dazu J.A. Fitzmyer, Paul (s. vorige Anm.), 614; H.-W. Kuhn, Qumran und Paulus (s. vorige Anm.), 232.

[159] 4Q398 14–17 II,3. Vgl. E. Qimron / J. Strugnell (Hg.), Qumran Cave 4. V: Miqsat Maase ha-Torah, DJD X, Oxford 1994, 62f. Die Passage scheint auch in 4QMMT[f] (= 4Q399) 1.10 belegt zu sein, doch mit einer leicht differierenden Wortfolge, s. E. Qimron / J. Strugnell (Hg.), Qumran Cave 4. V, 39. In 4QFlor (4Q174) 1–2 + 21 I,7 (= 4QMidrEschat[a] III,7) ist nach neueren Untersuchungnen nicht מעשי תורה, sondern מעשי תודה (»Werke des Lobpreises«) zu lesen, s. A. Steudel, Der Midrasch zur Eschatologie aus der Qumrangemeinde (4QMidrEschat[a.b]). Materielle Rekonstruktion, Textbestand, Gattung und traditionsgeschichtliche Einordnung des durch 4Q174

מעשי התורה steht, »einige Werke des Gesetzes« (im Sinne von: »einige Werke, die gemäß dem Gesetz zu tun sind«)[160]. Die Parallele zeigt, dass Paulus auf einen palästinisch-jüdischen Terminus zurückgreift, der schon längere Zeit zuvor in den Diskussionen um die Auslegung der Tora und die Frage ihrer Befolgung verwendet wurde. Damit ist zwar über das paulinische Verständnis des Terminus noch nichts entschieden,[161] aber doch sein konzeptioneller Hintergrund verdeutlicht.

b) Ein zweiter, für Paulus zentraler Ausdruck ist δικαιοσύνη θεοῦ, Gerechtigkeit Gottes.[162] Auch zu diesem Terminus waren vor den Qumran-Funden keine exakten hebräischen Parallelen bekannt, obwohl die hebräische Bibel an vielen Stellen von Gottes »Gerechtigkeit« (צדקה) spricht.[163] Die Qumran-Texte bieten nun erstmals solche Parallelen.[164]

c) Besonders auffallend in Anbetracht der Qumrantexte sind die dualistischen Sprachformen, die sich auch in den paulinischen Texten finden. In 1Thess 5,5 werden die Christen im eschatologischen Kontext als »Kinder des Lichts« und »Kinder des Tages«

(»Florilegium«) und 4Q177 (»Catena A«) repräsentierten Werkes aus den Qumranfunden, StTDJ 13, Leiden 1994, 44; H.-W. Kuhn, Die Bedeutung der Qumrantexte für das Verständnis des Galaterbriefes (s. Anm. 157), 202ff.; ders., Qumran und Paulus (s. Anm. 157), 232.

[160] So die Wiedergabe bei H.-W. Kuhn, Qumran und Paulus (s. Anm. 157), 232.

[161] S. dazu M. Bachmann, 4QMMT und der Galaterbrief, מעשי התורה und ΕΡΓΑ ΝΟΜΟΥ, ZNW 89 (1998), 91–113; J.D.G. Dunn, 4QMMT and Galatians, NTS 43 (1997), 147–153.

[162] Röm 1,17; 3,5.21.22; 10,3; 2Kor 5,21.

[163] Die nächste Entsprechung ist צדקת יהוה (Dtn 33,21). Vgl. zum Ganzen P. Stuhlmacher, Gerechtigkeit Gottes bei Paulus, FRLANT 87, Göttingen 1965, 102–184; K. Kertelge, »Rechtfertigung« bei Paulus. Studien zur Struktur und zum Bedeutungsgehalt des paulinischen Rechtfertigungsbegriffs, NTA N.F. 3, Münster ^{2}1971, bes. 24–45; U. Wilckens, Der Brief an die Römer 1, EKK V/1, Zürich u.a. 1978, 212–222.

[164] 1QS X,25; XI,12 צדקת אל; 1QM IV,6 צדק אל; vgl. J.A. Fitzmyer, Paul (s. Anm. 157), 614f.

bezeichnet.[165] Diese Wendungen gebrauchen die semitische Konstruktion »Söhne/Kinder von ...« (בני) zur Bezeichnung einer »Menschenklasse«. Eine solche Zweiteilung der Menschheit liegt in der hebräischen Bibel noch nicht vor. Doch ist die Wendung »Kinder des Lichts« in Qumran in mehreren essenischen Texten als Selbstbezeichnung der Frommen belegt,[166] daneben in einem aramäischen, sicher voressenischen Text, den so genannten Visionen Amrams[167]. So dürfte auch die in 1Thess 5,5 gebrauchte Terminologie auf einem vorgegebenen palästinisch-jüdischen Sprachgebrauch beruhen.[168] Auch die Rede von »Werken der Finsternis« in Röm 13,12 erinnert an Formulierungen, die in Qumran belegt sind.

Neben den sprachlichen sind auch sachlich-theologische Parallelen zu erkennen. Gerade zur paulinischen Rede vom »sündigen Fleisch« und zur paulinischen Sicht der Rechtfertigung durch Gottes Gnade[169] begegnen in einigen Texten aus Qumran frappierende Parallelen: Ein eindrucksvolles Beispiel ist der psalmartige Abschnitt, der am Ende der Handschrift 1QS in Kolumne XI begegnet. Der Beter bekennt dort:

»Aber ich gehöre zur ruchlosen Menschheit und zur Versammlung des Frevelfleisches. Meine Freveltaten, mein Treubruch, meine Sünde und die Verkehrtheit meines Herzens lassen mich gehören zur Gemeinschaft des Gewürms und derer, die in Finsternis wandeln« (1QS XI,9f.).

---

[165] Als Gegensätze finden sich »Finsternis« (σκότος) in 1Thess 5,4.5 und »Nacht« (νύξ) in 1Thess 5,5. S. dazu H.-W. Kuhn, Qumran und Paulus (s. Anm. 157), 239f.

[166] Vgl. H.-W. Kuhn, Qumran und Paulus (s. Anm. 157), 239f.: 1QS I,9; II,16; III,13.24.25; 1QM I,1.3.9.11.13; 4QMidrEschat[a] III,8f.; 4QMidrEschat[b] IX,7; XI,12.16.

[167] בני נהורא 4QAmram[f] = 4Q548 1 16 (vgl. בני השוכא »Söhne der Finsternis« 4Q548 1 10.13).

[168] S. dazu H.-W. Kuhn, Qumran und Paulus (s. Anm. 157), 239f.

[169] S. J.A. Fitzmyer, Paul and the Dead Sea Scrolls (s. Anm. 157), 602.

Kurz nach diesem Sündenbekenntnis heißt es dann:

»Ich aber, wenn ich wanke, so sind Gottes Gnadenerweise meine Hilfe für immer, und wenn ich strauchle durch die Sünde des Fleisches, so besteht meine Gerechtigkeit durch die Gerechtigkeit Gottes auf ewig. Und wenn er meine Bedrängnis löst, so wird er meine Seele aus der Grube ziehen und meine Schritte auf den Weg lenken. Durch sein Erbarmen hat er mich nahe gebracht, und durch seine Gnadenerweise kommt meine Gerechtigkeit. Durch die Gerechtigkeit seiner Wahrheit hat er mich gerichtet, und durch den Reichtum seiner Güte sühnt er alle meine Sünden, und durch seine Gerechtigkeit reinigt er mich von aller Unreinheit.« (XI,9–14).

Wir finden in diesem Text ein weit reichendes Bewusstsein des Sünderseins. Der Beter, der zur Gemeinde gehört und in den Heilsstand versetzt ist, weiß darum, dass er das Los des Sünderseins mit allen Menschen teilt. Dem eindrücklichen Sündenbekenntnis korrespondiert ein ebenso ernsthaftes Bekenntnis, dass Sühne von Sünden und Rettung aus dem Verderben, ja die »Gerechtigkeit« und vollkommener Wandel allein von Gott, aus seiner Gerechtigkeit und seiner Gnade kommen. Man kann hier in vielen Zügen Parallelen zu dem sehen, was Paulus im Horizont des Christusgeschehens als Rechtfertigungslehre formuliert.[170]

In dem zitierten Text begegnet auch die Rede vom »Fleisch« (בשר) als einem Bereich, der elementar durch Sünde und Frevel, d.h. durch ein widergöttliches Streben bestimmt ist,[171] oder gar als

---

[170] Vgl. dazu S. Schulz, Zur Rechtfertigung aus Gnaden in Qumran und bei Paulus, ZThK 56 (1959), 155–185; J. Becker, Das Heil Gottes. Heils- und Sündenbegriffe in den Qumrantexten und im Neuen Testament, StUNT 3, Göttingen 1964.

[171] So 1QS XI,9.12; vgl. Parallelen in den Hodajot: 1QH[a] V,30–33 (= XIII,13–16 Sukenik), 1QH[a] VII,34f. (= XV,21 Sukenik) und besonders 1QH[a] XII,30f. (= IV,29f. Sukenik). Ich zitiere die Handschrift 1QH[a] nach der Kolumnen- und Zeilenzählung der wissenschaftlich maßgeblichen, aber leider schwer zugänglichen Rekonstruktion von Hartmut Stegemann und füge die Zählung

einer »Macht, die zur Sünde verführt«[172]. Ähnliche Formulierungen finden sich in den Hodajot. Eine der Niedrigkeitsdoxologien, die für diese Sammlung so charakteristisch sind, redet ausdrücklich vom »sündigen« Fleisch: Hier bringt der Beter, nachdem er zuvor das göttliche Heilshandeln gepriesen hat, das ganze Elend des menschlichen Daseins zur Sprache:

»Was ist Fleisch im Vergleich dazu? Und was ist ein Lehmgebilde, die Wundertaten groß zu machen? Ist es doch in Sünde (*bʿwwn*) von Mutterleib an und bis zum Alter in der Schuld der Treulosigkeit (*bʾšmt mʿl*).«[173]

Kurz darauf heißt es, dass Gott allein dem Menschen Gerechtigkeit und vollkommenen Wandel verleiht, und zwar »durch den Geist«, den er ihm geschaffen hat. Der Mensch ist »Fleisch« und als solcher nicht nur vergänglich und schwach, sondern blind für Gottes Werke und durch »elementare Unreinheit und Sündhaftigkeit« bestimmt.[174] Er kommt zu Erkenntnis und Heil allein durch den für ihn gebildeten Geist, d.h. durch Gottes Bestimmung.[175] Dabei ist die Rede vom sündigen Fleisch an diesen Stellen nicht nur auf Außenstehende bezogen. Vielmehr ist der Beter selbst »Fleisch« und »Sünder«, und gerade als solcher ist er des Heils gewürdigt.

---

nach der *editio princeps* von E.L. Sukenik in Klammern bei; vgl. H. Stegemann, Rekonstruktion der Hodajot. Ursprüngliche Gestalt und kritisch bearbeiteter Text der Hymnenrolle aus Höhle 1 von Qumran, Diss. phil., Typoskript Heidelberg 1963. Ich danke Herrn Kollegen Stegemann für die Erlaubnis, seine ungedruckte Dissertation zu benutzen.

[172] So zu 1QS XI,11f. J. Becker, Das Heil Gottes (s. Anm. 170), 112.

[173] 1QH[a] XII,30ff. (= IV,29ff. Sukenik). Vgl. daneben auch 1QH[a] V,30f. (= XIII,13f. Sukenik).

[174] So interpretiert H. Lichtenberger, Studien zum Menschenbild in Texten der Qumrangemeinde, StUNT 15, Göttingen 1980, 87.

[175] «Geist« bezeichnet hier und an anderen Stellen (vgl. 1QH[a] VII,34f. [= XV,21f. Sukenik]); IX,10f. [= I,8f. Sukenik]) das von Gott gesetzte Sein des Menschen, s. dazu H.-W. Kuhn, Enderwartung und gegenwärtiges Heil, StUNT 4, Göttingen 1966, 120–130.

In diesen Texten liegen Parallelen zur paulinischen Redeweise vor, die weit über den Sprachgebrauch der hebräischen Bibel hinausgehen. In dieser bezeichnet »Fleisch« die Schwäche und Hinfälligkeit des Menschen, nicht jedoch eine elementar gottfeindliche Ausrichtung.[176] Da auch die hellenistischen und hellenistisch-jüdischen Belege vom »Fleisch« nicht in einer spezifischen Relation zur Sünde oder gar als einer zur Sünde verleitenden Macht sprechen, bieten die Qumran-Belege eindeutig die nächsten Parallelen zur paulinischen Rede vom sündigen »Fleisch«.[177]

Die historische Auswertung dieser Parallelen musste freilich bis vor kurzem problematisch erscheinen. Die angeführten Texte entstammen nämlich alle jener in Qumran ansässigen Gemeinschaft der Essener, zu der Paulus als Pharisäer auch in seiner vorchristlichen Zeit kaum direkte Kontakte gehabt haben dürfte.[178] Eine direkte Einwirkung dieser Texte auf Paulus und seine Terminologie ist daher ganz unwahrscheinlich.[179] Der Einwand ließe sich nur umgehen, wenn es zusätzliche Parallelen gäbe, mit deren Überlieferung und Bekanntheit auch in Kreisen außerhalb des Essenismus gerechnet werden kann.
Dies ist nun tatsächlich der Fall. Die erst seit wenigen Jahren zugänglichen nicht-essenischen Weisheitstexte aus der Bibliothek

---

[176] Vgl. H.W. Wolff, Anthropologie des Alten Testaments, München [4]1984, 49–56; G. Gerleman, Art. *bāśār*, THAT 1, 1978, 376–379; N.P. Bratsiotis, Art. *bāśār*, ThWAT 1, 1973, 850–867.

[177] So mit Recht R. Jewett, Paul's Anthropological Terms (s. Anm. 149), 92f.

[178] S. die Hinweise zur essenischen »Arkandisziplin« oben in Abschnitt III.2 b.

[179] Eine solche Annahme findet sich etwa noch bei S. Schulz, Zur Rechtfertigung (s. Anm. 170), 184: »kein Zweifel ..., daß Paulus die theologischen Anschauungen dieser Sekte gekannt und aufgegriffen hat«. J. Becker, Das Heil Gottes (s. Anm. 170), 249f., vermutete einen indirekten Einfluss von Qumran auf die paulinische Sündenterminologie. Noch vorsichtiger stellt H.-W. Kuhn, Qumran und Paulus (s. Anm. 157), 244, fest: »Darüber, wie Qumrantraditionen vor 70 n. Chr. Paulus erreicht haben können, läßt sich nur spekulieren.«

von Qumran[180] eröffnen neue Perspektiven sowohl im Blick auf die Herkunft und Herausbildung der essenischen Aussagen als auch im Blick auf den religionsgeschichtlichen Hintergrund der paulinischen Rede vom »sündigen« Fleisch und die Antithese zum »Geist«. In diesen Texten, insbesondere in der bisher als »Sapiential Work A« bezeichneten, jetzt unter dem Titel »1Q/4QInstruction« edierten großen Weisheitsschrift,[181] begegnen an wenigstens drei Stellen Aussagen über das »Fleisch« oder – terminologisch eigenartig – den »Fleisch-Geist« (רוח בשר),[182] die klar

---

[180] S. zur Einführung D.J. Harrington, Wisdom Texts from Qumran, London / New York 1996; ders., Wisdom at Qumran, in: E. Ulrich / J.C. VanderKam (Hg.), The Community of the Renewed Covenant. The Notre Dame Symposium on the Dead Sea Scrolls, Notre Dame, 1994, 137–152; ders., Ten Reasons Why the Qumran Wisdom Texts are Important, DSD 4 (1997), 245–254; J.J. Collins, Jewish Wisdom in the Hellenistic Age, OTL, Louisville 1997, 117–128. Den wissenschaftlichen Durchbruch brachte die mit Hilfe des Computers aus einer älteren Karten-Konkordanz rekonstruierte vorläufige »Edition« der Texte durch B.Z. Wacholder und M.G. Abegg (A Preliminary Edition of the Unpublished Dead Sea Scrolls. The Hebrew and Aramaic Texts from Cave Four, Fasc. 2, Washington 1992). S. jetzt die »offizielle« Edition in der Reihe DJD: J.A. Fitzmyer (Hg.), Qumran Cave 4. XV. Sapiential Texts, Part 1, DJD XX, Oxford 1997; J. Strugnell / D. Harrington (Hg.), Qumran Cave 4. XXI. Sapiential Texts, Part 2: 4QInstruction (*Mûsar l^eMevîn*): 4Q415ff., DJD XXXIV, Oxford 1999.

[181] Erhalten sind 7 oder 8 Handschriften dieses Textes: 1Q26, 4Q415, 4Q416, 4Q417, 4Q418, 4Q418a und vielleicht 4Q418c; s. zur Einleitung neben der Edition von J. Strugnell und D.J. Harrington (in DJD XXXIV [s. vorige Anm.], 1ff.) besonders die Arbeiten von A. Lange, Weisheit und Prädestination (s. Anm. 90), 45ff.; ders., In Diskussion mit dem Tempel, in: A. Schoors (Hg.), Qoheleth in the Context of Wisdom, BEThL 136, Leuven 1998, 113–159, 127ff.; ders., Die Endgestalt des protomasoretischen Psalters und die Toraweisheit, in: E. Zenger (Hg.), Der Psalter im Judentum und Christentum, Freiburg i.Br. 1998, 101–136, 120ff.

[182] Der seltene Terminus begegnet außer an den drei hier aufzuführenden Stellen in 1Q/4Q Instruction (4Q416 1 12; 4Q417 1 I,17; 4Q418 81 2) noch an zwei Stellen der Hodajot, nämlich in 1QH^a V,30 (= XIII,13 Sukenik) und 1QH^a IV,37 (= XVII,25 Sukenik).

über den biblisch belegten Sinn der geschöpflichen Schwachheit und Hinfälligkeit hinausgehen:[183]

In 4Q418 81 1f. wird der Schüler ermahnt, sich fern zu halten vom »Fleisch-Geist«: »Als Heili]ges hat Er dich abgesondert von jedem Fleisch-Geist (*mkl rwḥ bśr*), und du sondere dich ab von allem, was Er hasst, und enthalte dich von allen Abscheulichkeiten«. »Fleisch-Geist« steht hier in Parallele zu »allem, was Er hasst«, es ist somit eine Gott und seinem Willen entgegengesetzte Größe. Der Einsichtige hingegen ist von jedem »Fleisch-Geist« abgesondert und soll sich fern halten von den bösen Taten dieser als gottwidrig charakterisierten Menschen.

In 4Q416 1 heißt es im Kontext einer Ankündigung des endzeitlichen Gerichts, dass die »Söhne der Wahrheit« Wohlgefallen finden sollen, während jeder »Fleisch-Geist« zerstört werden und aller Frevel dauerhaft enden wird. Hier kommt ein ethischer und eschatologischer Gegensatz zweier Gruppen zur Sprache, deren eine durch »Fleisch«, näherhin durch Frevel und Unreinheit, gekennzeichnet ist, während die andere vermutlich die irdischen Gerechten zusammen mit den Engeln umfasst. Dieser ethische und kosmisch-eschatologische Dualismus kommt den Vorstellungen in der (vermutlich etwas jüngeren) Zweigeisterlehre 1QS III,13–IV,26 nahe.[184]

Der kosmische Hintergrund des in dieser Weisheitsschrift vorliegenden Dualismus ergibt sich am deutlichsten aus einer Passage in 4Q417 Frgm. 2: Dort ist von einer himmlischen Niederschrift der göttlichen (Welt-)Ordnung die Rede, einem Buch »der Erinne-

[183] Zur ausführlicheren Diskussion dieser Passagen s. J. Frey, Die paulinische Antithese (s. Anm. 146), 61–63.

[184] S. dazu J. Frey, Different Patterns (s. Anm. 88), 298f.; vgl. auch D.J. Harrington, Two Early Jewish Approaches to Wisdom: Sirach and Qumran Sapiential Work A, JSP 16 (1997), 25–38, 35: »The world view of Sapiential Work A seems midway between Ben Sira's timid doctrine of the pairs and the fully fleshed out dualistic scheme of 1QS 3–4.«

rung«, von dem es nun heißt, Gott habe es »Enosch (*ʾnwš*) gemeinsam mit dem Volk des Geistes (*ʿm rwḥ*) zum Erbteil gegeben, [den]n gemäß der Gestalt der Heiligen ist seine [Ge]sinnung (*yṣr*). Doch die Erklärung wurde nicht dem Fleisch-Geist (*rwḥ bśr*) gegeben, denn er vermag nicht, zwischen Gut und Böse zu unterscheiden gemäß dem Gesetz seines Geistes.«[185] Das Buch der himmlischen Weisheit ist also geschrieben für die, die auf Gottes Wort achten, nicht aber dem »Fleisch-Geist«, der nicht zwischen Gut und Böse unterscheiden kann.

In diesem voressenischen Weisheitstext, der auf das späte 3. oder frühe 2. Jh. v.Chr. zurückgehen und somit etwa gleichzeitig mit der Schrift Ben Siras entstanden sein dürfte,[186] liegen die ältesten Belege für den Gebrauch von »Fleisch« (בשר) im Sinne einer gottwidrigen Ausrichtung der menschlichen Existenz vor, einen Sprachgebrauch, der dann später in den essenischen Texten wie den Hodajot oder 1QS XI wiederkehrt. Die Zahl der Handschriften in der Qumran-Bibliothek zeigt zugleich, dass die essenische Bewegung diese Weisheitsschrift hoch geschätzt hat. Sie wurde gelesen und abgeschrieben, wichtige Termini wurden aus ihr übernommen,[187] einzelne Passagen sogar in den Hodajot zitiert[188]. Die über den biblischen Sprachgebrauch hinausgehende negative Rede vom »Fleisch« als einer gottfeindlichen Größe entstammt somit einem Zweig der palästinisch-jüdischen Weisheitstradition, von der wir

---

185 4Q417 2 I,15–17.

186 S. zum Vergleich beider Ansätze D.J. Harrington, Two Early Jewish Approaches (s. Anm. 184).

187 Neben dem Terminus רוח בשר, der in den Hodajot wiederkehrt (s. oben Anm. 182), findet sich auch der für 1Q/4QInstruction charakteristische Terminus רז נהיה »das Geheimnis des Werdens« bezeichnenderweise gerade in dem »Schlusspsalm« der Handschrift 1QS (1QS XI,3), eben in jener Passage, in der neben den Hodajot auch der negative Gebrauch von »Fleisch« in essenischen Texten begegnete.

188 1QH^a XVIII,29f. (= X,27f. Sukenik) zitiert 4Q418 55 10; 1QH^a IX,28f. (= I,26f. Sukenik) spielt an 4Q417 2 I,8 an; s. dazu A. Lange, Weisheit und Prädestination (s. Anm. 90), 46.

freilich überhaupt nichts wüssten, wenn uns ihre Texte nicht in der Bibliothek von Qumran erhalten wären.

Diese Einsichten in die nachbiblisch-frühjüdische Sprachentwicklung führen auch im Blick auf die religionsgeschichtliche Einordnung der paulinischen Sprachformen weiter. Wenn der Apostel später vom sündigen »Fleisch« oder auch von der Entgegensetzung von »Fleisch« und »Geist« spricht, dann ist darin weder ein hellenistisch-jüdischer noch ein unmittelbar essenischer Einfluss zu sehen. Vielmehr hat Paulus mit dieser Terminologie teil an einer Tradition der palästinisch-jüdischen Weisheit, in der über den biblischen Sprachgebrauch hinaus eine Dualisierung der anthropologischen Terminologie erfolgt ist. Die Zeugnisse dieser weisheitlichen Tradition sind uns heute zwar nur durch die Bibliothek von Qumran erhalten. Da es sich dabei aber nicht um spezifisch essenische Texte handelt, ist deren Übermittlung und Kenntnis im zeitgenössischen Judentum auch außerhalb der essenischen Zirkel wahrscheinlich,[189] insbesondere bei den Weisen im Umkreis

[189] Spuren der Bekanntschaft mit den voressenischen Weisheitstraditionen, vor allem auch der Zweigeisterlehre (1QS III,13–IV,26), finden sich in den Testamenten der 12 Patriarchen, in denen nicht nur die Motive der »zwei Wege« (TestAss 1,3–5) und der »zwei Geister«, der Wahrheit und des Irrtums (TestJud 20,1ff.), sondern auch die Rede vom sündigen Fleisch begegnen, vgl. TestJud 19,4: »Der Herrscher des Irrtums verfinsterte mich, und ich war unwissend wie ein Mensch und wie Fleisch, in Sünden verdorben« (ὡς σάρξ ἐν ἁμαρτίαις φθαρείς); vgl. auch TestSeb 9,7 und VitAd 25,3. Da die TestXII weder essenisch sind (gegen M. Philonenko, La doctrine Qoumrânienne des deux Esprits, in: G. Widengren / A. Hultgård / M. Philonenko [Hg.], Apocalyptique iranienne et dualisme qoumrânien, Paris 1995, 163–211, 178–183) noch im Ganzen als christlich gelten können (gegen M. de Jonge, Christian Influence in the Testament of the Twelve Patriarchs, NT 4 [1960], 182–235) und da die genannten Passagen auch nicht als christliche Interpolation ausgegrenzt werden können (vgl. E. Schürer / G. Vermes / F. Millar, The History of the Jewish People in the Age of Jesus Christ 3/2, Edinburgh 1987, 770–772), wird man in ihnen einen Beleg für die weitere Verbreitung jener weisheitlich-dualistischen Motive sehen müssen, wie wir sie aus 1Q/4QInstruction und der Zweigeisterlehre kennen.

des Tempels[190]. Es ist daher gut denkbar, dass Paulus als pharisäischer Gelehrtenschüler in Jerusalem mit solchen Traditionen in Berührung gekommen ist und dabei die semantische Verbindung von »Fleisch« und »Sünde« kennen gelernt hat, die dann später für seine eigene Verwendung von σάρξ charakteristisch werden sollte.

An diesem einen Detail lässt sich beispielhaft erkennen, was die Qumran-Texte zum Verständnis des Neuen Testaments beitragen. Sie beweisen konkret, dass die paulinische Rede vom sündigen »Fleisch« und die von Paulus selbst dann herausgebildete Antithese von »Fleisch« und »Geist« nichts mit der hellenistischen Abwertung der Leiblichkeit oder gar einem hellenistischen Leib-Seele-Dualismus zu tun hat, sondern religionsgeschichtlich viel eher auf dem Hintergrund eines palästinisch-jüdischen Weisheitsdenkens zu verstehen ist. Dies ist auch für die theologische Interpretation der paulinischen Texte von großer Relevanz, aber der Zusammenhang wäre ohne die sprachlichen und sachlichen Parallelen aus der Qumran-Bibliothek nicht zu erkennen. Die neu zugänglichen voressenischen Weisheitstexte haben uns zudem gelehrt, dass der Apostel hier keineswegs direkt von der essenischen Bewegung beeinflusst sein muss, sondern vermutlich nur auf weiter verbreitete terminologische Traditionen des palästinischen Judentums rekurriert.

3. Die Bedeutung der Qumrantexte für das Verständnis des johanneischen Dualismus

Ein letztes Beispiel soll der Diskussion um die johanneischen Schriften entnommen werden. Auch hier ist durch die Textfunde von Qumran ein forschungsgeschichtlich bedeutsamer Wandel erfolgt, dennoch ist die Frage der religionsgeschichtlichen Bezie-

---

[190] Die Traditionen der voressenischen Weisheitstexte lassen sich aufgrund einzelner Charakteristika dem Umkreis des Tempels zuordnen; s. dazu besonders A. Lange, In Diskussion mit dem Tempel (s. Anm. 181), 131.133f.

hungen zwischen Qumran und dem Johannesevangelium in der Forschung nach wie vor offen.

Die eigentümliche Sprachgestalt des Johannesevangeliums und der Johannesbriefe und insbesondere die dualistische Terminologie dieser Schriften, die Antithetik von Licht und Finsternis, Wahrheit und Lüge, wurde seit den frühen Arbeiten Rudolf Bultmanns in den Zwanzigerjahren gerne im Horizont eines orientalisch-gnostischen Dualismus erklärt. Nach Bultmanns Überzeugung ist die »johanneische Sprache ... ein Ganzes ..., innerhalb dessen der einzelne Terminus erst seine feste Bestimmung erhält«.[191] Daher kam der Rekonstruktion des religionsgeschichtlichen Hintergrundes, auf dem sich die johanneische Sprache verstehen ließ, alles entscheidende Bedeutung zu.[192] 1925 hatte Bultmann vor allem aus manichäischen und mandäischen Texten die Gestalt des gnostischen »Erlösermythos« rekonstruiert,[193] dessen Gestalt und Terminologie er seit dieser Zeit seiner Interpretation des Johannesevangeliums zugrunde legte. Die Autorität Bultmanns und seine kohärente Interpretation des johanneischen Werks verschaffte auch seinen religionsgeschichtlichen Thesen breite Anerkennung, obwohl die zur Rekonstruktion des Mythos herangezogenen Quellen sehr disparat und großenteils recht spät waren und das ganze Gebilde letztlich nur ein großes »Konkordanzmosaik« darstellte,[194]

---

[191] So R. Bultmann, Johanneische Schriften und Gnosis, in: ders., Exegetica, hg. v. E. Dinkler, Tübingen 1967, 230–254, 233.

[192] S. zu Bultmanns religionsgeschichtlicher These und ihrer hermeneutischen Bedeutung für seine Interpretation J. Frey, Die johanneische Eschatologie I: Ihre Probleme im Spiegel der Forschung seit Reimarus, WUNT 96, Tübingen 1997, 77–80.129–140.

[193] R. Bultmann, Die Bedeutung der neuerschlossenen mandäischen und manichäischen Quellen für das Verständnis des Johannesevangeliums, in: ders., Exegetica (s. Anm. 191), 55–104; s. dann auch ders., Johanneische Schriften und Gnosis (s. Anm. 191).

[194] So die zutreffende Kritik von G. Bergmeier, Glaube als Gabe nach Johannes. Religions- und theologiegeschichtliche Studien zum prädestinatianischen Dualismus im vierten Evangelium, BWANT 112, Stuttgart u.a. 1980, 22.

dessen Existenz sich in der postulierten Form[195] durch keinen einzigen sicher vorchristlichen Text belegen ließ. Die interpretatorisch zweifellos fruchtbare Gnosisthese Bultmanns stand daher historisch auf äußerst unsicherem Boden. Doch ließ sich auf der Basis der in den Zwanzigerjahren erschlossenen Quellen kaum mehr feststellen, als dass die dualistische Denk- und Sprechweise der johanneischen Schriften dem Alten Testament und dem zeitgenössischen Judentum – soweit man es zu dieser Zeit kannte – fremd sei.[196]

Mit dem Bekanntwerden der ersten Qumran-Funde änderte sich dieses Bild: In den neuen Texten fand sich plötzlich eine dualistische Rede von Licht und Finsternis, die an die johanneischen Schriften erinnerte. Schon 1950 hat Karl Georg Kuhn daher eine

---

195 S. Bultmanns »Nacherzählung« des Mythos in: ders., Die Bedeutung (s. Anm. 193), 59; ähnlich ders., Art. Johannesevangelium, RGG^3 III, 840–850, 847; ders., Theologie des Neuen Testaments, 9. Aufl., durchges. u. erg. v. O. Merk, UTB 630, Tübingen 1984, 169f., sowie das Referat bei C. Colpe, Die religionsgeschichtliche Schule. Darstellung und Kritik ihres Bildes vom gnostischen Erlösermythos, FRLANT 78, Göttingen 1961, 171–173.

196 Die Versuche, die johanneische Sprache stärker mit dem Judentum zu verbinden, blieben zwei großen Außenseitern der neutestamentlichen Forschung vorbehalten: Adolf Schlatter und Hugo Odeberg. Schlatter hatte durch die Übersetzung rabbinischer Texte ins Griechische den semitischen Sprachhintergrund des vierten Evangeliums herausgearbeitet (A. Schlatter, Sprache und Heimat des 4. Evangelisten [1902], nachgedruckt in: K.H. Rengstorf [Hg.], Johannes und sein Evangelium, WdF 82, Darmstadt 1973, 28–201; ders., Der Evangelist Johannes. Wie er spricht, denkt und glaubt, Stuttgart 1930), doch fanden diese bewundernswert gelehrten Arbeiten wegen ihres Konservatismus in Verfasserfragen wenig Anklang. Odeberg (The Fourth Gospel, interpreted in its relation to contemporaneous religious currents in Palestine and the hellenistic-oriental world, Part I: The Discourses of John 1,19 – 12, Uppsala 1929) hatte neben den Parallelen zur mandäischen Literatur auch Verbindungen zur Hekhalot-Literatur (z.B. dem 3. Henochbuch) aufgewiesen und damit – lange vor den Qumran-Funden – auf die religiöse Vielschichtigkeit des antiken Judentums aufmerksam gemacht. S. zu beiden Entwürfen J. Frey, Die johanneische Eschatologie I (s. Anm. 192), 75f.80–82.

»tiefgehende Verwandtschaft«[197] dieser Texte mit den johanneischen Schriften festgestellt. Er meinte, wir bekämen »in diesen neuen Texten *den Mutterboden des Johannesevangeliums* zu fassen«, dieser sei nun klar als »palästinisch-jüdisch« erkennbar, aber »nicht das pharisäisch-rabbinische Judentum, sondern ... eine palästinisch-jüdische Sektenfrömmigkeit gnostischer Struktur«.[198]

Auch wenn in dieser Formulierung aus der ersten Phase der Qumranforschung die »gnostischen Nebel« noch nicht ganz aufgelöst sind, so wird doch deutlich: Die neuen Texte eröffneten die Möglichkeit, innerhalb des palästinischen Judentums mit einer größeren Vielfalt von Sprech- und Denkweisen zu rechnen, als dies aufgrund der bis dahin bekannten Quellen, vor allem der rabbinischen Texte, möglich war.

Im Unterschied zum gnostischen *Substanzdualismus* mit seiner fundamentalen Scheidung zwischen göttlichem Pleroma und materieller Welt bestimmte Kuhn den in Qumran belegten Dualismus als einen kosmisch geweiteten, doch vom alttestamentlich-jüdischen Schöpfungsglauben umgriffenen *modifiziert-ethischen Dualismus*.[199] Für die religionsgeschichtliche Herleitung der dualistischen Termini des Johannesevangeliums ergab sich damit eine neue, faszinierende Möglichkeit. Während Bultmann auf dem Hintergrund der Gnosis dem vierten Evangelisten eine radikale Uminterpretation des gnostischen *Substanz*dualismus in einen christlichen *Entscheidungs*dualismus unterstellen musste, zeigte sich in Qumran ein dualistisches Denken, das in seiner Struktur dem johanneischen sehr viel näher zu stehen schien. So bot sich

---

197 K.G. Kuhn, Die in Palästina gefundenen hebräischen Texte und das Neue Testament, ZThK 47 (1950), 192–211, 209.

198 K.G. Kuhn, Die in Palästina (s. vorige Anm.), 210.

199 Vgl. K.G. Kuhn, Die Sektenschrift und die iranische Religion, ZThK 49 (1952), 296–316, 303. Kuhn verglich den ethischen Charakter des Dualismus in 1QS III,13–IV,26 besonders mit einigen Stellen aus der avestischen Literatur und postulierte daher für den Dualismus der Zweigeisterlehre einen Ursprung im iranischen Denken.

der Rekurs auf die Qumran-Texte als Alternative zu den religionsgeschichtlichen Konstruktionen Bultmanns an, und die große Zahl von Arbeiten, die sich in den Fünfziger- und frühen Sechzigerjahren mit dem Verhältnis von Johannes und Qumran befassten,[200] lässt sich nur aus dieser forschungsgeschichtlichen Situation erklären:[201] Konservative Interpreten suchten unter Verweis auf die Qumran-Parallelen den palästinischen Ursprung und das relative Alter der johanneischen Tradition und damit auch ihren geschichtlichen Quellenwert zu begründen,[202] während Rudolf Bultmann und seine Schüler, auch Herbert Braun in seinem Literaturbericht über Qumran, weiterhin einen gnostischen Einfluss auf das Johannesevangelium favorisierten[203].

Die Parallelen zwischen den johanneischen Schriften und den Qumran-Texten sind gerade in sprachlicher Hinsicht eindrucks-

---

[200] Vgl. F.-M. Braun, L'arrière-fond judaïque du quatrième évangile et la Communauté de l'Alliance, RB 62 (1955), 5–44; R.E. Brown, The Qumran-Scrolls and the Johannine Gospels and Epistles, CBQ 17 (1955), 403–419.559–574 (deutsche Übersetzung: Die Schriftrollen von Qumran und das Johannesevangelium und die Johannesbriefe, in: K.H. Rengstorf [Hg.], Johannes und sein Evangelium, WdF 82, Darmstadt 1973); W.F. Albright, Recent Discoveries in Palestine and the Gospel of St. John, in: W.D. Davies / D. Daube (Hg.), The Background of the New Testament and its Eschatology, FS C.H. Dodd, Cambridge 1956, 153–171; G. Baumbach, Qumran und das Johannesevangelium, Berlin 1958; K.G. Kuhn, Johannes-Evangelium und Qumrantexte, in: Neotestamentica et Patristica, FS O. Cullmann, Leiden 1962, 111–122; O. Böcher, Der johanneische Dualismus im Zusammenhang des nachbiblischen Judentums, Gütersloh 1965. Zu den älteren Beiträgen s. H. Braun, Qumran und das Neue Testament 1 (s. Anm. 95), 96–138, und 2 (s. Anm. 95), 118–147, sowie die Bibliographie bei J.H. Charlesworth (Hg.), John and the Dead Sea Scrolls, New York 1990, 195ff.

[201] Mit dem Abklingen der Dominanz des Bultmannschen Auslegungsmodells und dem Aufkommen neuer Modelle der Johannesinterpretation etwa um 1970 ging auch die Zahl der einschlägigen Arbeiten deutlich zurück.

[202] So etwa W.F. Albright, Recent Discoveries (s. Anm. 200), 170f.

[203] H. Braun, Qumran und das Neue Testament 2 (s. Anm. 95), 137f.

voll.[204] Eine Reihe johanneischer Wendungen findet hier exakte Parallelen. Auffällig ist die Rede vom »Geist der Wahrheit« und vom »Heiligen Geist« in der Zweigeisterlehre 1QS III–IV.[205] Daneben bestehen Parallelen insbesondere bei dualistisch geprägten Wendungen: Die auch im Johannesevangelium belegte Bezeichnung »Söhne des Lichts«[206] hat eine exakte Entsprechung in der in Qumran belegten Selbstbezeichnung בני אור,[207] der Ausdruck »Licht des Lebens«[208] besitzt eine wörtliche Entsprechung in אור החיים,[209] »Wandeln in der Finsternis«[210] entspricht beinahe wörtlich dem Ausdruck הלך דרכי החושך, der zweimal in der Zweigeisterlehre begegnet,[211] und auch die Ausdrücke »Wandeln in der Wahrheit«,[212] »die Wahrheit tun«,[213] »Werke Gottes«[214] und »böse Werke«[215] haben in Qumran enge sprachliche Parallelen. Die Liste solcher terminologischer Bezüge ließe sich noch verlängern.

---

[204] S. die ausführlichen Zusammenstellungen bei R.E. Brown, Die Schriftrollen (s. Anm. 200); J.H. Charlesworth, A Critical Comparison of the Dualism in 1QS 3:13 – 4:26 and the »Dualism« Contained in the Gospel of John, in: ders. (Hg.), John and the Dead Sea Scrolls, New York 1990, 76–106; ders., Qumran, John, and the Odes of Solomon, in: ders. (Hg.), John and the Dead Sea Scrolls, 107–136, sowie den ganzen von J.H. Charlesworth (erstmals 1972 unter dem Titel »John and Qumran«, dann 1990 mit leicht verändertem Titel, neuem Vorwort und Bibliographie) herausgegebenen Sammelband.

[205] Zu τὸ πνεῦμα τῆς ἀληθείας (Joh 14,17; 15,26; 16,13) s. רוח אמת 1QS III,19; IV,21.23; zu τὸ πνεῦμα τὸ ἅγιον (Joh 14,26; 20,22) s. רוח קודש 1QS IV,21.

[206] Joh 12,36.

[207] 1QS I,9; II,16; III,13.24.25; 1QM I,1.3.9.11.13; 4QMidrEschat[a] III,8f. (= 4Q174 1–2 I,8f.); 4QMidrEschat[b] IX,7 (= 4Q177 10-11 7); XI,12 (= 4Q177 12–13 7); XI,16 (= 4Q177 12-13 11); s. auch o. Anm. 166.

[208] Joh 8,12.

[209] 1QS III,7.

[210] Joh 8,12; 12,35.

[211] 1QS III,31; IV,11.

[212] 2Joh 4; 3Joh 3; vgl. 1QS IV,6; VIII,4.

[213] Joh 3,21; 1Joh 1,6; vgl. עשה אמת 1QS I,5; V,3; VIII,2.

[214] Joh 6,28; 9,3; vgl. מעשי אל 1QS IV,4.

[215] Joh 3,19; vgl. מעשי רשע 1QS II,5 und ähnliche Ausdrücke.

Sie betreffen primär die dualistischen Entgegensetzungen von Licht und Finsternis und von Wahrheit und Lüge/Verderben und konzentrieren sich in der Zweigeisterlehre in 1QS III–IV.
Der Befund ist eindrucksvoll; seine Interpretation ist freilich alles andere als eindeutig. Die Bandbreite der Vermutungen reicht von einer »allgemeineren Bekanntschaft« des Evangelisten mit qumranischem Denken[216] über die vage Annahme, ein »qumrannaher Dualismus« habe eine Phase der Geschichte der johanneischen Gemeinde geprägt,[217] bis hin zu der Annahme von John Ashton, der vierte Evangelist müsse in seiner Jugend Mitglied der Essener gewesen und in einer Bibliothek – in Qumran oder auch anderswo – deren Schriften gelesen haben, weil er nur auf diese Weise ein derart geprägtes dualistisches Denken erworben und verinnerlicht haben könne.[218] Auf dem Hintergrund der Annahme einer johanneischen Schule rechnet James H. Charlesworth sogar mit einer größeren Zahl von Essenern, die sich in der dritten Generation der christlichen Gemeinde angeschlossen und insbesondere bei der Ausformulierung der johanneischen Theologie ihre Spuren hinterlassen haben.[219]
Im vorliegenden Rahmen lässt sich das komplexe Problem der religionsgeschichtlichen Hintergründe des johanneischen Dualismus nicht in extenso behandeln. Es dürfte jedoch in den vorausgehenden Abschnitten deutlich geworden sein, dass eine allzu rasche Herleitung der neutestamentlichen Termini aus »essenischen Einflüssen« gerade in Anbetracht der neueren Entwicklungen der Qumran-Forschung nicht mehr angebracht ist. Natürlich wird man

---

[216] So R.E. Brown, Die Schriftrollen (s. Anm. 204), 525.

[217] So J. Becker, Das Evangelium nach Johannes 1, ÖTK 4/1, Gütersloh ^{3}1991, 176. Wie dieser Einfluss konkret erfolgt sein soll, bleibt in der rein geistesgeschichtlichen Konstruktion Beckers unbeantwortet, s. zur Kritik dieser Interpretation J. Frey, Die johanneische Eschatologie I (s. Anm. 192), 274ff.

[218] J. Ashton, Understanding the Fourth Gospel, Oxford 1991, 205.235ff.

[219] J.H. Charlesworth, The Dead Sea Scrolls and the Gospel according to John (s. Anm. 86), 88f., in stärker soziologischer Wendung seiner schon früher geäußerten Thesen eines unmittelbar essenischen Einflusses (s. ders., A Critical Comparison [s. Anm. 204], 103f.).

die *Möglichkeit*, dass einstige Essener zur christlichen Gemeinde gestoßen und dort – vielleicht erst in der dritten Generation – theologischen Einfluss gewonnen haben, nicht *a priori* ausschließen können. Es ist jedoch sorgfältig zu fragen, ob eine solche Beeinflussung im konkreten Fall wahrscheinlich ist, und ob der Befund der Qumran-Parallelen zu einer solchen Annahme nötigt. Dagegen bestehen eine Reihe von gravierenden Einwänden. Auf einen Teil derselben hat zuletzt vor allem Richard Bauckham hingewiesen.[220]

a) Zunächst ist der Sachverhalt zu beachten, dass dualistische Denk- und Sprachformen in den Qumran-Texten keineswegs überall und auch nicht in einheitlicher Gestalt vorliegen. In manchen Texten fehlen dualistische Termini ganz,[221] und auch dort, wo sie verwendet werden, begegnen unterschiedliche Modelle dualistischen Denkens:[222] Der rein kosmische Dualismus der Kriegsregel, in dem zwei eschatologisch gegensätzliche »Lose« von Engeln und Menschen gegeneinander streiten und in dem die Zugehörigkeit zur einen oder anderen Seite ganz eindeutig ist, unterscheidet sich von der viel stärker ethisch und sogar psychologisch ausgerichteten Gestalt dualistischen Denkens in der Zweigeisterlehre, nach der sich der Widerstreit der Mächte selbst noch im Innern des

---

[220] Vgl. R. Bauckham, Qumran and the Fourth Gospel: Is there a Connection?, in: S.E. Porter / C.A. Evans (Hg.), The Scrolls and the Scriptures. Qumran Fifty Years After, JSP.S 26 / RILP 3, Sheffield 1997, 267–279. Gegen eine monokausale religionsgeschichtliche Erklärung des Johannesevangeliums wendet sich auch U. Schnelle, Einleitung (s. Anm. 38), 514; ders., Das Evangelium nach Johannes, ThHK 4, Leipzig 1998, 20; vgl. weiter M. Hengel, Die johanneische Frage. Ein Lösungsversuch mit einem Beitrag zur Apokalypse von J. Frey, WUNT 67, Tübingen 1993, 276ff.

[221] So auch K. Berger, Qumran und Jesus, Stuttgart 1993, 111. Z.B. sind weite Teile der Pescharim, die als »Lehrerlieder« zu klassifizierenden Hodajot und die halakhischen Passagen der Gemeinderegel und der Damaskusschrift nicht dualistisch geprägt. Eine Liste der dualistischen Passagen findet sich in J. Frey, Different Patterns (s. Anm. 88), 277f.

[222] S. dazu ausführlich J. Frey, Different Patterns (s. Anm. 88); vgl. auch die kurze Notiz bei R. Bauckham, Qumran and the Fourth Gospel (s. Anm. 220), 271f.

Menschen abspielt.[223] Die Zweigeisterlehre ist zweifellos der anthropologisch differenzierteste dualistische Text in der Bibliothek von Qumran. Nach den Untersuchungen von Hartmut Stegemann, Armin Lange und anderen gehört auch sie in die Tradition weisheitlichen Denkens, die bereits im Zusammenhang der Rede vom »Fleisch« erwähnt wurde,[224] und auch sie dürfte nicht im *yḥd* der Essener entstanden sein, sondern noch aus der Zeit vor der Gründung desselben stammen. Dies wird z.B. durch das Fehlen der spezifischen Gemeindeterminologie, die von essenischen Texten abweichende Verwendung von Gottesbezeichnungen oder die Rede vom »Bund« als einer noch ausstehenden Größe nahe gelegt.[225] D.h. aber, die Qumran-Passage, in der die meisten Parallelen zur johanneischen Terminologie vorliegen, ist keine spezifisch essenische Komposition.

Damit soll nicht gesagt sein, dass die Zweigeisterlehre im Essenismus nicht eine große Bedeutung gehabt hätte. Einige ihrer Motive begegnen in den essenischen Texten wieder,[226] aber ihre Rezeption erfolgte nur partiell, und gerade die differenzierte Gestalt des in ihr vorliegenden Dualismus findet in den essenischen Texten keinen Widerhall.[227] Doch wird man andererseits die Kenntnis der Termini

---

[223] Die voressenisch-weisheitliche Zweigeisterlehre scheint gerade diese Intention zu verfolgen, eine Erklärung zu bieten, dass auch die Frommen bis zum Ende Böses leiden, angefochten werden und selbst sündigen; s. dazu J. Frey, Different Patterns (s. Anm. 88), 295.

[224] S. dazu H. Stegemann, Zu Textbestand und Grundgedanken von 1QS III,13 – IV,26, RdQ 49–52/13 (1988), 95–131, 96–100; ders. Die Essener (s. Anm. 15), 152–159; A. Lange, Weisheit und Prädestination (s. Anm. 90), 121–126; A. Lange / H. Lichtenberger, Art. Qumran (s. Anm. 88); J. Frey, Different Patterns (s. Anm. 88), 295–300.

[225] S. ausführlich A. Lange, Weisheit und Prädestination (s. Anm. 90), 121–126.

[226] S. dazu A. Lange, Weisheit und Prädestination (s. Anm. 90), 132–135.

[227] S. zur Rezeption der dualistischen Motive der Zweigeisterlehre in den essenischen Texten J. Frey, Different Patterns (s. Anm. 88), 301–307. Die weisheitliche Tradition eines ethisch interessierten und psychologisch geweiteten Dualismus wird in den essenischen Texten im Rahmen eines verstärkten kosmischen Dualismus rezipiert. Die Trennlinie zwischen Licht und Finsternis verläuft nun an den Grenzen der eindeutig definierten Gruppe, des *yaḥad*.

der Zweigeisterlehre nicht auf den Kreis der essenischen Gemeinschaft eingrenzen können. Vielmehr ist damit zu rechnen, dass auch andere Gruppen des zeitgenössischen Judentums einzelne Elemente und Termini dieser Unterweisung aufgegriffen und verarbeitet haben. In diesem Zusammenhang ist besonders auf die in den Patriarchentestamenten belegte Rede von »zwei Geistern«, dem Geist der Wahrheit und dem Geist des Irrtums bzw. der Täuschung,[228] auf die Rede von »zwei Wegen«[229] und – bemerkenswerterweise – auch vom sündigen »Fleisch«[230] zu verweisen. D.h. aber, die Parallelen zwischen der johanneischen Sprache und der Zweigeisterlehre weisen keineswegs zwingend auf einen spezifisch essenischen Einfluss auf die johanneische Schule oder den vierten Evangelisten hin.

b) Die nähere Untersuchung der genannten Qumran-Parallelen zeigt weiter, dass die meisten von ihnen nicht nur in der Qumran-Bibliothek begegnen, sondern auch noch außerhalb von Qumran belegt sind, was die These einer Beeinflussung von dort entscheidend schwächt: So findet sich die im aramäischen Text der Vision Amrams bereits voressenisch belegte[231] Rede von den »Söhnen des Lichts« auch schon im vorjohanneischen Christentum

Dass noch im Herzen jedes einzelnen Menschen ein Widerstreit zwischen den beiden »Geistern« stattfindet (so 1QS IV,20ff.), findet keine weitere Berücksichtigung.

[228] TestJud 19,4; 20,1f. Ein Geist der Täuschung begegnet auch TestJud 14,8; vgl. auch PsSal 8,14; 1Hen 99,14 sowie Jes 19,14LXX und Jer 4,11LXX. TestRub 2,1–3,8 rechnet mit sieben Geistern der Täuschung. S. oben Anm. 189.

[229] TestAss 1,3–5; vgl. dazu den sehr fragmentarischen weisheitlichen Text 4Q473 1 3 (s. die Edition von T. Elgvin, 473. 4QThe Two Ways, in: G. Brooke u.a. [Hg.], Qumran Cave 4 XVII: Parabiblical Texts Part 3, DJD XXII, Oxford 1996, 289ff.); vgl. auch 2Hen 30,15 (s. dazu Ch. Böttrich, Das slavische Henochbuch, JSHRZ V/7, Gütersloh 1996, 920f.).

[230] Vgl. TestJud 19,4; TestSeb 9,7f., dazu s. oben Abschnitt IV,2 mit Anm. 189; vgl. weiter J. Frey, Different Patterns (s. Anm. 88), 334f.; ders., Die paulinische Antithese (s. Anm. 146), 66f.; ders., The Notion of »Flesh« in 4QInstruction (s. Anm. 146, im Druck).

[231] S. oben Anm. 167.

in 1Thess 5,5 sowie dann in Lk 16,8 und Eph 5,8.[232] »Licht des Lebens« ist ein biblisch belegter Ausdruck, der in der nachbiblischen jüdischen Literatur wiederkehrt,[233] und auch »wandeln in Finsternis« stammt aus der biblischen Tradition[234]. Die Wendungen »die Wahrheit tun« oder »in Wahrheit ... wandeln« begegnen in der Septuaginta und dann z.T. auch in den Targumim,[235] und Ps 107 redet zwar nicht von »Werken Gottes«, aber in ganz entsprechender Weise – unter Verwendung des Tetragramms – von »Werken JHWHs«[236]. Die meisten der angeführten Qumran-Parallelen sind daher nicht so singulär, dass sich aus ihnen eine Abhängigkeit von den Qumran-Texten erweisen ließe.

c) Ein dritter Einwand ergibt sich aus dem Vergleich der dualistischen Konzepte in der Zweigeisterlehre (bzw. den übrigen Qumran-Texten) und im vierten Evangelium. In den johanneischen Schriften begegnen vor allem zwei grundlegende Gegensatzpaare, die Opposition von Licht und Finsternis[237] und die räumliche Op-

---

[232] Vgl. auch die (wohl auf Engel bezogene) Rede vom »Geschlecht des Lichts« 1Hen 108,11.

[233] Hi 33,30; Ps 56,14; weiter 1Hen 58,3. 1QS III,7 könnte auf Hi 33,30 zurückweisen, Joh 8,12 wohl auf Ps 56,14; s. dazu R. Bauckham, Qumran and the Fourth Gospel (s. Anm. 220), 273 Anm. 15.

[234] Ps 82,5; Koh 2,14; Jes 9,2. Zu den Differenzen zwischen der weisheitlich geprägten, von der Zwei-Wege-Lehre beeinflussten Verwendung in Qumran und der Verwendung im Johannesevangelium, die nicht mit der Zwei-Wege-Lehre verbunden ist, s. R. Bauckham, Qumran and the Fourth Gospel (s. Anm. 220), 273 Anm. 15.

[235] S. ποιεῖν τὴν ἀλήθειαν in der Septuaginta zu Jes 26,10 sowie Tob 4,6; 13,6; das aramäische Äquivalent עבד קושטא im Prophetentargum zu Hos 4,1; περιπατεῖν ... ἐν ἀληθείᾳ findet sich in 4Βασ 20,3.

[236] Ps 107,24: מעשי יהוה; LXX: τὰ ἔργα κυρίου.

[237] In einer im Neuen Testament singulären, aber aufgrund biblischer Metaphorik durchaus verständlichen Weise redet der 1. Brief von Gott als Licht (1Joh 1,5). Im Evangelium beherrschend ist die Rede von Christus als dem »Licht der Welt« (Joh 8,12; 9,5) bzw. dem Licht, das »in die Welt gekommen ist« (Joh 3,19; 12,46). Dementsprechend sind die ihm Zugehörigen »Söhne/Kinder des Lichts« (Joh 12,36) und »wandeln im Licht« (Joh 8,12; vgl. 12,35), während die Nicht-Glaubenden »in der Finsternis wandeln« (Joh

position zwischen »unten« und »oben«, »von unten« und »von oben« etc.,[238] doch werden beide Entgegensetzungen nicht miteinander verknüpft[239]. Die Tatsache, dass in Qumran ausschließlich Parallelen zum Licht/Finsternis-Paradigma begegnen, nicht aber zu der spatialen Entgegensetzung von »unten« und »oben«, spricht entschieden gegen eine direkte Entlehnung der dualistischen Terminologie aus den essenischen Texten. Die in der Zweigeisterlehre ebenfalls grundlegende Opposition von Wahrheit und Frevel ist im vierten Evangelium ebenfalls nicht übernommen. Von »Wahrheit« wird vielmehr in personaler Zuspitzung auf Christus[240] (sowie dann auf den Geist-Parakleten)[241] geredet, als Gegenbegriff erscheint nicht »Frevel«, sondern »Lüge«[242] und »Täuschung«,[243] dabei begegnen sowohl hier wie auch bei der »Licht«/»Finsternis«-Opposition die negativen Termini wesentlich seltener als die positiven. Schließlich findet der für die johanneischen Schriften ganz

---

8,12; 12,36).

[238] Der johanneische Jesus ist ἐκ τῶν ἄνω (Joh 8,23), er ist der ἄνωθεν ἐρχόμενος (3,31), das vom Himmel gekommene Brot (Joh 6,32–35.51), die an ihn Glaubenden sind »von oben« bzw. »aus Gott« geboren (Joh 3,3; vgl. 1,13; 1Joh 4,7; 5,1.4.18) während seine Gegner ἐκ τῶν κάτω bzw. ἐκ τοῦ κόσμου τούτου sind (Joh 8,23).

[239] S. dazu R. Bauckham, Qumran and the Fourth Gospel (s. Anm. 220), 269, der zutreffend bemerkt: »When ‹the world› appears in connection with the image of light [1.9; 3.19; 8.12; 12.46], it has the neutral sense of the created world, never the pejorative sense of the world opposed to God which it has in the God/world dualistic passages.«

[240] Joh 14,6. Wo immer das Evangelium von ἀλήθεια redet, könnte man den Terminus durch Christus ersetzen (Joh 4,23f.; 5,33; 8,32; 17,17.19; vgl. auch 1Joh 1,8; 2,4.21; 3,18f.; 2Joh 1f.4; 3Joh 3f.8).

[241] Joh 14,17; 15,26; 16,13. Der »Geist der Wahrheit« kommt im Evangelium nur undualistisch zur Sprache; dualistisch konstruiert ist nur die Verwendung des Ausdrucks in 1Joh 4,6, wo sich »Geist der Wahrheit« und »Geist der Täuschung« gegenüberstehen.

[242] ψεῦδος Joh 8,44; 1Joh 2,21.27; ψεύστης Joh 8,44.55; 1Joh 1,10; 2,4.22; 4,20; 5,10; ψεύδομαι 1Joh 1,6; daneben πλανάω 1Joh 1,8; 2,26; 3,7 (sowie undualistisch in Joh 7,12.47) und πλάνη 1Joh 4,6.

[243] 1Joh 4,6.

zentrale Gegensatz von Tod und Leben im Dualismus der Qumran-Texte keine wirkliche Parallele. Diesen Befund hat schon Rudolf Schnackenburg als »das stärkste Argument dafür« gewertet, »daß der joh. ›Dualismus‹ nicht von Qumran übernommen sein kann«.[244]

Es bleibt also die Beobachtung, dass die Opposition von Licht und Finsternis in beiden Traditionen eine auffällig breite Verwendung findet. Aber bevor man daraus eine Abhängigkeit (und dann auf Seiten des vierten Evangelisten eine Umakzentuierung der qumranischen Terminologie) postuliert, sollte man bedenken, dass der Gegensatz von Licht und Finsternis in der Beobachtung der Naturabläufe wurzelt und von hier aus in sehr unterschiedlichen kulturellen Kontexten die metaphorischen Konnotationen von Wissen und Unwissenheit, Wahrheit und Lüge, Gut und Böse, Leben und Tod annehmen konnte.[245] Solche Metaphorisierungen begegnen schon in der hebräischen Bibel und dann – z.T. in stärkerer Dualisierung – im nachbiblischen Judentum;[246] und es ist durchaus denkbar, dass diese den Hintergrund der je unterschiedlich geprägten Rezeption der Licht-Finsternis-Terminologie in den voressenischen und essenischen Kreisen und später in der johanneischen Traditionslinie bilden, ohne dass eine direkte Abhängigkeit zwischen beiden besteht.

d) Ein vierter Einwand geht von der Frage nach der spezifischen Prägung der Licht-Finsternis-Metaphorik im vierten Evangelium aus: Während in den Qumran-Texten (mit Ausnahme der Zwei-

---

[244] R. Schnackenburg, Das Johannesevangelium I, HThK 4/1, Freiburg i.Br. u.a. 1965, 113.

[245] Darauf verweist R. Bauckham, Qumran and the Fourth Gospel (s. Anm. 220), 269.

[246] S. grundlegend S. Aalen, Die Begriffe »Licht« und »Finsternis« im Alten Testament, im Spätjudentum und im Rabbinismus, Oslo 1951; zur frühen Aufnahme der Lichtmetapher in der hebräischen Bibel s. B. Janowski, JHWH und der Sonnengott. Aspekte der Solarisierung JHWHs in vorexilischer Zeit, in: J. Mehlhausen (Hg.), Pluralismus und Identität, Gütersloh 1995, 214–241; R. Bauckham, Qumran and the Fourth Gospel (s. Anm. 220), 275ff.

Geister-Lehre)[247] die Scheidelinie zwischen hell und dunkel an der Grenze der essenischen Gemeinschaft, zwischen Mitgliedern und Außenstehenden, gesehen wurde,[248] scheint eine derart statische Trennung zweier Bereiche für das vierte Evangelium nicht zu bestehen. Ausgehend von der christologischen Prägung der Metapher von dem »Licht der Welt«[249] bzw. dem Licht, das »in die Welt gekommen ist«,[250] hält das Evangelium fest, dass »das Licht in der Finsternis scheint«[251] und dass Menschen, solange dieses Licht scheint, zu ihm »kommen«[252] und an das Licht – Christus – »glauben«[253]. Ein statischer eventuell gar deterministisch zu verstehender Dualismus liegt daher bei Johannes nicht vor, und es bleibt eine offene Frage, ob man im vierten Evangelium überhaupt von »Dualismus« sprechen kann.[254] Dualistische Entgegensetzungen sind im vierten Evangelium stets durch eine eigentümliche »Asymmetrie«[255] geprägt und durch die Rede von der »Liebe« Got-

---

[247] S. dazu J. Frey, Different Patterns (s. Anm. 88), 290ff.

[248] S. dazu J. Frey, Different Patterns (s. Anm. 88), 307.

[249] Joh 8,12; 9,5; s. dazu in der hebräischen Bibel Prov 6,23 und Ps 119,105, wo das göttliche Wort mit der Tora identifiziert wird; s. auch O. Böcher, Der johanneische Dualismus (s. Anm. 200), 103.

[250] Joh 3,19; 12,46.

[251] Joh 1,5. Diese Aussage ist nicht nur eine Aussage über das urzeitliche Schöpfungslicht, sondern im Rahmen der johanneischen Gemeinde durchaus auf die Gegenwart der Gemeinde zu beziehen; s. dazu J. Frey, Die johanneische Eschatologie II (s. Anm. 71), 158f.; M. Theobald, Die Fleischwerdung des Logos, NTA N.F. 20, Münster 1988, 214; T. Onuki, Gemeinde und Welt im Johannesevangelium. Ein Beitrag zur Frage nach der theologischen und pragmatischen Funktion des johanneischen »Dualismus«, WMANT 56, Neukirchen-Vluyn 1984, 42–44.

[252] Joh 3,21. S. zur Interpretation dieser Verse J. Frey, Die johanneische Eschatologie III (s. Anm. 102), 299f.

[253] Joh 12,36.

[254] Mit guten Gründen wird dies verneint von H. Weder, Die Asymmetrie des Rettenden, in: ders., Einblicke ins Evangelium, Göttingen 1992, 435–465, 454.

[255] S. den Aufsatz von H. Weder (vorige Fußnote). Schon statistisch liegt diese Asymmetrie vor, insofern rein zahlenmäßig viel häufiger vom Licht, dem Le-

tes zur »Welt«[256] sowie die Beauftragung der Jünger(-Gemeinde) zur Verkündigung[257] aufgebrochen. Es ist außerordentlich fraglich, ob diese Darstellung als Modifikation qumranischer Sprachformen erklärt werden kann. Alternative Herleitungsversuche sind daher sehr ernsthaft zu erwägen.

Ein solcher Versuch liegt seit kurzem in einem Aufsatz von Richard Bauckham vor. Dieser will den christologisch bestimmten Gebrauch der Licht-Metapher im vierten Evangelium nun auf dem Hintergrund der in der biblischen Tradition belegten Rede vom Schöpfungslicht und der im nachbiblischen Judentum breit belegten Metapher von der Tora als Licht verstehen.[258] Ich kann die Belege, die Bauckham anführt, hier nicht näher analysieren, aber es ist auffällig, dass einige dieser Belege interessante Parallelen zu johanneischen Wendungen bieten: 2Bar 59,2 spricht von der »Lampe der ewigen Tora«, die »für immer existiert und diejenigen erleuchtet hat, die in der Finsternis saßen«. Und nach 4Esra 14,20 liegt die Welt in der Finsternis, und ihre Bewohner sind ohne Licht. Solche Belege, die sich in größerer Zahl anführen ließen, machen deutlich, wie nahe die Metaphorik von Licht und Finsternis im antiken Judentum lag. Es ist leicht denkbar, dass die johanneische Verkündigung auf solche Traditionen zurückgegriffen und daraus ihre zentrale Metapher von Christus als dem »Licht der Welt« entwickelt hat. Dies ist – betrachtet man die vorgetragenen Einwände – eher wahrscheinlich als eine Beeinflussung durch essenisches Gedankengut oder gar eine Prägung des johanneischen Kreises durch ehemalige Essener.

Ich habe dieses letzte Beispiel angeführt, um zu zeigen, wie gerade dort, wo besonders enthusiastisch die Berührungen zwischen

---

ben und der Wahrheit die Rede ist als von Finsternis, Tod und Lüge.

[256] Joh 3,16; vgl. 1Joh 4,9f.

[257] Joh 20,19–23; vgl. dazu T. Onuki, Gemeinde und Welt (s. Anm. 251).

[258] S. dazu R. Bauckham, Qumran and the Fourth Gospel (s. Anm. 220), 275–278.

einem neutestamentlichen Schriftenkreis und den Texten von Qumran beschworen wurden, bei näherem Hinsehen eher Zurückhaltung geboten ist. Sprachliche Parallelen belegen *per se* noch keine Abhängigkeit, und die oben methodisch eingeforderten Differenzierungen der Nachfrage erweisen sich gerade an dieser Stelle als unabdingbar, um die wahrnehmbaren Parallelen präzise auszuwerten.

Mit diesem eher ernüchternden Resultat soll freilich der bleibende Wert der Qumran-Funde für die Auslegung des Johannesevangeliums nicht geschmälert werden. Dieser besteht nicht zuletzt darin, dass die Qumran-Texte die Forschung neu für die jüdischen Hintergründe des vierten Evangeliums sensibilisiert haben. Von wenigen Ausnahmen wie Adolf Schlatter oder Hugo Odeberg abgesehen, wurde in der Johannesforschung erst seit den Fünfzigerjahren wieder ernsthaft mit einem jüdischen Hintergrund oder gar einer palästinisch-jüdischen Verwurzelung der johanneischen Tradition gerechnet. Insofern sind die Qumran-Funde auch »ein Markstein für die religionsgeschichtliche Einordnung des Johannesevangeliums«.[259]

V. Zusammenfassung und Perspektiven

Was lässt sich im Rückblick auf die drei vorgeführten Bereiche über die Bedeutung der Qumran-Texte für das Verständnis des Neuen Testaments sagen? Haben die Textfunde unser Bild des Urchristentums und unser Verständnis des Neuen Testaments verändert? Sicher nicht so umstürzend, wie manche Sensationsschriftsteller glauben machen wollten. Dennoch kann man den wissenschaftlichen Beitrag der Textfunde zum Verständnis des Urchristentums kaum überschätzen:

1. Die Qumran-Texte haben uns eine Vielzahl *sprachlicher* Parallelen vermittelt, durch die neutestamentliche Begriffe und Phrasen

[259] So M. Hengel, Die johanneische Frage (s. Anm. 220), 282.

nun erstmals in einem hebräischen oder aramäischen Äquivalent belegt sind. Auch wenn man natürlich den präzisen Sinn einer Formulierung nur aus dem unmittelbaren Kontext bestimmen kann, macht es die Einsicht in den semitischen Hintergrund mancher Wendungen möglich, den Hintergrund ihrer Verwendung oder eine sonst nicht wahrnehmbare Konnotation zu erfassen.

2. Die Qumran-Funde haben eine enorme Lücke im Quellenbestand wenigstens partiell ausgefüllt und dadurch zu einer ausgewogeneren *religionsgeschichtlichen* Einschätzung des frühen Christentums entscheidend beigetragen. Während vor den Textfunden hebräische oder aramäische Originalquellen des palästinischen Judentums der Zeit Jesu nicht verfügbar waren und nur griechische (Josephus; Psalmen Salomos etc.) oder sekundär übersetzte (Henochschriften und andere Apokalypsen etc.) Texte sowie die späteren rabbinischen Quellen ausgewertet werden konnten, liegt nun durch die Qumran-Bibliothek ein breiter Querschnitt der palästinisch-jüdischen Literatur der drei vorchristlichen Jahrhunderte vor. Daraus ergibt sich zunächst ein wesentlich vielfältigeres Bild des Judentums jener Zeit. Zugleich wurde deutlich, dass viele neutestamentliche Motive und Vorstellungen, die man bisher – im Rahmen der Vorstellung eines »normativen« Judentums – als unjüdisch, hellenistisch oder gnostisch einzuschätzen pflegte, im Rahmen des zeitgenössischen Judentums sehr wohl zu erklären sind. Insofern ist durch die Qumran-Texte unser Bild des Urchristentums in vielen Einzelheiten jüdischer geworden.

3. Diese religionsgeschichtliche Einsicht ist auch *theologisch* von Belang. Die Botschaft Jesu und der Apostel ist nicht einfach »vom Himmel gefallen«. Sie trägt bleibend Elemente ihres jüdischen Mutterbodens in sich – auch dort, wo sie sich, wie z.B. in der Christologie oder in der Stellung zur Tora, von anderen jüdischen Optionen abwendet und eigene Wege geht.

4. Im Gegensatz zu der ersten Euphorie nach Bekanntwerden der Funde darf man jedoch nicht damit rechnen, dass die in Qumran (und vermutlich an vielen anderen Orten Judäas) ansässige Gruppe der »Essener« *den* Schlüssel zum Verständnis des Urchristentums

bietet. Personale oder institutionelle Beziehungen zwischen den Essenern und dem Urchristentum lassen sich nicht erweisen, und viele der Qumran-Parallelen zu neutestamentlichen Texten führen nicht zu einer Herleitung der urchristlichen Termini von spezifisch essenischen Texten und Vorstellungen. Sie verweisen vielmehr auf eine breitere *palästinisch-jüdische Matrix*, die in den essenischen und den nicht-essenischen Texten der Qumran-Bibliothek vorliegt und an der auch wesentliche Traditionen des Urchristentums teilhaben. In vielen Fällen helfen die Qumran-Parallelen gerade dazu, die Besonderheit der im Neuen Testament vorliegenden Aussagen zu erkennen.

5. Die Qumran-Texte bieten nicht zuletzt weit reichende Aufschlüsse über die Prozesse der Tradition und Textproduktion im nachbiblischen Judentum, über Formen der Schriftauslegung und des Schriftverständnisses (die weit reichende Parallelen zur urchristlichen Rezeption der Schrift aufweisen), über die Entstehung und Geschichte einzelner literarischer Formen und Gattungen. Damit bieten diese Texte auch für die Methodik der Analyse alt- und neutestamentlicher Texte ein Studienobjekt von unschätzbarem Wert.

6. Die Qumran-Funde haben uns schließlich deutlich gemacht, wie fragmentarisch der Ausschnitt ist, der uns aus der Fülle der Lebensäußerungen der Antike erhalten blieb. Nur ein Bruchteil ist nicht der Fäulnis zum Opfer gefallen, sondern der Wissenschaft zugänglich geworden. Dies sollte uns zur Bescheidenheit mahnen und zur Achtung gegenüber den Quellen, die uns – durch manche Zufälle – in die Hände gekommen sind.

Index

Stellen

Altes Testament

Neues Testament

Autorinnen und Autoren

Namen und Sachen

Die Mitarbeiterin und die Mitarbeiter dieses Bandes

Heinz-Josef Fabry, geb. 1944, studierte von 1967–1972 katholische Theologie, Orientalistik und Pädagogik in Bonn, dort Promotion 1975, Habilitation 1979, seit 1982 tätig als Professor für »Einleitung in das Alte Testament und Geschichte Israels«, zahlreiche Veröffentlichungen, Herausgeber des Theologischen Wörterbuches zum Alten Testament.

Jörg Frey, geb. 1962, studierte von 1983–1988 evangelische Theologie in Tübingen, Erlangen und Jerusalem, Promotion 1996 und Habilitation 1998 in Tübingen, 1998 Professor für Neues Testament in Jena, seit 1999 Ordinarius für Neues Testament in München. Wichtigste Veröffentlichungen: Eugen Drewermann und die biblische Exegese, WUNT II/71, Tübingen 1995; Die johanneische Eschatologie Bd. I–III, WUNT 96, 110, 116, Tübingen 1997, 1998, 2000; Die paulinische Antithese von »Fleisch« und »Geist« und die palästinisch-jüdische Weisheitstradition, ZNW 90 (1999), 45–77.

Johann Maier, geb. 1933, studierte von 1951–1956 evangelische Theologie in Wien und Zürich, 1956–1960 Judaistik, Semitistik und Geschichte in Wien. 1959 Dr. theol. und 1960 Dr. phil an der

Universität Wien, 1960/1961 Forschungsaufenthalt an der Hebräischen Universität Jerusalem, 1964 Habilitation für Judaistik an der Philosophischen Fakultät der Universität Wien, 1964–1966 Privatdozent für Judaistik an der Freien Universität Berlin, 1966–1995 Professor für Judaistik an der Universität zu Köln, 1993 Dr. theol. h.c. der Kath.-Theol. Fakultät der Universität Würzburg.
Letzte Buchveröffentlichungen: Geschichte der jüdischen Religion, 2. Aufl. Freiburg 1992; Zwischen den Testamenten, NEB.AT Erg. 3, Würzburg 1990 (Il giudaismo del secondo tempio, Brescia 1991; Entre los dos Testamentos, Salamanca 1996); Die Kabbalah, München 1995 (La Cabbala, Bologna 1997); Die Texte vom Toten Meer I–III, UTB 1862, 1863, 1916, München 1995, 1996; Die Tempelrolle vom Toten Meer und das »Neue Jerusalem«, UTB 829, München 1997; Kriegsrecht und Friedensordnung in jüdischer Tradition, Theologie und Frieden 14, Stuttgart 2000.

Annette Steudel, geb. 1963, seit 1988 Mitarbeiterin der Qumranforschungsstelle Göttingen, Promotion im Fach Neues Testament 1991, seit 1991 Mitglied im internationalen Team zur Edition der Qumrantexte (DJD), seit 1992 Lehrauftrag für Antikes Judentum an der Theologischen Fakultät der Georg-August-Universität Göttingen. Publikationen: אחרית הימים in the Texts of Qumran, RdQ 16/62 (1993), 225-246; Der Midrasch zur Eschatologie aus der Qumrangemeinde (4QMidrEschat[a.b]). Materielle Rekonstruktion, Textbestand, Gattung und traditionsgeschchtliche Einordnung des durch 4Q174 (»Florilegium«) und 4Q177 (»Catena A«) repräsentierten Werkes aus den Qumranfunden, StTDJ 13, Leiden u.a. 1994; The Eternal Reign of the People of God – Collective Expectations in Qumran Texts (4Q246 and 1QM), RdQ 65–68/17 (1996), 507–527; 4Q411, 4Q412; 4Q425 und 4Q426 in: DJD XX, sowie 4Q408 und 4Q410 in: DJD XXXVI; God and Belial, in: L. Schiffman, E. Tov, J.C. VanderKam, The Dead Sea Scrolls. Fifty Years After Their Discovery. Proceedings of the Jerusalem Congress, July 20–25, 1997, Jerusalem 2000, 332–340.

Emanuel Tov, geb. 1941, studierte von 1961–1969 Bibelwissenschaften in Jerusalem und Cambridge, MA (Harvard), seit 1986 tätig als Professor für Bibelwissenschaften an der Hebräischen Universität in Jerusalem und seit 1991 Editor-in-Chief of the Dead Sea Scrolls Publication Project.
Wichtigste Veröffentlichungen: The Greek Minor Prophets Scroll from Naḥal Ḥever. 8ḤevXIIgr. The Seiyal Collection I, DJD VIII; Oxford 1990; Textual Criticism of the Hebrew Bible, Minneapolis / Assen / Maastricht 1992; The Dead Sea Scrolls on Microfiche. A Comprehensive Facsimile Edition of the Texts from the Judean Desert, with a Companion Volume, Leiden 1993; The Text-Critical Use of the Septuagint in Biblical Research, Second Edition, Revised and Enlarged, Jerusalem Biblical Studies 8, Jerusalem 1997; The Greek and Hebrew Bible. Collected Essays on the Septuagint, VT.S 72. Leiden / Boston / Köln 1999.

Michael Fieger, geb. 1959, von 1981 bis 1986 Studium der Philosophie, katholische Theologie und Koptologie in Tübingen und München, 1986 Lizenziat, 1989 Promotion; von 1989 bis 1994 Tätigkeit als Religionslehrer und Seelsorger; seit 1995 Leiter der Bibelpastoralen Arbeitsstelle in St. Gallen.
Wichtigste Veröffentlichungen: Das Thomasevangelium. Einleitung, Kommentar und Systematik, Münster 1991; Im Schatten der Artemis. Glaube und Ungehorsam in Ephesus, Bern 1998; Die Schriftrollen vom Toten Meer. Eine Unterrichtshilfe für die Mittelstufe (zusammen mit H. Merz / Th. Stieger), St. Gallen 1999.

Konrad Schmid, geb. 1965, 1985–1990 Studium der evangelischen Theologie in Zürich, Greifswald und München, 1996 Promotion, 1998 Habilitation, seit 2000 Professor für Alttestamentliche Theologie an der Universität Heidelberg.
Wichtigste Veröffentlichungen: Buchgestalten des Jeremiabuches, WMANT 72, Neukirchen-Vluyn 1996; Erzväter und Exodus,

WMANT 81, Neukirchen-Vluyn 1999.

Peter Schwagmeier, geb. 1965, 1984–1991 Studium der evangelischen Theologie in Münster, Bonn und Zürich, 1991 bis 1997 Wissenschaftlicher Assistent an der Theologischen Fakultät der Universität Zürich; seit 1994 Mitarbeiter bei der Neuübersetzung der Zürcher Bibel; 2001 Promotion mit einer Arbeit zu Entstehung und Textgeschichte des Ezechielbuches.

Zu diesem Buch

Die Beiträge dieses Sammelbandes geben einen Überblick über die verschiedenen Bereiche der Qumranforschung: Emanuel Tov berichtet über die nunmehr kurz vor dem Abschluss stehende Veröffentlichung der Schriftrollen vom Toten Meer. Johann Maier stellt den gegenwärtigen Stand der breit aufgefächerten Qumranforschung dar. Annette Steudel behandelt Probleme und Methoden der Rekonstruktion von in der Regel nur fragmentarisch erhaltenen Schriftrollen. Heinz-Josef Fabry diskutiert die Relevanz der Textfunde von Qumran für die Frage des Textes der hebräischen Bibel und deren Bedeutung für die alttestamentliche Exegese. Jörg Frey erörtert in kritischem Diskurs mit unterschiedlichen Positionen die Bedeutung der Qumranfunde für die Erforschung des Neuen Testaments.

About this book

The contributions to this collection yield an overview of the various areas for our current Qumran research. Emanuel Tov reports on the soon-to-be completed publication of the Dead Sea Scrolls. Johann Maier depicts the current status of the rich diversity of Qumran research. Annette Steudel deals with the problems and methods of reconstructing the fragmentary finds. Heinz-Josef Fabry discusses the relevance of the finds for the question of the text of the Hebrew Bible and its meaning for the interpretation of the Old Testament. Jörg Frey explores, in critical discussion with various positions, the meaning that the Qumran discoveries have for New Testament research.

Bd. 1 MAX KÜCHLER, Schweigen, Schmuck und Schleier. Drei neutestamentliche Vorschriften zur Verdrängung der Frauen auf dem Hintergrund einer frauenfeindlichen Exegese des Alten Testaments im antiken Judentum. XXII + 542 Seiten, 1 Abb. 1986. [vergriffen]

Bd. 2 MOSHE WEINFELD, The Organizational Pattern and the Penal Code of the Qumran Sect. A Comparison with Guilds and Religious Associations of the Hellenistic-Roman Period. 104 Seiten. 1986.

Bd. 3 ROBERT WENNING, Die Nabatäer – Denkmäler und Geschichte. Eine Bestandesaufnahme des archäologischen Befundes. 364 Seiten, 50 Abb., 19 Karten. 1986. [vergriffen]

Bd. 4 RITA EGGER, Josephus Flavius und die Samaritaner. Eine terminologische Untersuchung zur Identitätsklärung der Samaritaner. 4 + 416 Seiten. 1986.

Bd. 5 EUGEN RUCKSTUHL, Die literarische Einheit des Johannesevangeliums. Der gegenwärtige Stand der einschlägigen Forschungen. Mit einem Vorwort von Martin Hengel. XXX + 334 Seiten. 1987.

Bd. 6 MAX KÜCHLER/CHRISTOPH UEHLINGER (Hrsg.), Jerusalem. Texte – Bilder – Steine. Im Namen von Mitgliedern und Freunden des Biblischen Instituts der Universität Freiburg Schweiz herausgegeben... zum 100. Geburtstag von Hildi + Othmar Keel-Leu. 240 S., 62 Abb.; 4 Taf.; 2 Farbbilder. 1987.

Bd. 7 DIETER ZELLER (Hrsg.), Menschwerdung Gottes – Vergöttlichung von Menschen. 8 + 228 Seiten, 9 Abb., 1988.

Bd. 8 GERD THEISSEN, Lokalkolorit und Zeitgeschichte in den Evangelien. Ein Beitrag zur Geschichte der synoptischen Tradition. 10 + 338 Seiten. 1989.

Bd. 9 TAKASHI ONUKI, Gnosis und Stoa. Eine Untersuchung zum Apokryphon des Johannes. X + 198 Seiten. 1989.

Bd. 10 DAVID TROBISCH, Die Entstehung der Paulusbriefsammlung. Studien zu den Anfängen christlicher Publizistik. 10 + 166 Seiten. 1989.

Bd. 11 HELMUT SCHWIER, Tempel und Tempelzerstörung. Untersuchungen zu den theologischen und ideologischen Faktoren im ersten jüdisch-römischen Krieg (66–74 n. Chr.). XII + 432 Seiten. 1989.

Bd. 12 DANIEL KOSCH, Die eschatologische Tora des Menschensohnes. Untersuchungen zur Rezeption der Stellung Jesu zur Tora in Q. 514 Seiten. 1989.

Bd. 13 JEROME MURPHY-O'CONNOR, O.P., The Ecole Biblique and the New Testament: A Century of Scholarship (1890–1990). With a Contribution by Justin Taylor, S.M. VIII + 200 Seiten. 1990.

Bd. 14 PIETER W. VAN DER HORST, Essays on the Jewish World of Early Christianity. 260 Seiten. 1990.

Bd. 15 CATHERINE HEZSER, Lohnmetaphorik und Arbeitswelt in Mt 20,1–16. Das Gleichnis von den Arbeitern im Weinberg im Rahmen rabbinischer Lohngleichnisse. 346 Seiten. 1990.

Bd. 16 IRENE TAATZ, Frühjüdische Briefe. Die paulinischen Briefe im Rahmen der offiziellen religiösen Briefe des Frühjudentums. 132 Seiten. 1991.

Bd. 17 EUGEN RUCKSTUHL/PETER DSCHULNIGG, Stilkritik und Verfasserfrage im Johannesevangelium. Die johanneischen Sprachmerkmale auf dem Hintergrund des Neuen Testaments und des zeitgenössischen hellenistischen Schrifttums. 284 Seiten. 1991.

Bd. 18 PETRA VON GEMÜNDEN, Vegetationsmetaphorik im Neuen Testament und seiner Umwelt. Eine Bildfelduntersuchung. XII + 558 Seiten. 1991.

Bd. 19 MICHAEL LATTKE, Hymnus. Materialien zu einer Geschichte der antiken Hymnologie. XIV + 510 Seiten. 1991.

Bd. 20 MAJELLA FRANZMANN, The Odes of Solomon. An Analysis of the Poetical Structure and Form. XXVIII + 460 Seiten. 1991.

Bd. 21 LARRY P. HOGAN, Healing in the Second Temple Period. 356 Seiten. 1992.

Bd. 22 KUN-CHUN WONG, Interkulturelle Theologie und multikulturelle Gemeinde im Matthäusevangelium. Zum Verhältnis von Juden- und Heidenchristen im ersten Evangelium. 236 Seiten. 1992.

Bd. 23 JOHANNES THOMAS, Der jüdische Phokylides. Formgeschichtliche Zugänge zu Pseudo-Phokylides und Vergleich mit der neutestamentlichen Paränese XVIII + 538 Seiten. 1992.

Bd. 24 EBERHARD FAUST, Pax Christi et Pax Caesaris. Religionsgeschichtliche, traditionsgeschichtliche und sozialgeschichtliche Studien zum Epheserbrief. 536 Seiten. 1993.

Bd. 25 ANDREAS FELDTKELLER, Identitätssuche des syrischen Urchristentums. Mission, Inkulturation und Pluralität im ältesten Heidenchristentum. 284 Seiten. 1993.

Bd. 26 THEA VOGT, Angst und Identität im Markusevangelium. Ein textpsychologischer und sozialgeschichtlicher Beitrag. XIV + 274 Seiten. 1993.

Bd. 27 ANDREAS KESSLER/THOMAS RICKLIN/GREGOR WURST (Hrsg.), Peregrina Curiositas. Eine Reise durch den orbis antiquus. Zu Ehren von Dirk Van Damme. X + 322 Seiten. 1994.

Bd. 28 HELMUT MÖDRITZER, Stigma und Charisma im Neuen Testament und seiner Umwelt. Zur Soziologie des Urchristentums. 344 Seiten. 1994.

Bd. 29 HANS-JOSEF KLAUCK, Alte Welt und neuer Glaube. Beiträge zur Religionsgeschichte, Forschungsgeschichte und Theologie des Neuen Testaments. 320 Seiten. 1994.

Bd. 30 JARL E. FOSSUM, The Image of the invisible God. Essays on the influence of Jewish Mysticism on Early Christology. X + 190 Seiten. 1995.

Bd. 31 DAVID TROBISCH, Die Endredaktion des Neuen Testamentes. Eine Untersuchung zur Entstehung der christlichen Bibel. IV + 192 Seiten. 1996.

Bd. 32 FERDINAND ROHRHIRSCH, Wissenschaftstheorie und Qumran. Die Geltungsbegründungen von Aussagen in der Biblischen Archäologie am Beispiel von Chirbet Qumran und En Feschcha. XII + 416 Seiten. 1996.

Bd. 33 HUBERT MEISINGER, Liebesgebot und Altruismusforschung. Ein exegetischer Beitrag zum Dialog zwischen Theologie und Naturwissenschaft. XII + 328 Seiten. 1996.

Bd. 34 GERD THEISSEN / DAGMAR WINTER, Die Kriterienfrage in der Jesusforschung. Vom Differenzkriterium zum Plausibilitätskriterium. XII + 356 Seiten. 1997.

Bd. 35 CAROLINE ARNOULD, Les arcs romains de Jérusalem. 368 pages, 36 Fig., 23 Planches. 1997.

Bd. 36 LEO MILDENBERG, Vestigia Leonis. Studien zur antiken Numismatik Israels, Palästinas und der östlichen Mittelmeerwelt. XXII + 266 Seiten, Tafelteil 144 Seiten. 1998.

Bd. 37 TAESEONG ROH, Die «familia dei» in den synoptischen Evangelien. Eine redaktions- und sozialgeschichtliche Untersuchung zu einem urchristlichen Bildfeld. ca. 272 Seiten. 1998. (in Vorbereitung)

Bd. 38 SABINE BIEBERSTEIN, Verschwiegene Jüngerinnen – vergessene Zeuginnen. Gebrochene Konzepte im Lukasevangelium. XII + 324 Seiten. 1998.

Bd. 39 GUDRUN GUTTENBERGER ORTWEIN, Status und Statusverzicht, im Neuen Testament und seiner Umwelt. VIII + 372 Seiten. 1999.

Bd. 40 MICHAEL BACHMANN, Antijudaismus im Galaterbrief? Beiträge zur Exegese eines polemischen Schreibens und zur Theologie des Apostels Paulus. X + 238 Seiten. 1999.

Bd. 41/1 MICHAEL LATTKE, Oden Salomos. Text, Übersetzung, Kommentar. Teil 1. Oden 1 und 3–14. XII + 312 Seiten. 1999.

Bd. 42 RALPH HOCHSCHILD, Sozialgeschichtliche Exegese. Entwicklung, Geschichte und Methodik einer neutestamentlichen Forschungsrichtung. VIII + 308 Seiten. 1999.

Bd. 43 PETER EGGER, Verdienste vor Gott? Der Begriff *z^e^khut* im rabbinischen Genesiskommentar Bereshit Rabba. VII + 440 Seiten. 2000.

Bd. 44 ANNE DAWSON, Freedom as Liberating Power. A socio-political reading of the ἐξουσία texts in the Gospel of Mark. XIV–258 Seiten. 2000.

Bd. 45 STEFAN ENSTE, Kein Markustext in Qumran. Eine Untersuchung der These: Qumran-Fragment 7Q5=Mk 6, 52–53. VIII – 178 Seiten. 2000.

Bd. 46 DIETER KREMENDAHL, Die Botschaft der Form. Zum Verhältnis von antiker Epistolographie und Rhetorik im Galaterbrief. XII–332 Seiten. 2000.

Bd. 47 MICHAEL FIEGER / KONRAD SCHMID / PETER SCHWAGMEIER (Hrsg.), Qumran – Die Schriftrollen vom Toten Meer. Vorträge des St. Galler Qumran-Symposiums vom 2./3. Juli 1999. VIII–240 Seiten. 2001.

UNIVERSITÄTSVERLAG FREIBURG SCHWEIZ
VANDENHOECK & RUPRECHT GÖTTINGEN

BIBLISCHES INSTITUT DER UNIVERSITÄT FREIBURG SCHWEIZ

Nachdem Sie das Diplom oder Lizentiat in Theologie, Bibelwissenschaft, Altertumskunde Palästinas/ Israels, Vorderasiatischer Archäologie oder einen gleichwertigen Leistungsausweis erworben haben, ermöglicht Ihnen ab Oktober 1997 ein Studienjahr (Oktober – Juni), am Biblischen Institut in Freiburg in der Schweiz ein

Spezialisierungszeugnis
BIBEL UND ARCHÄOLOGIE

(Elemente der Feldarchäologie, Ikonographie, Epigraphik, Religionsgeschichte Palästinas/Israels)

zu erwerben.

Das Studienjahr wird in Verbindung mit der Universität Bern (25 Min. Fahrzeit) organisiert. Es bietet Ihnen die Möglichkeit,

- ☞ eine Auswahl einschlägiger Vorlesungen, Seminare und Übungen im Bereich "Bibel und Archäologie" bei Walter Dietrich, Othmar Keel, Ernst Axel Knauf, Max Küchler, Silvia Schroer und Christoph Uehlinger zu belegen;
- ☞ diese Veranstaltungen durch solche in Ägyptologie (Hermann A. Schlögl, Freiburg), Vorderasiatischer Archäologie (Markus Wäfler, Bern) und altorientalischer Philologie (Pascal Attinger, Esther Flückiger, beide Bern) zu ergänzen;
- ☞ die einschlägigen Dokumentationen des Biblischen Instituts zur palästinisch-israelischen Miniaturkunst aus wissenschaftlichen Grabungen (Photos, Abdrücke, Kartei) und die zugehörigen Fachbibliotheken zu benutzen;
- ☞ mit den großen Sammlungen (über 10'000 Stück) von Originalen altorientalischer Miniaturkunst des Biblischen Instituts (Rollsiegel, Skarabäen und andere Stempelsiegel, Amulette, Terrakotten, palästinische Keramik, Münzen usw.) zu arbeiten und sich eine eigene Dokumentation (Abdrücke, Dias) anzulegen;
- ☞ während der Sommerferien an einer Ausgrabung in Palästina / Israel teilzunehmen, wobei die Möglichkeit besteht, mindestens das Flugticket vergütet zu bekommen.

Um das Spezialisierungszeugnis zu erhalten, müssen zwei benotete Jahresexamen abgelegt, zwei Seminarscheine erworben und eine schriftliche wissenschaftliche Arbeit im Umfange eines Zeitschriftenartikels verfaßt werden.

Interessenten und Interessentinnen wenden sich bitte an den Curator des Instituts:

PD Dr. Christoph Uehlinger
Biblisches Institut
Universität, Miséricorde
CH-1700 Freiburg / Schweiz
Fax +41 – (0)26 – 300 9754

INSTITUT BIBLIQUE DE L'UNIVERSITÉ DE FRIBOURG EN SUISSE

L'Institut biblique de l'Université de Fribourg en Suisse offre la possibilité d'acquérir un

certificat de spécialisation CRITIQUE TEXTUELLE ET HISTOIRE DU TEXTE ET DE L'EXÉGÈSE DE L'ANCIEN TESTAMENT

(Spezialisierungszeugnis Textkritik und Geschichte des Textes und der Interpretation des Alten Testamentes)

en une année académique (octobre à juin). Toutes les personnes ayant obtenu une licence en théologie ou un grade académique équivalent peuvent en bénéficier.

Cette année d'études peut être organisée

- ☞ autour de la critique textuelle proprement dite (méthodes, histoire du texte, instruments de travail, édition critique de la Bible);
- ☞ autour des témoins principaux du texte biblique (texte masorétique et masore, textes bibliques de Qumran, Septante, traductions hexaplaires, Vulgate, Targoums) et leurs langues (hébreu, araméen, grec, latin, syriaque, copte), enseignées en collaboration avec les chaires de patrologie et d'histoire ancienne, ou
- ☞ autour de l'histoire de l'exégèse juive (en hébreu et en judéo-arabe) et chrétienne (en collaboration avec la patrologie et l'histoire de l'Eglise).

L'Institut biblique dispose d'une bibliothèque spécialisée dans ces domaines. Les deux chercheurs de l'Institut biblique consacrés à ces travaux sont Adrian Schenker et Yohanan Goldman.

Pour l'obtention du certificat, deux examens annuels, deux séminaires et un travail écrit équivalent à un article sont requis. Les personnes intéressées peuvent obtenir des informations supplémentaires auprès du Curateur de l'Institut biblique:

Prof. Dr. Adrian Schenker
Institut Biblique
Université, Miséricorde
CH-1700 Fribourg / Suisse
Fax +41 - (0)26 - 300 9754